21世纪高职高专规划教材·旅游酒店类系列

中国饮食文化概论

徐文苑　编著

清华大学出版社
北京交通大学出版社
·北京·

内容简介

中国饮食文化是一种艺术，涉及饮与食两个方面。本书共分8章，对中国饮食文化重要组成部分的食文化、酒文化、茶文化进行深入的研究与全面系统的论述。本书强化知识的应用性与可操作性，深入浅出，难易适度，适用性强，学术性与普及性兼顾，理论性与应用性并重，知识性、科学性、实用性、创造性相结合，借以提高学生的综合素质。

本书主要适用于高等职业院校旅游管理、餐饮管理与服务等相关专业教学使用，也可作为饮食文化的学习参考书。

图书在版编目（CIP）数据

中国饮食文化概论／徐文苑编著. —北京：清华大学出版社；北京交通大学出版社，2005.1（2017.9重印）
（21世纪高职高专规划教材·旅游酒店类系列）
ISBN 978-7-81082-370-8

Ⅰ.中…　Ⅱ.徐…　Ⅲ.饮食-文化-中国-高等学校：技术学校-教材　Ⅳ.TS971

中国版本图书馆CIP数据核字（2006）第150100号

责任编辑：张利军　　特邀编辑：牛喘月
出版发行：清 华 大 学 出 版 社　　邮编：100084　　电话：010-62776969
　　　　　北京交通大学出版社　　邮编：100044　　电话：010-51686414
印 刷 者：北京鑫海金澳胶印有限公司
经　　销：全国新华书店
开　　本：185×230　　印张：15.75　　字数：360千字
版　　次：2005年1月第1版　　2017年9月第10次印刷
书　　号：ISBN 978-7-81082-370-8/TS·5
印　　数：28 001～30 000册　　定价：23.00元

本书如有质量问题，请向北京交通大学出版社质监组反映。对您的意见和批评，我们表示欢迎和感谢。
投诉电话：010-51686043，51686008；传真：010-62225406；E-mail：press@bjtu. edu. cn。

出版说明

高职高专教育是我国高等教育的重要组成部分，它的根本任务是培养生产、建设、管理和服务第一线需要的德、智、体、美全面发展的高等技术应用型专门人才，所培养的学生在掌握必要的基础理论和专业知识的基础上，应重点掌握从事本专业领域实际工作的基本知识和职业技能，因而与其对应的教材也必须有自己的体系和特色。

为了适应我国高职高专教育发展及其对教学改革和教材建设的需要，在教育部的指导下，我们在全国范围内组织并成立了“21 世纪高职高专教育教材研究与编审委员会”（以下简称“教材研究与编审委员会”）。“教材研究与编审委员会”的成员单位皆为教学改革成效较大、办学特色鲜明、办学实力强的高等专科学校、高等职业学校、成人高等学校及高等院校主办的二级职业技术学院，其中一些学校是国家重点建设的示范性职业技术学院。

为了保证规划教材的出版质量，“教材研究与编审委员会”在全国范围内选聘“21 世纪高职高专规划教材编审委员会”（以下简称“教材编审委员会”）成员和征集教材，并要求“教材编审委员会”成员和规划教材的编著者必须是从事高职高专教学第一线的优秀教师或生产第一线的专家。“教材编审委员会”组织各专业的专家、教授对所征集的教材进行评选，对所列选教材进行审定。

目前，“教材研究与编审委员会”计划用 2～3 年的时间出版各类高职高专教材 200 种，范围覆盖计算机应用、电子电气、财会与管理、商务英语等专业的主要课程。此次规划教材全部按教育部制定的“高职高专教育基础课程教学基本要求”编写，其中部分教材是教育部《新世纪高职高专教育人才培养模式和教学内容体系改革与建设项目计划》的研究成果。此次规划教材按照突出应用性、实践性和针对性的原则编写并重组系列课程教材结构，力求反映高职高专课程和教学内容体系改革方向；反映当前教学的新内容，突出基础理论知识的应用和实践技能的培养；适应“实践的要求和岗位的需要”，不依照“学科”体系，即贴近岗位，淡化学科；在兼顾理论和实践内容的同时，避免“全”而“深”的面面俱到，基础理论以应用为目的，以必要、够用为度；尽量体现新知识、新技术、新工艺、新方法，以利于学生综合素质的形成和科学思维方式与创新能力的培养。

此外，为了使规划教材更具广泛性、科学性、先进性和代表性，我们希望全国从事高职高专教育的院校能够积极加入到“教材研究与编审委员会”中来，推荐“教材编审委员会”成员和有特色的、有创新的教材。同时，希望将教学实践中的意见与建议，及时反馈给我们，以便对已出版的教材不断修订、完善，不断提高教材质量，完善教材体系，为社会奉献更多更新的与高职高专教育配套的高质量教材。

此次所有规划教材由全国重点大学出版社——清华大学出版社与北京交通大学出版社联合出版，适合于各类高等专科学校、高等职业学校、成人高等学校及高等院校主办的二级职业技术学院使用。

21 世纪高职高专教育教材研究与编审委员会

2008 年 7 月

前　言

中国饮食文化丰富多彩、博大精深，有数千年的文化积存，是中国古老文明的一部分。中国各地不同的食风、风格迥异的特色饮食及由来已久的我国岁时食俗和饮食礼仪等共同交织成多姿多彩的中华饮食文化。历代积存下来的有关饮食文化的文献资料极其丰富，这是中华民族的宝贵财产，也是人类文明史上光辉灿烂的文化瑰宝之一。但是这份丰厚的文化遗产，大多散见于历史文献和各种典籍之中，至今尚缺乏全面、系统的研究、整理和总结。为了继承和发展我国的饮食文化，我们应该结合文学、史学、哲学、民族学、民俗学、宗教学等社会科学，全面总结我国的饮食文化遗产，这也是弘扬民族优秀文化的一个重要方面。

随着社会经济的高度发展，人们的饮食观念也在随之转变，进而对饮食提出新的、更高的时代要求，使得饮食文化呈现出前所未有的丰富、活跃、更新和发展的趋势。自20世纪80年代以来，国内陆续出版了一些以饮食史、饮食风俗、饮食艺术、烹饪等饮食文化内容为主的书籍，但更多的则是散见于一些期刊上的学术论文，而针对旅游管理、餐饮管理与服务等专业，尤其是高职高专层次，较为科学、系统地介绍中国饮食文化的教材却极少。鉴于此，我们编写了这本针对高职院校旅游管理、餐饮管理与服务等专业的教材。本教材突出高等职业院校教学的特点，特别是高职高专教材的特征，适应高等职业教育以能力为核心，以培养技术应用型人才为根本任务，使学生达到基础理论适度、技术应用能力强、知识面宽、综合素质高的要求。

中国饮食文化是一种艺术，涉及“饮”与“食”两个方面。“饮”主要指分别代表酒精饮料和非酒精饮料的酒和茶；“食”则是我国长期形成的以五谷为主食，蔬菜、肉类为副食的传统饮食结构，包括饮食观念、民情风俗、物产原料、烹调技术、饮食器具、饮食礼仪、食疗养生及有关的人物轶闻、文献典籍、历史掌故等诸多方面的知识。因此，本教材主要对中国饮食文化中的重要组成部分——食文化、酒文化、茶文化等进行了更深入的研究与全面系统的论述。

中国饮食文化源远流长，多姿多彩，覆盖面广，影响深远，是发展旅游业的一项用之不尽的文化资源。我们的优势在于历史与文化，我们应继承和发扬这一宝贵而丰厚的文化遗产。《中国饮食文化概论》一书旨在弥补我国高等专科旅游管理、餐饮管理与服务等专业教材建设的相对不足与滞后，特别是新时期国内高等职业技术教育对旅游管理、餐饮管理与服务等专业新教材的需求，同时满足课程改革及专业建设的需要。

本教材由天津职业大学徐文苑老师编著，广东华立学院贺湘辉老师参加了编写工作。在编写过程中，编者参考了许多国内同行的论著及部分网上资料，材料来源未能一一注明，在此向原作者表示诚挚的感谢。另外，由于编者水平所限，书中难免有不足之处，敬请有关专家和广大读者批评指正。

编　者

2008 年 7 月

目　录

第0章　导　　论

学习目标

◎ 了解文化及饮食文化的含义。
◎ 了解我国饮食文化的研究状况。
◎ 熟悉各饮食文化区的特点。
◎ 了解中国饮食文化对其他国家的影响。
◎ 明确学习和研究中国饮食文化的意义。

饮食是人类赖以生存和发展的第一要素，先哲有云“民以食为天”（《管子》），这句话的原意是人民把粮食看做生命的根本。《尚书·洪范》提出治国之“八政”，亦以“食”为先。西汉司马迁在《史记·郦生陆贾列传》中写道：“王者以民人为天，而民人以食为天。”可见，饮食在人类生活中占有十分重要的地位。离开饮食，人类无法生存，当然也就谈不上社会的存在和各种文化现象的产生。民以食为天的观念如此源远流长，反映了中国几千年文明史和农业关系至为密切，粮食至关重要。人们对于吃的重要性的认识始终贯穿于中国文明发展的历史长河。民以食为天的观念，可以说是中国饮食文化观念中最基本的、也是最重要的核心。人类文明始于饮食。中国是人类文明的发祥地之一，中国饮食文化历史悠久，博大精深，源远流长，是中华民族文化宝库中一颗璀璨的明珠，亦是世界饮食文化的发祥地之一。如今，随着生活水平的提高和文明的进步，人们对饮食文化的追求由浅层次向更深层次发展，促使饮食逐渐摆脱对物欲的单纯追求，升华为一种精神享受，向往一种在饮食活动中吃出品味，吃出文化的饮食情趣，把饮食作为整个生活方式的组成部分而赋予文化的形式和内涵，这就是所谓饮食文化。

0.1　中国饮食文化的含义及其研究

0.1.1　文化的定义

“文化”一词在中国古代文献中，是“文”与“化”的复合。《尚书·大禹谟》“文命敷于四海”中的“文”是指文德教化。最早将“文”与“化”联系起来的是《易·贲》“观乎人文，以化成天下”。西汉刘向《说苑·指武》中出现了“文化”一词，“凡武之兴，为不服也，文化不改，然后加诛。”但古代主要指“以文教化”之意，相当于后来的狭义文化的概念。西方“文化”一词源于拉丁文cultura，有耕种、居住、训练、注意等多重含义，后被译成英文、法文的culture，被引申为培育、化育之意，相当于后来的广义文化的概念。

关于文化的定义，始终是国内外学者广泛关注并颇有争议的论题。英国学者威廉斯曾说过“文化”一词是英语语言中最复杂的二三个词之一。其实人们对“文化”一词的理解通常有广义和狭义的区别，而一般大众所理解的狭义文化是指人们日常生活中所看得见的语言、文学、艺术等活动，而作为文化研究领域里所指的文化则是广泛意义上的大文化，国内外的学者都曾先后从各自学科的角度出发予以多种界定与解释。据统计，现在世界上有关文化的定义已达200多种，但比较权威并系统归纳起来的定义源于《大英百科全书》引用的美国著名文化学专家克罗伯和克拉克洪的《文化：一个概念定义的考评》一书。这本书共收集了166条文化的定义（162条为英文定义），这些定义分别由世界上著名的人类学家、社会学家、心理分析学家、哲学家、化学家、生物学家、经济学家、地理学家和政治学家所界定。在该书中，两位学者把所收集的162条有关文化的定义分成七组，并在每一组定义后，予以综述的评判，这对理解每一组定义起到了导向作用。这七组定义分别为：描述性的定义、历史性的定义、行为规范性的定义、心理性的定义、不完整性的定义，现摘录如下。

（1）泰勒(1871年)：文化或文明是一个复杂的整体，它包括知识、信仰、艺术、法律、伦理道德、风俗和作为社会成员的人通过学习而获得的任何其他能力和习惯。（属描述性定义）

（2）帕克和伯吉斯（1921年）：一个群体的文化是指这一群体所生活的社会遗传结构的总和，而这些社会遗传结构又因这一群体人特定的历史生活和种族特点而获得其社会意义。(属历史性定义)

（3）威斯勒（1929年）：某个社会或部落所遵循的生活方式被称做文化，它包括所有标准化的社会传统行为。部落文化是该部落的人所遵循的共同信仰和传统行为的总和。（属行为规范性定义）

（4）斯莫尔（1905年）：“文化”是指某一特定时期的人们为试图达到他们的目的而使用的技术、机械、智力和精神才能的总和。“文化”包括人类为达到个人或社会目的所采用的方法手段。（属心理性定义）

（5）威利（1929年）：文化是一个反应行为的相互关联和相互依赖的习惯模式系统。(属结构性定义)

（6）亨廷顿（1945年）：我们所说的文化是指人类生产或创造的，而后传给其他人，特别是传给下一代人的每一件物品、习惯、观念、制度、思维模式和行为模式。（属遗传性的定义）

（7）萨皮尔（1921年）：文化可以定义为是一个社会所做、所思的事情。（属不完整性

定义)

《中国大百科全书》中的“文化”释义为：“广义的文化是指人类创造的一切物质产品和精神产品的总和。狭义的文化专指语言、文学、艺术及一切意识形态在内的精神产品。”(社会学卷)“广义的文化总括人类的物质生产和精神生产的能力、物质的和精神的全部产品。狭义的文化指精神生产能力和精神产品，包括一切社会意识形式，有时又专指教育、科学、文学、艺术、卫生、体育等方面。”(哲学卷)

在不同学科对于文化的定义方面，诸如政治学、经济学、历史学、哲学、语言文学等，都有许多有益的观点。总的来看，各个学科对文化的定义有共同点，也有不同点。尽管如此，由众多学科对文化的定义所产生的文化定义现象，是一个极好的现象，只有有了许多不同的观点，才会有文化研究的发展。而且，各种不同的观点的存在，有助于相互之间的交融和互补，使人们在理解什么是文化的时候，具有一个更为开阔的视域。

以上关于文化的种种定义，尽管相互之间有差异，但共同的一个意义是文化被认为是人类社会历史的精神与物质的整个复合体。由于概念的外延过于宽泛，显得笼统、模糊，因而难以找到一个恰当的出发点，而且也不易对文化现象进行深入的研究。所以，多数学者倾向于从观念形态的角度定义文化的观点，即认为“文化是代表一定民族特点，反映理论思维水平的精神风貌、心理状态、思维方式和价值取向等精神成果的总和”。

0.1.2 饮食文化的含义

饮食文化是一种特殊而又普通的社会现象。说它特殊，是因食物、加工方式的不同，或地区、民族差异，产生不同的饮食风味、文化风格；说它普遍，是说饮食不分人种、地位、国家和民族，它还涉及政治、经济、哲学、文化艺术等多个领域。菜肴分南北风味，八大菜系；不同民族则因风情各异，各有爱好禁忌。提起饮食文化，人们往往就想到“吃”。不错，饮食文化中包含着“吃”，但“吃”并不能代表饮食文化，并不能概括饮食文化的整体。饮食文化是人类在饮食方面的创造行为及其成果，是关于饮食的生产与消费的科学、技术、习俗和艺术等的文化综合体。凡涉及人类饮食方面的思想、意识、观念、哲学、宗教、艺术等都在饮食文化的范围之内。因此，一个小小的“吃”字，并不能包含上述博大精深的内容。

中国饮食文化是一种艺术，涉及饮与食两个方面。“饮”主要指分别代表酒精饮料的酒和非酒精饮料的茶；“食”则是我国长期形成的以五谷为主食，蔬菜、肉类为副食的传统饮食结构，包括饮食观念、民情风俗、物产原料、烹调技术、饮食器具、饮食礼仪、食疗养生及有关人物轶闻、文献典籍、历史掌故等诸多方面的知识。

饮食之所以是文化有如下原因：首先，饮食是与人的生存同步的历史现象，人的历史就是饮食的历史；其次，每种菜系都是一种文化，其中积淀了无数厨师和文人墨客的心血。此外，饮食现象有一种丰富的结构。饮食器具有各种形式、各样色彩，饮食环境或简朴或豪华，可以说小到餐具大到环境再到整个菜系都构成了一系列文化。此外，饮食文化还包括食客，即消费者的心情、情绪；更深层次还包括哲学，如天人合一，中庸思想等。

0.1.3 中国饮食文化的研究

饮食文化随着人类社会的出现而产生，又随着人类物质文化和精神文化的发展而不断丰富自己的内涵。中国饮食文化历史悠久，根基深厚，随着我国生产力的发展和文化的繁荣而逐步发展起来。中国饮食文化已有50余万年的历史，纵横分布在960多万平方公里的土地上，渗透在56个民族的日常生活中，积累了丰富的经验和知识。它是中华民族的一份宝贵、丰厚的文化遗产。中国的饮食文化有着丰富的内蕴，但作为一门完整的学科尚未形成，散落各地的素材有待整理，使之上升为理论。目前，对中国饮食文化的研究方兴未艾，在海外也掀起了研究热潮。随着我国经济的迅猛发展，饮食文化将呈现前所未有的更新、更为丰富、更加活跃的发展趋势。

1. 国内的中国饮食史研究状况

中国饮食史作为一门边缘性的学科，它的兴衰演变随着社会政治、军事、经济的状况及政府的政策而变化，时兴时衰。历史上的饮食文化研究比较滞后，只有到明朝中叶以后，饮食文化研究开始深化和系统化，在此不再赘述；重点介绍一下近现代的饮食文化研究情况，大致分为以下3个阶段。

1）兴起阶段（1911年至1949年）

中国饮食史研究始于1911年出版的张亮采《中国风俗史》一书。此后，相继有董文田《中国食物进化史》（《燕大月刊》第5卷第1～2期，1929年11月版）、郎擎霄《中国民食史》（商务印书馆1934年版），全汉昇《南宋杭州的外来食料与食法》（《食货》第2卷第2期，1935年6月），杨文松《唐代的茶》（《大公报·史地周刊》第82期，1936年4月24日），胡山源《古今酒事》（世界书局1939年版）、《古今茶事》（世界书局1941年版），黄现璠《食器与食礼之研究》（《国立中山师范季刊》第1卷第2期，1943年4月），韩儒林《元秘史之酒局》（《东方杂志》第39卷第9期，1943年7月），许同华《节食古义》（《东方杂志》第42卷第3期），李海云《用骷髅来制饮器的习俗》（《文物周刊》第11期，1946年12月版），刘铭恕《辽代之头鹅宴与头鱼宴》（《中国文化研究汇刊》第7卷，1947年9月版），友梅《饼的起源》（《文物周刊》第71期，1948年1月28日版），李劼人《漫游中国人之衣食住行》（《风土杂志》第2卷第3～6期，1948年9月～1949年7月）等。

2）缓慢发展阶段（1949年至1979年）

中华人民共和国成立后至1979年的30年时间里，大陆由于各种政治运动的不断开展，中国饮食史的研究也受到了严重的影响，基本上处于停滞状态，发表的论著屈指可数。

在20世纪50年代，有关的中国饮食史论著有：王拾遗《酒楼——从水浒看宋之风俗》（《光明日报》1954年8月8日）、杨桦《楚文物（三）两千多年前的食器》（《新湖南报》

1956年10月24日)、冉昭德《从磨的演变来看中国人民生活的改善与科学技术的发达》(《西北大学学报》1957年第1期)、林乃燊《中国古代的烹调和饮食——从烹调和饮食看中国古代的生产、文化水平和阶级生活》(《北京大学学报》1957年第2期)等。

20世纪60年代的论著主要有:冯先铭《从文献看唐宋以来饮茶风尚及陶瓷茶具的演变》(《文物》1963年第1期)、杨宽《"乡饮酒礼"与"飨礼"新探》(《中华文史论丛》1963年第4期)、曹元宇《关于唐代有没有蒸馏酒的问题》(《科学史集刊》第6期,1963年版)、方杨(《我国酿酒当始于龙山文化》)(《考古》1964年第2期)。

20世纪70年代,"文革"结束后,又有学者对中国饮食史进行研究,其中见诸报刊有:白化文《漫谈鼎》(《文物》1976年第5期)、唐耕耦等《唐代的茶业》(《社会科学战线》1979年第4期)。

这个时期台湾、香港地区的中国饮食史研究也处于缓慢发展阶段,主要成果有:杨家骆主编《饮馔谱录》(世界书局1962年版)、袁国藩《13世纪蒙人饮酒之习俗仪礼及其有关问题》(《大陆杂志》第34卷5期,1967年3月)、陈祚龙《北宋京畿之吃喝文明》(《中原文献》第4卷第8期,1972年8月)、许倬云《周代的衣、食、住、行》(《史语所集刊》第47本第3分册,1976年9月)、张起钧《烹调原理》等。

3)繁荣阶段(1980年至今)

(1)20世纪80年代的中国饮食史研究。进入20世纪80年代,大陆的中国饮食史研究开始进入繁荣阶段。据统计,《中国烹饪》杂志创刊后,至今已相继发表了数百篇中国饮食史方面的论著,主要体现在以下几方面。

一是对有关中国饮食史的文献典籍进行注释、重印。如中国商业出版社自1984年以来推出了《中国烹饪古籍丛刊》,相继重印出版了《先秦烹饪史料选注》、《吕氏春秋·本味篇》、《齐民要术》(饮食部分)、《千金食治》、《能改斋漫录》、《山家清供》、《中馈录》、《云林堂饮食制度集》、《易牙遗意》、《醒园录》、《随园食单》、《素食说略》、《养小录》、《清异录》(饮食部分)、《闲情偶寄》(饮食部分)、《食宪鸿秘》、《随息居饮食谱》、《饮馔服食笺》、《饮食须知》、《吴氏中馈录》、《本心斋疏食谱》、《居家必用事类全集》、《调鼎集》、《菽园杂记》、《粥谱》等书籍。

二是编辑出版了一些具有一定学术价值的中国饮食史著作。如:林乃燊《中国饮食文化》(上海人民出版社1989年版),林永匡、王熹《食道·官道·医道——中国古代饮食文化透视》(陕西人民教育出版社,1989年版),姚伟钧《中国饮食文化探源》(广西人民出版社1989年版),陶文台《中国烹饪史略》(江苏科学技术出版社1983年版)、《中国烹饪概论》(中国商业出版社1988年版),王仁兴《中国饮食谈古》(轻工业出版社1985年版)、《中国年节食俗》(中国旅游出版社1987年版),洪光住《中国食品科技史稿(上)》(中国商业出版社1984年版),王明德、王子辉《中国古代饮食》(陕西人民出版社1988年版),杨文骐《中国饮食文化和食品工业发展简史》(中国展望出版社1983年版),《中国饮食民俗学》(中国展望出版社1983年版),熊四智《中国烹饪学概论》(四川科学技术出版社

1988年版)，施继章、邵万宽《中国烹饪纵横》(中国食品出版社1989年版)，陶振纲、张廉明《中国烹饪文献提要》(中国商业出版社1986年版)，张廉明《中国烹饪文化》(山东教育出版社1989年版)，曾纵野《中国饮馔史》第一册(中国商业出版社1988年版)，林正秋、徐海荣、隋海清《中国宋代果点概述》(中国食品出版社1989年版)，庄晚芳《中国茶史散论》(科学出版社1988年版)，陈椽《茶业通史》(农业出版社1984年版)，贾大泉、陈一石《四川茶业史》(巴蜀书社1989年版)，吴觉农《茶经述评》(农业出版社1987年版)，王尚殿《中国食品工业发展简史》(山西科学教育出版社1987年版)。

(2) 20世纪90年代的中国饮食史研究。20世纪90年代的中国饮食史研究，无论研究的角度还是研究的深度，都远远超过80年代，具体体现在以下几个方面。

一是有关中国饮食史研究的著作纷纷涌现。其中具有代表性的是：李士靖主编《中华食苑》(第1～10集)，林永匡、王熹《清代饮食文化研究》(黑龙江教育出版社1990年版)，王子辉《隋唐五代烹饪史纲》(陕西科技出版社1991年版)，陈伟明《唐宋饮食文化初探》(中国商业出版社1993年版)，王学泰《华夏饮食文化》(中华书局1993年版)，万建中《饮食与中国文化》(江西高校出版社1995年版)，王仁湘《饮食考古初集》(中国商业出版社1994年版)，姚伟钧《宫廷饮食》(华中理工大学出版社1994年版)，谭天星《御厨天香——宫廷饮食》(云南人民出版社1992年版)，赵荣光《中国饮食史论》(黑龙江科学技术出版社1990年版)，赵荣光《满族食文化变迁与满汉全席问题研究》(黑龙江人民出版社1996年版)，赵荣光《中国古代庶民饮食生活》(商务印书馆国际有限公司1997年版)，鲁克才《中华民族饮食风俗大观》(世界知识出版社1992年版)，李东印《民族食俗》(四川民族出版社1990年版)，傅允生、徐吉军、卢敦基《中国酒文化》(中国广播电视出版社1992年版)，季羡林《文化交流的轨迹——中华蔗糖史》(经济日报出版社1997年版)，胡德荣、张仁庆等《金瓶梅饭食谱》(经济日报出版社1995年版)，黎虎主编《汉唐饮食文化》(北京师范大学出版社1998年版)等。

二是在研究力度和研究深度上都有了进一步的拓展。在宏观研究方面，有姚伟钧《论中国饮食文化植根的经济基础》(《争鸣》1992年第1期)、《饮食生活的演变与社会转型》(《探索与争鸣》1996年第4期)等文。

在酒史方面，有萧家成《论中华酒文化及其民族性》(《民族研究》1992年第5期)、张国庆《辽代契丹人的饮酒习俗》(《黑龙江民族丛刊》1990年第1期)、张德水《殷商酒文化初论》(《中原文物》1994年第3期)、李元《酒与殷商文化》(《学术月刊》1994年第5期)、张平《唐代的露酒》(《唐都学刊》1994年第3期)、吴涛《北宋东京的饮食生活》(《史学月刊》1994年第2期)、陈伟明《元代饮料的消费与生产》(《史学集刊》1994年第2期)等文。

在茶史方面，有陈珲《饮茶文化始创于中国古越人》(《民族研究》1992年第2期)、姚伟钧《茶与中国文化》(《华中师大学报》1995年第1期)、曾庆钧《中国茶道简论》(《东南文化》1992年第2期)、王懿之《云南普洱茶及其在世界茶史上的地位》(《思想战线》1992年第2期)；程喜霖《唐陆羽〈茶经〉与茶道（兼论其对日本茶文化的影响)》(《湖北大学学报》1990年第2期)、陈香白《潮州工夫茶与儒家思想》（《孔子研究》1990年第3期)、刘学忠《中国古代茶馆考论》（《社会科学战线》1994年第5期）等文。

在少数民族饮食史研究方面，有陈伟明《唐宋华南少数民族饮食文化初探》（《东南文化》1992年第2期)、黄任远《赫哲族食鱼习俗及其烹调工艺》（《黑龙江民族丛刊》1992年第1期)、贾忠文《水族“忌肉食鱼”风俗浅析》（《民俗研究》1991年第3期)、蔡志纯《漫谈蒙古族的饮食文化》（《北方文物》1994年第1期)、姚伟钧《满汉融合的清代宫廷饮食》（《中南民族学院学报》1997年第1期)。

在饮食礼俗方面，有姚伟钧《中国古代饮食礼俗与习俗论略》（《江汉论坛》1990年第8期)、《乡饮酒礼探微》（《中国史研究》1999年第1期)，林沄《周代用鼎制度商榷》(《史学集刊》1990年第3期)，万建中《中国节日食俗的形成、内涵的流变》（《东南文化》1993年第4期)，杨学军《先秦两汉食俗四题》（《首都师大学报》1994年第3期)，张宇恕《从宴会赋诗看春秋齐鲁文化不同质》（《管子学刊》1994年第2期)。

在饮食思想观念方面，有姚伟钧《中国古代饮食观念探微》（《争鸣》1990年第5期)、王晓毅《游宴与魏晋清谈》（《文史哲》1993年第6期)。

在文献研究、饮食器具及饮食文化交流方面，有胡志祥《先秦主食文化要论》（《复旦学报》1990年第3期)、姚伟钧《先秦饮馔技艺考论》（《文献》1996年第1期)、万建中《先秦饮食礼仪文化初探》（《江西大学学报》1992年第3期)、杨钊《中国先秦时期的生活饮食》（《史学月刊》1992年第1期)、杨爱国《汉画像石中的庖厨图》（《考古》1991年第11期)、余世明《魏晋时期粮食生产结构之变化》（《贵州师范大学学报》1992年第2期)、陈伟明《唐宋时期饮食业发展初探》（《暨南学报》1990年第3期)、徐吉军《南宋临安饮食业概述》（《浙江学刊》1992年第6期）和《论南宋临安市民的饮食生活》（《中国古都研究》第10辑)、程民生《宋代果品简论》（《中州学刊》1992年第2期)、陈高华《元代大都的饮食生活》（《中国史研究》1991年第4期)，姚伟钧《汉唐饮食制度考论》（《中国文化研究》1999年第1期)，《唐代的饮食文化》（《华中师范大学学报》1990年第3期）和《三国魏晋南北朝的饮食文化》（《中国民族学院学报》1994年第2期)，张国庆《辽代契丹人饮食考述》（《中国社会经济史研究》1990年第1期)，闻惠芬《太湖地区先秦饮食文化初探》（《东南文化》1993年第4期)，杨亚长《半坡文化先民主饮食考古》（《考古与文物》1994年第3期)，张萍《唐代长安的饮食生活》（《唐史论丛》第6辑，陕西人民出版社1995年版）等。

2. 海外的中国饮食史研究状况

海外的中国饮食史研究，当首推日本。在世界各国中，日本对中国饮食史的研究时间较早，最为重视，成就最为突出。

早在20世纪40年代，日本学者就掀起了中国饮食史研究的热潮。其时，相继发表有青木正儿《用匙吃饭考》（《学海》，1994年）、《中国的面食历史》（《东亚的衣和食》，京都，1946年）、《用匙吃饭的中国古风俗》（《学海》第1集，1949年）、筱田统《白干酒——关于高粱的传入》（《学芸》第39集，1948年）、《向中国传入的小麦》（《东光》第9集，1950年）、《明代的饮食生活》（收于薮内清编《天工开物之研究》，1955年）、《古代中国的烹饪》（《东方学报》第30集，1995年）、同人《华国风味》（东京，1949年）、《五谷的起源》（《自然与文化》第2集，1951年）、《欧亚大陆东西栽植物之交流》（《东方学报》第29卷，1959年），天野元之助《中国臼的历史》（《自然与文化》第3集，1953年）、冈崎敬《关于中国古代的炉灶》（《东洋史研究》第14卷，1955年）、北村四郎《中国栽培植物的起源》（《东方学报》第19卷，1950年）、由崎百治《东亚发酵化学论考》（1945年）等。

60年代，日本中国饮食史研究的文章有：筱田统《中世食经考》（收于薮内清《中国中世科学技术史研究》，1963年）、《宋元造酒史》（收于薮内清编《宋元时代的科学技术史》，1967年）、《豆腐考》（《风俗》第8卷，1968年），同人《关于〈饮膳正要〉》（收于薮内清编《宋元时代的科学技术史》，1967年），天野元之助《明代救荒作物著述考》（《东洋学报》第47卷，1964年）、桑山龙平《金瓶梅饮食考》（《中文研究》，1961年）。

到70年代，日本的中国饮食史研究更掀起了新的高潮。1972年，日本书籍文物流通会就出版了筱田统、田中静一编纂的《中国食经丛书》。此丛书是从中国自古迄清约150余部与饮食史有关书籍中精心挑选出来的，分成上下两卷，共40种，是研究中国饮食史不可缺少的重要资料。其他著作还有：1973年，天理大学鸟居久靖教授的系列专论《〈金瓶梅〉饮食考》；1974年，柴田书店推出了筱田统所著的《中国食物史》和大谷彰所著的《中国的酒》两书；1978年，八坂书房出版了筱田统《中国食物史之研究》；1983年，角川书店出版中山时子主编的《中国食文化事典》；1985年，平凡社出版石毛直道编的《东亚饮食文化论集》。1986年，河原书店出版松下智著的《中国的茶》；1987年，柴田书店出版田中静一著的《一衣带水——中国料理伝来史》；1988年，同朋舍出版田中静一主编的《中国料理百科事典》；1991年，柴田书店出版田中静一主编的《中国食物事典》等。

0.2 中国饮食文化的类型

中国历史悠久，幅员辽阔，人口众多，因而形成了丰富多彩的饮食文化。

0.2.1 饮食者类型

1. 宫廷、贵族饮食

在古代，作为统治阶级，封建帝王不仅将自己的意识形态强加于其统治下的臣民，以示自己的至高无上，而且同时还要将自己的日常生活行为方式标新立异，以示自己的绝对权威。这样，作为饮食行为，也就无不渗透着统治者的思想和意识，表现出其修养和爱好，就形成了风格独特的宫廷饮食。

(1) 宫廷饮食的特点是选料严格，用料严格。普天之下，莫非王土，率土之滨，莫非王臣，帝王权力的无限扩大，使其荟萃了天下技艺高超的厨师，也拥有了人间所有的珍稀原料。如早在周代，宫廷中就已有职责分得细密而又烦琐的专人负责皇帝的饮食，《周礼注疏·天官冢宰》中有“膳夫、庖人、外饔、亨人、甸师、兽人、渔人、腊人、食医、疾医、疡医、酒正、酒人、凌人、笾人、醢人、盐人”等条目，目下分述职掌范围。这么多的专职人员，可以想见当时饮食选材备料的严格。不仅选料严格，而且用料精细。早在周代，统治者就食用“八珍”，而越到后来，统治者的饮食越精细、珍贵。

(2) 烹饪精细。一统天下的政治势力，为统治者提供了享用各种珍美饮食的可能性，也要求宫廷饮食在烹饪上要尽量精细；而单调无聊的宫廷生活，又使历代帝王多数都比较体弱，这就又要求其在饮食的加工制作上更加精细。

(3) 花色品种繁杂多样。慈禧的“女官”德龄所著的《御香飘渺录》中说，慈禧仅在从北京至奉天的火车上，临时的“御膳房”就占四节车厢，上有“炉灶五十座”，“厨子下手五十人”，每餐“共备正菜一百种”，同时还要供“糕点、水果、粮食、干果等亦一百种”，因为“太后或皇后每一次正餐必须齐齐整整地端上一百碗不同的菜来”。除了正餐，“还有两次小吃”，“每次小吃，至少也有二十碗，平常总在四五十碗左右”，而所有这些菜肴，都是不能重复的，由此可以想像宫廷饮食花色品种的繁多。

宫廷饮食规模的庞大、种类的繁杂、选料的珍贵及厨役的众多，必然带来人力、物力和财力上极大的铺张浪费。

官府贵族饮食虽然没有宫廷饮食的铺张、刻板和奢侈，但也是竞相斗富，多有讲究“庖膳穷水陆之珍”的特点。

贵族饮食以孔府菜和谭家菜最为著名。孔府历代都设有专门的内厨和外厨。在长期的发展过程中，其形成了饮食精美、注重营养、风味独特的饮食菜肴。这无疑是孔子“食不厌精，脍不厌细”祖训的影响。孔府宴的另一个特点，是无论菜名，还是食器，都具有浓郁的文化气息。如“玉带虾仁”表明了孔府地位的尊荣。在食器上，除了特意制作了一些富于艺术造型的食具外，还镌刻了与器形相应的古诗句，如在琵琶形碗上镌有“碧纱待月春调珍，红袖添香夜读书”。所有这些，都表达了天下第一食府饮食的文化品位。

另一久负盛名、保存完整的贵族饮食，当属谭家菜。谭家祖籍广东，又久居北京，故其肴馔集南北烹饪之大成，既属广东系列，又有浓郁的北京风味，在清末民初的北京享有很高声誉。谭家菜的主要特点是选材用料范围广泛，制作技艺奇异巧妙，而尤以烹饪各种海味为著。谭家菜的主要制作要领是调味讲究原料的原汁原味，以甜提鲜，以咸引香；讲究下料狠，火候足，故菜肴烹时易于软烂，入口口感好，易于消化；选料加工比较精细，烹饪方法上常用烧、烩、焖、蒸、扒、煎、烤诸法。贵族饮食在长期的发展中形成了各自独特的风格和极具个性化的制作方法。

2. 市肆、百姓饮食

市肆饮食是随城市贸易的发展而发展的，首先是在大中小城市、州府、商埠及各水陆交通要道发展起来的。这些地方发达的经济、便利的交通、云集的商贾、众多的市民，以及南来北往的食物原料、四通八达的信息交流，都为市肆饮食的发展提供了充分的条件。如唐代的洛阳和长安、两宋的汴京、临安、清代的北京，都汇集了当时的饮食精品。

市肆饮食有技法各样、品种繁多的特点，如《梦粱录》中记有南宋临安当时的各种熟食839种；而烹饪方法上，仅《梦粱录》所录就有蒸、煮、熬、酿、煎、炸、焙、炒、炙、鲊、脯、腊、烧、冻、酱、焐等大类，而每一类下又有若干种。当时饮食不仅满足不同阶层人士的饮食需要，还考虑到不同时间的饮食需要。因为市肆饮食的对象主要是当时的坐贾行商、贩夫走卒，而这些人来去匆匆，行止不定，所以随来随吃、携带方便的各种大众化小吃便极受欢迎。

中国老百姓日常家居所烹饪的肴馔，即民间菜是中国饮食文化的渊源，多少豪宴盛馔，如果追本溯源，当初皆源于民间菜肴。民间饮食首先是取材方便随意。或入山林采鲜菇嫩叶、捕飞禽走兽，或就河湖网鱼鳖蟹虾、捞莲子菱藕，或居家烹宰牛羊猪狗鸡鹅鸭，或下地择禾黍麦粱野菜地瓜，随见随取、随食随用。选材的方便随意，必然带来制作方法的简单易行，一般是因材施烹，煎炒蒸煮、烧烩拌泡、脯腊渍炖，皆因时因地。如北方常见的玉米，成熟后可以磨成面粉、烙成饼、蒸成馍、压成面、熬成粥、糁成饭、也可以用整颗粒的炒了吃，也可以连棒煮食、烤食。民间菜的日常食用性和各地口味的差异性，决定了民间菜的味道以适口实惠、朴实无华为特点。

3. 民族、宗教饮食

民族饮食指的是除汉族之外各少数民族的菜肴。由于各少数民族所处的不同的社会历史发展阶段，所处地域、环境、物产、宗教信仰等的不同，几乎每个少数民族都有各自不同的饮食习俗和爱好，最终形成了独具特色的饮食文化。

生活于东北地区白山黑水之间、三江平原一带的少数民族，主要有满、赫哲、鄂伦春、鄂温克等族。满族以定居耕作农业为主，以狩猎为副。满族人最喜欢食用的是“福肉”（清水煮白肉），过年时主要吃饺子和“年饽饽”，冬季的美味是白肉酸菜火锅。赫哲族以狩猎为主，由于气候寒冷，故以鱼、兽为主要饮食，而最突出的则是将生鱼拌以佐料而食的“杀生鱼”。而生活于大小兴安岭的鄂伦春和鄂温克族，以狩猎为获取食物来源，尤喜生食狗肝和半生不熟的各类兽肉。

北方的蒙古族，由于地处沙漠和草原，他们的饮食以羊肉和各种奶制品为主，一般羊肉不加调味品，以原汁煮熟，手扒为主，宴客或喜庆的宴会，则以全羊席为最贵。生活于西北地区的哈萨克族、乌孜别克族、塔吉克族、柯尔克孜族等，其饮食原料上与蒙古族没有多大区别，只不过他们的面食要稍为丰富，并多以油炸为主。

西北的少数民族主要有维吾尔、回、藏等族。维吾尔族日常饮食主要以牛乳、羊肉、奶皮、酥油、馕、水果、红茶为多。藏族居住于青藏高原，以畜牧业为主，兼营农业。其饮食以牛、羊 、马、骆驼、牦牛的肉和乳为主，并大量食用青稞、小麦，以及少量的玉米、豌豆。平常饮食为糌粑、青稞酒。

西南少数民族多居于深山密林之中，形成了自己的独特饮食。即肉食以猪和鱼为主，加有各种昆虫和蛆虫；主食以米为主；喜欢腊干或腌熏的肉；喜欢各种腌制的菜；有各种植物或粮食作物为原料酿制的酒可供饮用。

许多民族都有自己的宗教信仰。每种宗教在其传播的初始阶段，除了宣传其既定的教理之外，还要通过一定的建筑、服饰、仪式及饮食将人们从日常状态下标识出来。单就饮食而言，通过长期的发展，逐渐形成了独具特色的宗教饮食风格。在中国文化中，宗教饮食主要指的是道教、佛教和伊斯兰教的饮食。

道教起源于原始巫术和道家学说，所以道教饮食深受道家学说的影响。道家认为人是禀天地之气而生，所以应“先除欲以养精、后禁食以存命”，在日常饮食中禁食鱼羊荤腥及辛辣刺激之食物，以素食为主，并尽量少食粮食等，以免使人的先天元气变得混浊污秽，而应多食水果，因为“日啖百果能成仙”。道家饮食烹饪上的特点就是尽量保持食物原料的本色本性。

佛教在印度本土并不食素，传入中国后与中国的民情风俗、饮食传统相结合，形成了其独特的风格。其特点首先是提倡素食，这是与佛教提倡慈善、反对杀生的教义相一致的。其次，茶在佛教饮食中占有重要地位。由于佛教寺院多在名山大川，这些地方一般适于种茶、饮茶，而茶本性又清淡醇雅，具有镇静清心、醒脑宁神的功效。于是，种茶不仅成为僧人们体力劳动、调节日常单调生活的重要内容，也成为培育其对自然、生命热爱之情的重要手段；而饮茶，也就成为历代僧侣漫漫青灯下面壁参禅、悟心见性的重要方式。再次，佛教饮食的特点是就地取材，佛寺的菜肴，善于运用各种蔬菜、瓜果、笋、菌菇及豆制品为原料。

伊斯兰教教义中强调“清静无染”、 “真乃独一”，所以其饮食形成了自成一格的格局，称之为“清真菜”。穆斯林严格禁食猪肉、自死物、血，以及十七类鸟兽及马、骡、驴等平蹄类动物。所以，清真菜以对牛、羊肉丰富多彩的烹饪而著名，如羊肉，就有烧羊肉、烤羊肉、涮羊肉、焖羊肉、腊羊肉、手抓羊肉、爆炒羊肉、烤羊肉串、炸羊尾、烤全羊、滑溜里脊等。清真系列中还有一些小吃也颇具特色，如北京的锅贴、羊肉水饺，西安的羊肉泡馍、兰州的牛肉面、酿皮、新疆的烤馕、烤包子等。

0.2.2 区域类型

1. 华北饮食文化区

华北地区民风俭朴，饮食不尚奢华，讲求实惠，食风庄重、大方，素有“堂堂正正不走偏锋”的评语。饮食以面食为主，小麦与杂粮间吃，偶有大米；馒头、烙饼、面条、饺子、窝窝头、玉米粥等是其常餐。这里的面食卓有创造，日本汉学家早有“世界面食在中国、中国面食在华北、华北面食在山西、山西面食在太原”的美誉。它不仅有抻面、刀削面、小刀面、拨鱼面“4大名面”，而且京、津、鲁、豫的面制品、小吃和蒙古族的奶面制品，无不令人大快朵颐。

过去这里的蔬菜不是太多，食用量亦少，但来客必备鲜菜，过冬有“贮菜”习惯，农户普遍挖有菜窖。肉品中，元代重羊，清代重猪，而今是猪、羊、鸡、鸭并举，还吃山兽飞禽。水产品中淡水鱼鲜较少，主要产于黄河与白洋淀，看得比较贵重；海水鱼鲜较多，有“吃鱼吃虾天津为家”、“青岛烟台、海鱼滚滚而来”等说法 。天津的《虾席》、秦皇岛的《蟹席》、青岛的《渔家宴》，都是令老饕垂涎的。在烹调技法方面，这里是鲁菜的“势力范围”。擅长烤、涮、扒、熘、爆、炒，喜好鲜咸醇口味，葱香与面酱香突出，善于制汤，菜品大多酥烂，火候足；同时装盘丰满，造型大方，菜名朴实，给人以敦厚庄重之感，具有黄河流域文化的本色。另外，由于历史原因所致，蒙古族食风、回族食风和满族食品食风在此有较深的烙印。

此外，北宋时期的“北食”（以开封风味为主体），元明清3代的“御膳菜”，传承800余年的“孔府菜”，风靡京华的“谭家菜”，都留下了很多名品，至今仍在饮食市场上独领风骚。华北地区的珍馐佳肴自成系列，20世纪90年代以来“集四海之珍奇”的北京也有“新食都”之誉。华北居民宴客情文稠叠，有很多的食礼与酒令，至诚大方，其心拳拳，使人如沐春风，情暖胸怀。

2. 东北饮食文化区

东北地区物产丰富，烹调原料门类齐全。人们称它“北有粮仓，南有渔场，西有畜群，东有果园。”一年四季饮食不愁。该地区日习3餐，杂粮和米麦兼备，一“粘”二“凉”的粘豆包和高粱米饭最具特色。主食还爱吃窝窝头、虾馅饺子、蜂糕、冷面、药饭、豆粥和黑、白大面包；蔬菜则以白菜、黄瓜、番茄、土豆、粉条、菌耳为主，近年来大量引种和采购南北时令细菜，市场供应充裕。肉品中爱吃白肉、鱼虾蟹蚌和野味，嗜肥浓，喜腥鲜，口味重油偏咸。制菜习用豆油与葱蒜或是紧烧、慢熬，用火足，使其酥烂入味；或是盐渍、生拌，只调不烹，取其酸脆甘香。由于兴安岭多山珍，渤海湾内出海错，故市场上的筵席大菜档次偏高，名肴玉食琳琅满目。还因为气候严寒，居家饮膳重视火锅。

由于清代山东人“闯关东”的较多，鲁菜在这里有较大的市场，不少的名店均系山东人所开设或由鲁菜的传人掌作。再加上紧邻俄罗斯，与南北朝鲜交往频繁，亦受日本食风影响。“罗宋大菜”、“韩国烧烤”和“东洋料理”也传播到一些城市，部分食馔也带点“洋味”。在民族菜中，朝鲜族和满族的烹调水平较高，清真菜在此亦有口碑。

3. 华东饮食文化区

华东地区位于我国的东南部，史称“江南”或“江东”。华东居民习以大米为主食，间吃面食，杂粮甚少，嗜好海鲜与野味。其口味大多清淡，略带微甜。这一地区的烹调水平较高。苏菜跻身“四大菜系”，精妙的刀工独领风骚；浙菜风行南宋，是“南食”的台柱；徽菜“因商而彰”，足迹遍及大江南北；沪菜后来者居上，有执中华食坛牛耳之趋势。这一带制菜技法全面，组配严谨，刀法洒脱，以烧、炒、蒸、炖见长，以色调的秀雅、菜型的清丽和肴馔中蕴含的文化气质而著称。

更重要的是，华东人尚美食、重养生、肯在饮食上花钱，吃得有学问、有名堂。这里有全国首屈一指的众多食街，上海城隍庙、南京夫子庙、苏州观前街、无锡崇安寺、杭州西湖、安庆迎江寺、九江船码头等，都名重一时。这里凝聚着江南名珍玉食之精华，形成宏大的气势，从朝至暮，红火欢腾，中外游客在这些美食长廊中流连忘返，构造出特异的人文景观。当地居家宴客则注重食用和艺术性的统一，讲究“多吃少滋味、少吃多滋味”，突出节令，注重时尚，强调“冰盘牙箸、美酒精肴”，“疏泉叠石、清风朗月”，这种品味情趣和艺术氛围是其他地区难以比拟的。由于将珍馐佳肴、水乡园林和精约文雅的食艺集于一体，展示出文士饮食的文化风格，故而人们在进餐时不仅得到物质上的欢快享受，而且在精神上亦受到美的熏陶，可以畅神悦情，净化心灵。此外，华东地区的食风一方面源自民间，继承了中国烹饪文化的优秀传统，另一方面又勇于借鉴，广泛吸收其他地区和海外各国的长处，以“南料北烹”、“京苏合璧”、“西菜中做”、“海派风味”取胜。特别是在大胆运用现代科学技术、革故鼎新、紧跟世界饮食潮流上，常常走在前列，肴馔年年变，充满着朝气与活力。

4. 西南饮食文化区

西南地区因有特殊的地形和较为复杂的气候，因而物产极为丰富，并且有很多特异的物料。从膳食结构看，西南地区的居民重视大米和糯米，兼食小麦，玉米、蚕豆、青稞、荞麦、土豆、红稗和高粱，还有些少数民族采取野生植物的根茎以代粮。

西南是川菜的“势力范围”。菜路广，佐料多，以小炒、小煎、干烧、干煸和麻辣香浓的民间菜式著称，有“料出云贵”、“味在四川”、“吃在山城”的评价。这一带的人饮食上有如下嗜好：一是普遍爱辣，“宁可无菜，不可缺椒”，越辣越香美，越辣越“安逸”；二是大多喜酸，“3天不吃酸，走路打转转”，有些酸菜腌藏十余年，其酸味不亚于山西的老陈醋；三是偏好复合味，味多、味广、味厚、味浓，在国内独创出家常味、鱼香味、陈皮味、荔枝味等23种复合味型；四是强调饮撰的平民文化色彩，要求价廉物美，经济实惠，且以“杂烩席”、“火锅席”独领风骚。

在云南的众多少数民族中，以虫菜、腌酸菜为代表的古朴食风，闪射出奇光异彩；深受喇嘛教教义熏染的藏菜，更如一块未被雕琢的璞玉，古色古香。目前，以西双版纳自然风情背景、载歌载舞的傣家竹楼菜，传遍长城内外；川菜更是大举“北伐”、“东征”与“南下”，形成十多年不衰的当代菜品流行潮，与鲁菜、苏菜、粤菜争夺市场，显得生机蓬勃。

综上所述，不难看出西南食风的三大特质。第一，由于地形参差、气温殊异、物产丰寡不均和少数民族众多等原因所致，促成食俗风情的多样性与奇异性。第二，因为山川阻隔、交通闭塞和开发较迟的诸多因素影响，又出现食俗风情的局部封闭性；许多相当古老的习俗得以完好地保存。第三，在一些原始宗教祭祀风习和中世纪佛教禁欲主义的长期桎梏下，不太容易接受外来的影响，限制了饮食文化的交流。

5. 中南饮食文化区

中南地区的主食多系大米，部分山区兼食番薯、木薯、土豆、玉米、大麦、小麦、高粱或杂豆。鄂、湘、闽、台、粤、港的小吃均以精巧多变取胜，在全国各占一席之地；壮、黎、瑶、畲、土家、毛南等族善于制作粉丝、粽粑和竹筒饭，京族习惯于用鱼露调羹，高山族用大米、小米、芋头、香蕉混合更见特色。中南人的食性普遍偏杂，由于“花草蛇虫，皆为珍料，飞禽走兽，可成佳肴”，所以该区的居民几乎无所不吃，烹调选料广博为全国所罕见。由于气温偏高、生活节奏快、早起晚睡，许多人有喝早茶与吃夜宵的习惯，一日3到5餐。“武汉人过早”、“广东人泡茶楼”、“香港人夜逛大排档”，都是特异的饮食风情。

在膳食结构中，每天必食新鲜蔬菜，肉品所占的份额较高，不仅爱吃禽畜野味，淡水鱼和生猛海鲜的食用量都位居全国前列。制菜习用蒸、煨、煎、炒、煲、糟、拌诸法，湘鄂两省喜好酸辣，其他省区偏重清淡鲜美，以爽口、开胃、利齿、畅神为佳。追求珍异，喜爱新奇，崇尚潮流，依时而变，是中国烹饪最为活跃的地区，常出新招和绝活，被其他地区仿效。

在中南，食风中不仅具有热带情韵，还有浓郁的商贾饮食文化色彩。在这里，“吃”是人们调适生活、社会交际的重要媒介，含义丰富。它不但体现人与人之间的感情，有时还是身份、地位、金钱的象征。尤其是生意场上，作用更为明显。所以，尚食之风甲于全国。“食在广州”、“食在香港”的美誉，足可与巴黎、东京等世界“食都”相抗衡。中南食风的广博、新异、华美，是诸种因素促成的。第一，秉承了古代人和百越人奇异的饮食文化传统，崇尚美食，以珍为贵；第二，饮食观念比较开放，易于接受八面来风，集中华名食为己所用；第三，鸦片战争后成为通商口岸，现今又有经济特区，与海外接触，大胆借鉴西餐洋食；第四，商贸发达，经济跃升，财力雄厚，居民富足；第五，食物原料丰沛、稀异生物纷呈；第六，湿热气候影响，嗜好博杂。

6. 西北饮食文化区

西北地区的食风显得古朴、粗犷、自然、厚实。其主食是玉米与小麦并重，也吃其他杂粮，受气候环境和耕作习惯限制，食用青菜甚少。

该地区少数民族分布广是一大特点。主要少数民族，除俄罗斯、锡伯、裕固、土族外，都严格遵循伊斯兰教的食规，“禁血生，忌外荤”，不吃肮脏、丑恶、可憎的动物的血液，过“斋月”，故而清真风味的菜点占据主导地位。在陇海铁路沿线和大小镇集中，星罗棋布地缀满穆斯林饮食店，多达数十万家。回、维等10个信奉伊斯兰教的民族，虽以“清真”为本，饮食上有清规戒律，但对民族食俗又表现得很豁达。同样，汉族也十分尊重穆斯林的宗教感情，在饮食上自觉“回避”，这说明自古以来当地各民族和睦相处、相互敬重、真诚团结。在肴馔风味上，西北地区的肉食以羊、鸡为大宗，间有山珍野菌，淡水鱼和海鲜甚少，果蔬菜式亦不多。其技法多为烤、煮、烧、烩。嗜酸辛，重鲜咸，喜爱酥烂香浓。配菜时突出主料，“吃肉要见肉，吃鱼要见鱼”，强调生熟分开、冷热分开、甜咸分开，尽量互不干扰。在菜型上，也不喜欢过分雕琢，追求自然的真趣；注重饮食卫生，厨房和餐具洁净。

在饮食习惯上，当地人夏季喜冷食，冬季重进补，待客情意真，筵宴时间长，经常有歌舞器乐助兴，一家治宴百家忙，绝不怠慢进门客人。哈萨克族谚语：“如果在太阳落山的时候放走了客人，那就是跳进大河也洗不清的耻辱”，就是一个生动的例证。《中华风俗·新疆》还记载：“回民宴客，总以多杀牲畜为敬，驼、牛、马均为上品，羊或数百只。各色瓜果、冰糖、塔儿糖、油香，以及烧煮各肉、大饼、小点、烹饪、蒸饭之属，贮以锡铜木盘，纷纭前列，听便前列，听便取食。乐器杂奏，歌舞喧哗，群回拍手以应其节，总以极欢为度。”“所陈食品，客或散给于人，或罢宴携之而去，则主人大喜，以为尽欢。”这是清代的风尚，至今仍无大改变。

此外，饮食文化还可以按照节令、地域等进行划分。

0.3 中国饮食文化的传播与中西比较

0.3.1 中国饮食文化的传播

世界上，凡是有华人甚至没有华人的地方，都能够见到中国饮食文化的影响。那么，中国的烹饪原料、烹饪技法、传统食品、食风食俗，等等，又是怎样传播到世界各地去的呢？

早在秦汉时期，中国就开始了饮食文化的对外传播。据《史记》、《汉书》等记载，西汉张骞出使西域时，就通过丝绸之路同中亚各国开展了经济和文化的交流活动。张骞等人除了从西域引进了胡瓜、胡桃、胡麻、胡萝卜、石榴等物产外，也把中原的桃、李、杏、梨、姜、茶叶等物产及饮食文化传到了西域。今天在原西域地区的汉墓出土文物中，就有来自中原的木制筷子。我国传统烧烤技术中有一种啖炙法，也很早通过丝绸之路传到了中亚和西亚，最终在当地形成了人们喜欢吃的烤羊肉串。

比西北丝绸之路还要早一些的西南丝绸之路，北起西南重镇成都，途经云南到达中南半岛缅甸和印度。这条丝绸之路在汉代同样发挥着对外传播饮食文化的作用。例如，东汉建武年间，汉光武帝刘秀派伏波将军马援南征，到达交趾（今越南）一带。当时，大批的汉朝官兵在交趾等地筑城居住，将中国农历五月初五端午节吃粽子等食俗带到了交趾等地。所以，至今越南和东南亚各国仍然保留着吃粽子的习俗。

此外，我国的饮食文化对朝鲜的影响也很大。据《汉书》等记载，秦代时“燕、齐、赵民避地朝鲜数万口。”这么多的中国居民来到朝鲜，自然会把中国的饮食文化带到朝鲜。汉代的时候，中国人卫满曾一度在朝鲜称王，此时中国的饮食文化对朝鲜的影响最深。朝鲜习惯使用筷子吃饭，朝鲜人使用的烹饪原料、朝鲜人在饭菜的搭配上，都明显地带有中国的特色。甚至在烹饪理论上，朝鲜也讲究中国的“五味”、“五色”等说法。

受中国饮食文化影响更大的国家是日本。公元8世纪中叶，唐朝高僧鉴真东渡日本，带去了大量的中国食品，如干薄饼、干蒸饼、胡饼等糕点，还有制造这些糕点的工具和技术。日本人称这些中国点心为果子，并依样仿造，当时在日本市场上能够买到的唐果子就有20多种。鉴真东渡还把中国的饮食文化带到了日本，日本人吃饭时使用筷子就是受中国的影响。唐代时，在中国的日本留学生还几乎把中国的全套岁时食俗带回了本国，如元旦饮屠苏酒，正月初七吃七种菜，五月初五饮菖蒲酒，九月初九饮菊花酒等。其中，端午节的粽子在引入日本后，日本人又根据自己的饮食习惯作了一些改进，并发展出若干品种，如道喜粽、饴粽、葛粽、朝比奈粽等。唐代时，日本还从中国传入了面条、馒头、饺子、馄饨和制酱法等。

中国菜对日本菜的影响很大。17世纪中叶，清代中国僧人黄檗宗将素食菜肴带到日本，被日本人称之为“普茶料理”。后来又有一种中国民间的菜肴传到日本，称为“卓袱料理”。“卓袱料理”对日本的餐饮业影响很大，它的代表菜如“胡麻豆腐”、“松肉汤”等，至今还列在日本一些餐馆的菜谱上。日本人调味时经常使用的酱油、醋、豆豉、红曲及日本人经常食用的豆腐、酸饭团、梅干、清酒，等等，都来源于中国。饶有趣味的是，日本人称豆酱为唐酱，蚕豆为唐豇，辣椒为唐辛子，萝卜为唐物，花生为南京豆，豆腐皮为汤皮等。为了纪念传播中国饮食文化的日本人，日本还将一些引进的中国食品以传播者的名字命名。如明朝万历年间，日本僧人泽庵学习中国烹饪，用萝卜拌上盐和米糠进行腌渍，日本人便将其称之为泽庵渍。清朝顺治年间，另一位日本僧人隐元从中国传入菜豆，日本人便称之为隐元豆。

除西北丝绸之路和西南丝绸之路外，还有一条海上丝绸之路，它扩大了中国饮食文化在世界上的影响。

泰国地处海上丝绸之路的要冲，加上和我国便利的陆上交通，因此两国交往甚多。泰国人自唐代以来便和中国的汉族交往频繁，公元9～10世纪，我国广东、福建、云南等地的居民大批移居东南亚，其中很多人在泰国定居，中国的饮食文化对当地的影响很大，以致于泰国人的米食、挂面、豆豉、干肉、腊肠、腌鱼，以及就餐用的羹匙等，都和中国内地有许多共同之处。在中国的陶瓷传入泰国之前，当地人多以植物叶子作为餐具。随着中国瓷器的传入，当地人有了精美实用的餐饮器具，这使当地居民的生活习俗大为改观。同时，中国移民还把制糖、制茶、豆制品加工等生产技术带到了泰国，促进了当地食品业的发展。

中国饮食文化对缅甸、老挝、柬埔寨等国的影响也很大，其中以缅甸较为突出。公元14世纪初，元朝军队深入缅甸，驻防达20年之久。同时，许多中国商人也旅居缅甸，给当地人的饮食生活带来很大的变革。由于这些中国商人多来自福建，所以缅语中与饮食文化有关的名词，不少是用福建方言来拼写的，像筷子、豆腐、荔枝等。

距离中国稍远的几个东南亚岛国，像菲律宾、马来西亚、印度尼西亚等，受中国饮食文化的影响也不小。

菲律宾人从中国引进了白菜、菠菜、芹菜、莴苣、大辣椒、花生、大豆、梨、柿、柑橘、石榴、水蜜桃、香蕉、柠檬等蔬菜和水果，菲律宾人还爱吃中国的饭菜，如馄饨、米线、春饼、叉烧包、杂碎、烤乳猪等，日常饮食则离不开米粉、面干、豆干、豆豉等，使用的炊具也是中国式的尖底锅和小煎平锅。菲律宾人特别爱吃粽子，他们不但端午节吃，圣诞节也吃，平时还把粽子当成风味小吃。菲律宾的粽子，造型依照中国古制，呈长条形，而味道则很像浙江嘉兴的粽子。

马来西亚在饮食文化上也受到中国的影响。据考证，马来人的祖先主要是来自我国云南一带种植水稻的民族，马来人的某些食俗同这些先民大有关系。例如，马来人的大米从种植到收获，都有类似中国古代的祭祀活动和礼仪。马来菜的烹制方法和中国菜相似。马来语中称做“塔夫”的中国豆腐，在当地十分受人喜爱，有些地方还把豆腐的色、香、味糅合在本土传统的咖喱菜中。

中国的饮食文化对印度尼西亚的影响历史悠久。历代来到印度尼西亚的中国移民，向当地人提供了酿酒、制茶、制糖、榨油、水田养鱼等技术，并把中国的大豆、扁豆、绿豆、花生、豆腐、豆芽、酱油、粉丝、米粉、面条等引入印度尼西亚，极大地丰富了当地人的饮食生活。

茶作为中国饮食文化的一项重要内容，对世界各国的影响最大。各国语言中的“茶”和“茶叶”这两个词的发音，都是从汉语演变而来的。中国的茶改变了许多外国人的饮食习俗，如英国人由于中国的茶而养成了喝下午茶的习惯，而日本人则由于中国茶而形成了独具特色的“茶道”。

0.3.2 饮食文化的中西比较

1. 营养与美味

由于中西方哲学思想的不同，西方人于饮食重科学，即讲求营养，故西方饮食以营养为最高准则，进食犹如为机器添加燃料，特别讲求食物的营养成分，蛋白质、脂肪、碳水化合物、维生素及各类无机元素的含量是否搭配合宜，卡路里的供给是否恰到好处，以及这些营养成分是否能为进食者充分吸收，有无其他副作用。这些问题都是烹调中的大学问，而菜肴的色、香、味如何，则是次一等的要求。即或在西方首屈一指的饮食大国——法国，其饮食文化虽然在很多方面与我国近似，一旦涉及营养问题，双方便拉开了距离。

中国五味调和的烹调术旨在追求美味，其加工过程中的热油炸和长时间的文火攻，都会破坏菜肴的营养成分。法国烹调虽亦追求美味，但同时总不忘“营养”这一大前提，一味舍营养而求美味是他们所不取的。尤其是 20 世纪 60 年代出现的现代烹调思潮，特别强调养生、减肥，从而追求清淡少油，强调采用新鲜原料，强调在烹调过程中保持原有的营养成分和原有的味道，所以蔬菜基本上都是生吃。因此，西方饮食之重营养是带有普遍性的。

谈到营养问题也触及中国饮食的最大弱点。尽管我国古代讲究食疗、食补、食养，重视以饮食来养生强身，但我国的烹调术却以追求美味为第一要务，致使许多营养成分损失于加工过程中。中国人从来都把追求美味奉为进食的首要目的。民间有句俗话：“民以食为天，食以味为先”。虽然人们在赞誉美食时，总爱说“色香味俱佳”，但那是由于人们感受色香味的感觉器官“眼、鼻、口”的上下排列顺序如此。人们内心之于“色、香、味”，从来都是“味”字“挂帅”的。由于中国人极为重视味道，以致中国的某些菜仅仅是味道的载体，例如公认的名贵菜海参、鱼唇、鱼翅、熊掌、驼峰，其主要成分都是与廉价的肉皮相仿的动物胶，本身并无美味，全靠用鲜汤去煨它，以致成为味道的载体。现代中国人也讲营养保健，也知道青菜一经加热，维生素将被破坏，因而主张用旺火爆炒。这虽然使维生素的含量下降，但不会完全损失。因而中国的现代烹调术旨在追求营养与味道兼顾下的最佳平衡，这当然也属于一种“中庸之道”。

西方烹调讲究营养而忽视味道，至少是不以味觉享受为首要目的。他们以冷饮佐餐，冰镇的冷酒还要再加冰块，而舌表面遍布的味觉神经一经冰镇，便大大丧失品味的灵敏度，渐至不能辨味，凡此种种都反映了西方人对味觉的忽视。基于对营养的重视，西方人多生吃蔬菜，不仅西红柿、黄瓜、生菜生吃，就是洋白菜、洋葱、西兰花也都生吃。

2. 规范与随意

西方人于饮食强调科学与营养，故烹调的全过程都严格按照科学规范行事，牛排的味道从纽约到旧金山毫无二致，牛排的配菜也只是番茄、土豆、生菜有限的几种。再者，规范化的烹调要求调料的添加量精确到克，烹调时间精确到秒。此外 1995 年第一期《海外文摘》刊载的《吃在荷兰》一文中还描述了“荷兰人家的厨房备有天平、液体量杯、定时器、刻度锅，调料架上排着整齐大小划一的几十种调味料瓶，就像个化学试验室。”

中国的烹调与之截然不同，不仅各大菜系都有自己的风味与特色，就是同一菜系的同一个菜，其所用的配菜与各种调料的匹配，也会依厨师的个人特点有所不同。就是同一厨师做同一个菜，虽有其一己之成法，但也会依不同季节、不同场合，用餐人的不同身份，加以调整。此外还会因厨师自己临场情绪的变化，做出某种即兴的发挥。因此，中国烹调不仅不讲求精确到秒与克的规范化，而且还特别强调随意性。

对食品加工的随意性，首先导致了中国菜谱篇幅的一再扩大：原料、刀工、调料、烹调方法的多样，再加以交叉组合，一种原料便可做成数种以至数十种菜肴。因而在盛产某种原料的地方，常常能以这一种原料做出成桌的酒席，如北京的“全鸭席”、“全羊席”及“全猪席”，延边的“全狗席”，广东的“全鱼席”、“全蚝席”，长沙的“全牛席”等，皆体现了中国烹调的随意性派生出琳琅满目的菜式。

3. 分与合

台湾国学大师钱穆先生在《现代中国学术论衡》一书的序言中说：“文化异，斯学术亦异。中国重和合，西方重分别。”此一文化特征，亦体现于中西饮食文化之中。西菜中除少数汤菜，如俄式红菜汤（罗宋汤），是以多种荤素原料集一锅而熬之外，正菜中鱼就是鱼，鸡就是鸡。所谓“土豆烧牛肉”，不过是烧好的牛肉佐以煮熟的土豆，绝非集土豆牛肉于一锅而烧之。即使是调味料，如番茄酱、芥末糊、柠檬汁、辣酱油，也都是现吃现加。以上种种都体现了“西方重分别”。

中国人一向以“和”与“合”为最美妙的境界，中国烹调的核心是“五味调和”即《文子·上德篇》所称之“水火相憎，鼎鬲其间，五味以和”。《吕氏春秋·本味篇》称赞“五味以和”是“鼎中之变，精妙微纤，口弗能言，志弗能喻”。

中国的“五味调和论”是由“本味论”、“气味阴阳论”、“时序论”、“适口论”所组成的。就是说，要在重视烹调原料自然之味的基础上进行“五味调和”，要用阴阳五行的基本规律指导这一调和，调和要合乎时序，又要注意时令，调和的最终结果要味美适口。所以中国菜几乎每个菜都要用两种以上的原料和多种调料来调和烹制。即或家常菜，一般也是荤素搭配来调和烹制的。而西菜中的原料彼此虽共处一盘之中，但却“各自为政”，互不干扰。只待食至腹中，方能调和一起。中国人把做菜称之为“烹调”，这意味着人们历来将烹与调合为一体。西方原来有烹无调，现在虽说也有了调，但仍属前后分立的两道工序。

在食仪上，西方奉行分餐制。首先是各点各的菜，想吃什么点什么，这也表现了西方对个性的尊重。及至上菜后，人各一盘各吃各的，各自随意添加调料，一道菜吃完后再吃第二道菜，前后两道菜绝不混吃。中餐则一桌人团团围坐合吃一桌菜，冷拼热炒摆满桌面，就餐者东吃一口西吃一口，几道菜同时下肚，这都与西餐的食仪截然不同，都体现了“分别”与“和合”的中西文化的根本差异。

4. 机械性与趣味性

由于西方菜肴制作的规范化，烹调成为一种机械性的工作。如肯德基炸鸡既要按方配料，油的温度，炸的时间，也都要严格依规范行事，因而厨师的工作就成为一种极其单调的机械性工作。再者，西方人进食的目的首在摄取营养，只要营养够标准，其他尽可宽容。因而今日土豆牛排，明日仍然如此，厨师在食客一无苛求极其宽容的态度下，每日重复着机械性的工作，当然无趣味可言。

在中国，烹调是一种艺术，一如女作家三毛在《沙漠中的饭店》一文中说的：“我一向对做家事十分痛恨，但对煮菜却是十分有兴趣，几只洋葱，几片肉，一炒变出一个菜来，我很欣赏这种艺术。”做菜既是一门艺术，它便与其他艺术一样，体现着严密性与即兴性的统一，所以烹调在中国一直以极强烈的趣味性，甚至还带有一定的游戏性，吸引着以饮食为人生之至乐的中国人。

西方人的信条是“工作时工作，游戏时游戏”，从他们这种机械论的两分法看来，工作中游戏是失职，游戏中工作是赔本的买卖，都是“吾不为也”。而对于崇尚融会贯通的中国人来说，“工作中有游戏，游戏中有工作”，方是人间正道。烹调一直被中国人视为极大的乐趣，并以从事这一工作为充实人生的积极表现。有道是“上有天堂，下有厨房”，烹调之于中国，简直与音乐、舞蹈、诗歌、绘画一样，拥有提高人生境界的重大意义。

本章小结

本章主要对中国饮食文化进行概括介绍。中国饮食文化是世界饮食文化的一个重要组成部分，是一种历史悠久、知名度高、影响面广的区域文化。既有历史的传承性，又有民族之间的区别及阶层之间的差异，内涵极为丰富。中国的传统食品和菜肴，荟萃繁衍，四海传播，在世界各地有很大发展。海外食品和烹饪技艺，也源源不断地涌入中国，特别是改革开放以后，西方饮食观念和饮食方式的介入，使得中外饮食文化融会贯通，促进了中国饮食文化在更深层次和广泛的领域弘扬光大。

思考题

1. 什么是饮食文化？主要包括哪些内容？
2. 如何理解“民以食为天”的观念。
3. 中国饮食文化可以分为哪些类型？各饮食文化区有哪些主要特点？
4. 中国饮食文化对其他国家有何影响？
5. 试比较中西饮食文化的异同。

第1篇　食 文 化

中国饮食文化以其历史渊源的悠久、流传地域的广泛、食用人口的众多、烹饪技艺的卓绝、营养菜式的丰美、文化内涵的深蕴而享誉世界，成为人类饮食文化宝库中的明珠。

中国地域广阔，民族众多，风俗各异，历史文化各不相同，名地气候、物产、地理环境差异很大，经过漫长的历史演变，形成了门类众多的、独特的烹饪技艺，产生了许多口味、风格各不相同的菜系。这些烹调技艺和不同流派的菜系构成了独特的中国烹饪技术的精华。

第1章 中国烹饪概述

学习目标

◎ 了解饮食的起源与发展状况。
◎ 掌握烹饪与烹调的区别。
◎ 熟悉中国烹饪的发展过程。
◎ 了解中国古代饮食器具的分类及发展状况。
◎ 掌握中国烹饪的主要特点。

1.1 中国烹饪史

烹饪是人类文化发展的产物，也是人类生活演进的标志。我国是个具有数千年历史的文明古国，因此烹饪早被称做一门大学问。到了今天，我国的烹饪技术和各种名菜名点已经风靡世界，为各国人民所倾倒。任何事物的发生、演变和发展都有其规律性，饮食烹调也不例外。任何学科都有发展阶段，饮食烹调的发展也同样循阶段前进。从中国饮食烹调发展的客观历史进程来看，它经历了由萌芽到成熟，由粗放到细致，由简单到精美的逐渐发展过程。饮食烹调随着人类社会的出现而产生，同时又随着人类物质和精神文明的发展而不断丰富自身的内涵。

1.1.1 饮食的起源与发展

1. 食物的来源

人类早期的历史，是一部以开发食物资源为主要内容的历史。正是在这个过程中，形成了一定的社会结构，促进了社会向前发展，创造了历史悠久的饮食文化。

人类早期的食物来源主要是狩猎获取的动物原料、采集的鸟卵、果品、种子等。在距今1万年前，随着原始农业的产生和制陶技术的出现，人类社会进入新石器时代。黄河流域出现了一些原始的农耕部落，以粟类种植作为获得食物来源的主要生产手段。长江流域的开发史也与黄河流域一样古老，也有了原始农耕文化，不同之处在于它不是北方那样的旱作，主要农作物是水稻。

中国古代将谷物统称为五谷或百谷，主要包括稷、黍、麦、椒、麻、稻等，除麦和麻以外，都有了7000年以上的栽培史。原始农业的产生和发展，使人类获取食物的方式有了根本改变，变索取为创造，饮食生活有了全新的内容。原始农耕的发展，同时还使另一个辅助性的食物来源——家畜饲养业产生了。家畜中较早驯育成功的是狗，由狼驯化而来。许多新石器时代遗址中都有狗的遗骸出土，年代可追溯到距今近8000年。农耕部落最重要的家畜是猪，驯化成功的年代与狗基本同期。中国传统家畜的“六畜”，即马、牛、羊、鸡、犬、豕，在新石器时代均已驯育成功，人们当今享用的肉食品种的格局，早在史前时代便已经形成了。

2. 食物的发展

随着原始社会饮食的产生和初步发展，中国饮食到了先秦两汉时期有了很大的发展。在食物原料方面，表现为丰富多样，五彩缤纷。

首先，粮食作物作为日常食源。夏、商、周三代，作为粮食作物的五谷已备，除了此前已得到广泛种植的黍、稷、粟外，麦、粱、稻、菽、菰已在人们日常食物中占有较大比重。

其次是蔬菜和水果种类的不断丰富。《诗经》、《尔雅》和《山海经》中记载最多的陆生蔬菜有瓜、韭菜、苦瓜、蔓菁、萝卜、苦菜、荠菜、豌豆苗、竹笋、枸杞等；水生蔬菜有蒲、莲藕、水藻、水葵、荸荠、菱角等；调味蔬菜有韭、葱、荞头、蒜头、紫苏及秦椒、姜等。此外还有采集的各种野生菌类、木耳、石耳等。《山海经》载有海棠、沙果、梨、桃、李、杏、梅、枣、板栗、橘、柚等；《诗经》中除以上水果外，还有桑葚、木瓜、枳。西汉时张骞出使西域，传入了蒲桃（葡萄）、胡桃（核桃）、无花果、石榴、西瓜、哈密瓜等。而江南还有甘蔗、荔枝、龙眼、槟榔、橄榄、香蕉、椰子等。可见后代一些常见的水果，此时已初见端倪。

第三是动物性食物在饮食中的地位日渐重要，这些食物主要靠畜牧和狩猎获得。在甲骨文记载中，就有马厩，而殷代对蓄养的马、牛、犬等分类很细，并有役使、祭祀和食用的各种区别。出土的商代后期玉雕动物中有马、牛、羊、狗、猴、兔、龟、鹅、鸭、鸽等逼真造型的家养畜禽，说明早在三千多年前家蓄家禽就已定向驯养了。《周礼》中记载中原贵族驯养食用的禽畜有野猪、野兔、麋鹿、野鹅等。到了汉代，汉族地区畜养牛羊数目达一二百头的农家大量出现，而一般百姓逢年过节都要烹牛宰羊，大摆宴席。夏商周三代捕鱼业也有很大发展。据专家考证，殷墟出土的就有鲻鱼、黄颡鱼、鲤鱼、青鱼、草鱼、赤眼鳟等，而池塘养鱼也得到了很大的发展。先秦时人们已经食用动物脂肪，到秦汉时油脂已被广泛食用。两汉时，普遍开始使用植物油，当时除麻籽油、菜籽油，还有胡麻油、大豆油等。各种调料的发现和利用，为烹饪的发展做出了重大贡献。

3. 食物结构

食物结构是人们饮食习惯中的一个重要组成部分，它是形成饮食习惯的重要因素。最古老的食物是自然采集的，后来发展为猎捕兽肉类，到谷类食物在原始农业中有了发展的时候，食俗开始逐渐形成。汉族的食物结构，具有如下特点。

其一，以谷物和熟食为主。从新石器时代开始，我国进入农耕社会，人们的饮食开始以谷物为主食。由于各地的自然条件有异，谷物的种类各不相同。从新石器时代起，我国就存在着以黄河流域的仰韶文化和长江流域的河姆渡文化为特点形成的两种不同的饮食习惯。仰韶文化以粟为主，河姆渡文化以稻为主，食物结构分成两大系统。春秋战国以后，北方的小麦逐步取代了粟的地位，成为主粮，而南方的稻米却一枝独秀，历经数千年，其主粮地位一直未变。人们平常说的"五谷杂粮"，早在秦代以前，华夏民族就一直以它为食用原料。

黍、稷都是先秦时期人们饮食中的主要食物。特别是黍由于比较耐旱耐寒，生长期较短，而成为人们喜爱的谷物，在当时的谷物生产中居于主导地位。到春秋时期后，由于农业技术的提高，其他粮食作物，特别是稻、麦的种植日益发展，致使粮食生产结构有所变化。其显著特征是稻、麦地位逐渐上升，黍的地位迅速下降，由主角转变为配角，成了救荒作物。稷（粟）是中国最古老的谷物，在我国古代原始农业中，一直居于首要地位。从殷商到秦汉时期，黄河流域粟的面积和产量已经相当可观，被列为五谷之首。粟的主导地位一直维持到汉代，即在南方水稻生产迅速上升之后，粟在全国粮食生产中的地位才开始有所下降。然而在黄河流域，它仍不失为主粮之一。

稻，在我国栽培历史久远，河姆渡文化、良诸文化和屈家岭文化都以出土大量稻谷而著称于世。我国最早的栽培水稻是在杭州湾和长江下游一带，然后逐步向长江中游、江淮平原、黄河中下游扩展，初步形成了接近现今水稻分布的格局。这样，食物构成的两大系统，早在公元前5000年就已确立，而稻始终在南方处于主粮地位。

麦，早在商代以前就已有生产，中国早期的产麦区域主要集中在黄河中下游、陕西渭水及其支流、山西汾水流域、河南、山东、安徽等地。在黄河流域，麦是最重要的粮食作物。汉代以后，我国就基本形成了稻谷第一、小麦第二的粮食作物构成。麦和稻一样具有产量丰、营养好的优点，麦一直在北方保持着主粮的地位。

菽，即是现今的大豆，是中国的特产。先秦时期，大豆主要在黄河流域一带种植，是人们的主要粮食之一，特别是在一些贫瘠地区，更是如此。《战国策·韩策》指出："韩地险恶山居，五谷所生，非麦而豆，民之所食，大抵豆饭藿羹。一岁不收，民不厌糟糠。"到西汉时，中原地区连年灾荒，大量农民移垦东北，大豆随之引入，并成为东北地区的主要粮食作物。到唐宋以后，大豆种植地区又逐步向长江流域扩展。

西汉董仲舒说过："圣人于五谷，最重麦与禾也。"禾是稻的别名。五谷中以稻、麦最为重要。就我国自然地理条件而言，黄河流域宜于种麦，长江流域宜于种稻。汉族一直把稻和麦看成最主要的粮食。

我国古代早期社会，由于当时生产力的限制，人们不大可能大规模地从事舂谷或磨面，食用稻、麦均为粒食，生活在以中原地区为中心的汉族一直用火烹调食物，受其影响，我国其他民族也大多以熟食为主，只保留极少的生食习惯。

其二，以素食为主，肉食为辅。《黄帝内经·素问》载："五谷为养，五果为助，五畜为益，五菜为充。"谷、果、菜均为植物性食物。汉族的饮食以植物性食物为主，动物性食物为辅，很少喝乳类，自成一类食物结构，这同我国西北畜牧民族以及西方一些民族以肉食和乳酪为主的食物结构截然不同。

其三，讲究五味调和。汉族在食物上十分讲究调味，但由于各地自然条件不同，各地人民对饮食所要求的味就有所不同，有所谓"北人嗜葱蒜，蜀湘嗜酸辣，粤人嗜淡食，江浙嗜糖食"之说，并在此基础上形成我国各大菜系。

4. 食器的发展

中国饮食的器具，可以说在新石器时代已基本齐备，后来所有的食具和炊具，除所用原材料和造型的变化外，其功用方面鲜有超出其用途者。夏代的饮食器具还是"饭于土簋，饮于土铏"，停留于土质陶的烧制阶段。到了商周时代，由于青铜冶炼技术的出现和青铜器的广泛使用，食器有了较大发展。从现存这一时期的青铜器看，有烹煮器：鼎、鬲、甑、釜等；酒器：尊、罍、壶、卣、觥、盉、爵、觚、觯、角、斝、勺等；切肉器：刀、俎；盛酒器：禁；盛冰器：鉴；盥洗器：盘、缶等。至于金、玉、陶、瓷、漆、木、骨、角、象牙、竹等饮食器具，更是品种繁多，应有尽有。到了西周，一些用于祭祀和宴饮的青铜器还被统治阶级赋予特殊的意义，成为统治者至高无上地位和权威的象征，也成为区别社会尊卑贵贱的象征，此即所谓"藏礼于器"。

春秋战国时期，随着美食日盛，旧有的食器改制或隐退，新食器不断出现。如鼎、鬲、簋、方彝、卣、觥、爵、觚、觯等饮食器已完全消失，而另一些器具却大为兴盛，如壶。春秋时的莲鹤方壶，形体高大，壶盖四周有莲瓣两层，中央立一振翼长鸣之鹤。壶身上饰有蟠曲龙纹，旁有两个镂孔龙形大耳。此壶构思精美巧妙，一改商周以来庄重、静态的器具风格，体现了社会处于巨变中的风貌。灶具方面，这一时期出现了注意通风、排烟的台式土灶，并有铜炉出现。周代的一些礼器这时已逐渐不被人们所重视，礼器的体量也逐渐减少，所以这一时期的食器体量比较适宜，更加接近实用，以实用为其首先考虑的功用。此外，由于制造技术的发展和铜器、漆器的大量使用，这一时期器具制作的技术更加先进，工艺更加精细，各种图案纹饰更加形象逼真，这就使其具有了较高的艺术审美价值。

1.1.2 烹调的起源

我国的烹饪，是参加劳动实践的无名氏们，经过一代又一代经验的积累逐步形成的。我们的祖先发明钻木取火之后，过去难以下咽的兽肉、鱼鳖、螺蛤等食物，可以"炝生为熟"、

“燔而食之”了。炝、燔就是烧烤，上古时人们最早的肉食正是烧肉和烤鱼。这时，人们还学会把含有丰富淀粉的植物种子和根茎放到热灰或烧穴中煨熟而食，堪称是古代最早的熟食素食。烹饪正是这样产生的，但这还不是现代意义上的烹饪，因为当时尚不会调味。

公元前3000年，山东半岛滨海的宿沙氏发明“煮海为盐”，即把海水盛放在陶制容器中熬制成盐。制盐的发明是对人类文明生活的一大贡献。人们每天适量进食盐可以促进人体胃液分泌，提高消化功能。人们食用盐后，体质和智力增强了。盐是最基本的调味品，有了盐才产生了既“烹”又“调”的完整烹饪、烹调概念。烹饪的发明，在摄食以维持生存这一点上，人类才从动物界正式脱离出来。

1. 烹的起源

烹起源于火的利用，先民在原始社会，长期过着“茹毛饮血”、“生吞活嚼”的原始生活，后来由于天然火灾的作用，人类可以毫不费力地获得已经烧熟的肉，而且吃起来比生肉鲜美，也易于咀嚼，这种现象不断重复出现，人类逐渐懂得食物可以用火烧熟而食，进而产生熟食的愿望，于是便开始设法保留火种。后来又发明了“钻燧取火”的方法，这时开始吃熟食，形成了原始的烹饪。

2. 调的起源

调起源于盐的利用，人们开始吃熟食时，还不知道调味。有些生活在海边的原始人，偶然把猎来的动物放在海滩上，表面沾上了一些盐的晶粒，烧熟食用时感觉到滋味特别鲜美，后来经过无数次的重复，开始逐渐懂得了这些晶粒能起到增加食物美味的作用，于是开始收集盐粒进而又发明了烧煮海水来提取食盐的方法，这样最简单的调味就形成了。

1.1.3 烹调的发展

饮食烹调是随着人类社会的出现而产生，又随着人类物质和精神文明的发展而不断丰富自身内涵的。炊具是饮食烹调的生产工具之一，不同性质炊具的产生和变化，决定着不同的烹调方法，烹制的菜肴风味也迥然有异。从炊具的角度，烹调的发展大致经历了无炊具烹、石烹、陶烹、铜烹、铁烹等阶段。

1. 无炊具烹

人类用火熟食，至少有五十多万年的历史。到目前为止，所知的烹饪最初诞生地在北京周口店的猿人遗址，因此可以说这是中国烹饪的发源地。烹饪的产生使人类告别了茹毛饮血的生活方式，是人类最终与动物划清界限的一个标志，人类的烹饪文化由此开始。中国烹饪诞生后，很长一段时间处于无炊具状态中，原料用火直接加热制熟，这段时期大约经历了四十多万年的历程。

1）原料与加工工具

主要由动物原料构成，辅之以鸟卵、鸟雏和果品、种子。其中动物靠狩猎获取。对烹饪原料由完全不加工而整体投入烹制，到后期的粗放加工，其中经历了一个漫长的历程。加工程度决定于工具，“北京人”的工具简单粗糙。考古学界报道，当时他们用砾石当锤子，用直接打击法、碰砧法和砸击法打制石片。制成的石器中，有砍斫器、刮削器、雕刻器、石锤和石砧等。这些工具，不足以用于切割，猎取的大小兽类也不可能剥皮就囫囵烧制。在“北京人”遗址还发现一些骨器，有的肢骨顺长劈开，将一头打击成尖形或刀形。这既说明“北京人”在食用兽类时有可能已敲骨吸髓，也说明可能用以分解大型动物成大件，利于烧制。不过，有些学者对“北京人”使用骨器持否定看法。从有刮削器这一点分析，大型动物先剥皮后烧制的可能性是存在的。

2）调味料

这一阶段并未发现有关调味的考古遗存。从加工十分原始，烹制十分简单来判断，不可能存在调味过程。不过，动物具有觅食某些盐类的本能。这种本能，肯定会从古猿遗传给猿人的。自然状态的岩盐、土盐等，是原始人生存的必需品，只是没有将它用做烹制中的调味品。不过，这种本能，是以后发展到与烹制结合起来形成调味过程的重要基因。

3）烹调方法

（1）烧。将原料置于火中或架于火上烧制。多用于连毛皮或是剥了皮的整体动物。这个阶段的后期，大型动物可能分解成大件后再烧制。这是最初的最原始的烹饪技法，但是延续到现代仍然在用。如赫哲族、鄂伦春族等民族，以及一些狩猎者，偶尔仍利用篝火来烧熟猎获物或捕到的鱼类，以供食用。

（2）煻煨。将原料埋置于火灰中使之成熟的技法。多用于个体稍小的猎获物。这种方法也绵延到现代，如民间利用灶膛柴火余烬煨制甘薯、玉米、土豆之类。这种方法以后又衍生出以下技法：即将多量土块烧至炽热，再踏成土灰，将原料埋入，煨焐成熟。此见于今之西北青海、甘肃等地农村，与山野烧灰肥结合起来应用，当地称之为“土锅”；另一种是将砂粒烧至炽热，将原料埋入煨焐成熟，以后又发展成将大粒盐加热后，将原料埋入盐中煨焐成熟。

（3）烤。此法是在架烧即古称“举燋”的技法上发展而来的。火力要强，将架烧的原料抬高至火焰之上，利用火向上辐射的热能使原料成熟。此法可以使原料不被烧焦，也比较干净，但应使原料不停转动，以利于均匀成熟。此外，也可以在地上挖坑，坑底燃火，将原料悬置于上烤制，如今新疆的地炉“烤全羊”，即属此类。它可以烤制大型的动物，如马、牛乃至骆驼，也可以烤制小型的野鸡与兔等，还可以将大型动物分解成大件烤制。此烤法后来又发展成叉烤、箅烤、串烤和炉烤等，原料亦可以切割成小型片、块后再烤。

在烤法的基础上又衍生出烘、炕、熏等技法。

① 烘。与架烤一样，只是原料放得更高，距火更远，或火力较小，甚至是用焰心，通过上升的辐射热使原料成熟。此法时间长、速度慢，但是成熟度比较高，可达到内外成熟均

匀的目的。如今的烤白薯即用此类技法，因此准确地说应该叫烘白薯。

② 炕。将原料置于火旁烤制的方法称为炕，火力可大可小，利用火中热能向四周辐射的原理使原料成熟。如今的炕烧饼技法，即系此法的发展。

③ 熏。烤制时，树柴之类燃料有时湿度较大，不易燃烧，既有火也带烟，火烤、烟熏同时进行，使原料成熟。熟后的食品带有烟味，风味独特。以后人类发现经过熏制的食品耐贮存，不易腐败，此法便被有意利用，形成独立的烹制技法。在以后的发展中，燃料的变化、程序的调整，便引出许多特殊风味的熏制菜品。此法并被用为储存食物的技法之一，如湖南等地的腊肉等。

这些烹制技法，总的来说都属于最原始的干加热成熟法及由此衍化、发展出来的技法，它们共同构成了无炊具烹阶段的烹制法系列。这些技法可以单独应用，也可交叉组合应用。古文献中称之为燔、炙等，为中国烹饪发展奠定了开拓性的基础，并为石烹作好了准备。

2. 石烹

经过无炊具烹时期，人类由猿人进入古人（即早期智人，距今二十万至四万年前）时期，然后进入新人（即晚期智人，距今四万至一万年前）时期。烹饪也由无炊具烹时期发展到石烹时期。这时，正处在古人时期的后期至新人时期的交替、衔接期。据人类学研究报告，古人已能人工取火，并能制作较精细的石器和标枪等复合工具，同时用兽皮制作简单的衣服。这十万年左右，烹饪也相应发生重大改进。虽然此时尚不能制造炊具，但是，长期的无炊具烹实践积累了大量的经验，尤其是人工取火技术的熟练，使依固定的火堆烹饪，进入到可以随地生火烹制，这表明此时已经具备改进与发展烹制技术的客观条件；另一方面，人类的脑容量也在逐渐增大，智力不断增长，思维能力增强，具备了改善原始的无炊具烹技法的主观条件，因而这段时期烹饪技术的进步，与前一阶段比较，速度明显加快，涉及的方面明显增多。在此阶段中，原料、加工、调味等也有了明显的进步。

1）原料与加工工具

这一阶段猎捕已很发达，猎捕对象有虎、洞熊、狸、牛、羊、兔、鹿和鸟类等；在一些遗址中还发现鱼类骨骼和贝壳等，并且发现有鱼叉。在山顶洞人遗址还发现用鲩鱼眼骨与海蚶壳制的饰品，说明捕捞水生动物，已成为原料采集的内容之一。另外，植物果实、种子的采集继续发展，达到了利用草本植物中较小的种子的时期，这也可以从古文献中石上焰谷的记述中得到证实。这些表明，该阶段烹饪原料大大地丰富了。

这一阶段先民们所使用的工具，除发现有箭头、鱼叉等用于渔猎的工具外，还出土了不少更精致的石器，如刮削器、尖状器、砍斫器、雕刻器、锥、斧等，这些工具出现小型化和复合化的趋向；同时发现有骨锥、骨刀、角铲等，从磨制海蚶壳作饰品推论，蚌刀也已出现。根据有些刮削器带有双刃和石斧、骨刀、蚌刀及骨针的应用，这一阶段对兽类已作剥皮处理，并由按肢体分解成几大件进展到切割成较小的大块或小块，内脏与肉也已分开，甚至出骨后取净肉切割食用。到了这一阶段的晚期，很可能还采取了洗涤的净化措施。

2）调味料

天然盐类一直在应用，但仍然与烹制分开。直到这一阶段的晚期出现用水烹制时，才可能将盐类放在水中，使制成的食品带有咸味，并且产生相应的味的观念。

这一阶段还很可能发现且利用了岩蜜、土蜜、木蜜，发现并利用了“猴儿酒”乃至酸枣、花椒、茱萸、薄荷、紫苏等；人们对味的认识不断增加，味觉神经随脑容量的增加而逐渐发展，味的区别能力不断增强。人类和动物一样具有因自身不适而选食某些植物乃至无机物的本能，发展到新人阶段，认识与运用呈味物质的可能是存在的，只是难以准确地判断其形成的时间。因此，也就可以认为在距今二万年时，我们的祖先已经可以区别咸、甜、酸、辣这些基本味，甚至认识到恶味可以通过调味来矫除。正是由于认识得早，区别、运用的能力强，才使今日中国烹饪以风味的丰富与多变而称誉于世。

3. 陶烹

从黄帝到尧、舜时代，随着生产力的发展，陶器的发明，人类进入陶烹时代，从而正式进入烹饪时代。与此同时，中国进入农业社会，使人类饮食史开始了新的篇章。

1）原料

(1) 谷蔬。考古发掘表明，仰韶、河姆渡和龙山人栽培作物所产的谷物和蔬菜，已能满足人们一部分食物的需要。从各地出土文物来看，粟、稻、稷、黍、麻、芥菜或白菜等，都是这一时期的烹饪原料。

(2) 禽畜。早在七八千年前的仰韶时期，由于网罟、陷阱、栏棚、弓箭等在狩猎中的应用，提高了狩猎的效率。当食用有剩余后，先人们就将活的动物进行豢养，有些动物（比较温顺的一些幼兽）逐渐被驯化成家畜，并在家养下再行繁殖，畜牧业由此兴旺发展起来。据考古学家考证，新石器时期我国能够驯养的主要有猪、狗、牛、羊、马、鸡等家畜和家禽。

(3) 水产。这一时期，捕鱼的方法除用鱼叉投刺外，更多的是用网围捕，也可能“竭泽而渔”。渔猎较前有较大发展，水产品有鲤、鲫、青、鲶、中华鳖、无齿蚌、乌龟等。

2）调味料

(1) 盐。《淮南子·修身训》云，在伏羲氏与神农氏中间，诸侯中有“宿沙氏始煮海为盐”，没有陶器是煮不成海水盐的。宿沙氏同共工氏一样，是我国东部沿海之滨的一个氏族或部落的首领，他的部落世世代代接触海水的潮汐在海滩上留下的盐层，首先知其味而食用。文献中的传说，反映新石器时期的先人就已开始食盐的历史事实。盐的发明，对于人类文明史确是一个重大的贡献。盐不仅是一种基本调味料，而且盐与蛋白质、氨基酸结合可生成氨基酸钠，从而使食品产生鲜美的滋味。盐和胃酸结合，又能加速分解肉类和促进消化吸收作用，并且调节人体的体液渗透压，对人类体质的进步起了积极作用，所以当人们食盐之后，就将盐作为不可或缺之物了。

有了盐才有了所谓调味，古人云：“五味调和百味香”、“盐者百味之将”，是很有道理的。用盐作为羹的调料，就出现了“铏羹”。“铏羹”可以说是我国最早用盐烹调出来的菜肴。也就是说，从此中国脱离了只烹不调的局面，进入到有烹有调的新时代，烹调即于此而始。

(2) 酒。我们的祖先在远古时期已经知道酿酒。含糖野果的天然发酵，大约在旧石器时期；谷物酿酒则起源于新石器时期，但谷物酿酒起源于新石器时代的仰韶人时期或龙山人时期，专家学者尚有不同认识。

3) 烹饪技艺

(1) 水煮法。以水为传热介质的烹饪方法，其前提条件是必须有盛水而用火烧的炊具。也就是说，水煮法只能是陶制炊具产生后才得以出现。

《淮南子》描述水煮法是“水火相憎，镬（鼎）在其间，五味以和。”水煮法最初主要用于烹制谷物，当时煮熟的谷物就是糜和粥。

(2) 气蒸法。以气作为传热介质的烹饪方法，其前提条件是必须有带孔和加盖的炊具。也就是说，气蒸法只能是在中国独特的炊具——甑和甗产生后才得以问世。《周书》有“黄帝始蒸谷为饭”的记载。

4. 铜烹（夏、商、周战国时代）

传说夏代已开始造铜鼎，中国从石器时代进入铜器时代。商代的生产有所发展，青铜铸造有重大进展，为烹调的发展提供了物质条件。

1) 原料

(1) 谷物。西汉戴德的《大戴礼记·夏小正》记载夏代的植物有麦、菽、黍、粟、糜。商代的甲骨文中已有禾、粟、稷、菽、麦等文字。又据文献记载，当时已有“五谷”、“六谷”、“九谷”、“百谷”的词语，反映了谷物生产的兴盛。

(2) 蔬果。这一时期，蔬菜水果的生产也有较大发展。甲骨文中出现“圃”、“囿”等字；周王室中亦有专管蔬菜水果生产的官职“场人”；在《诗经》、《周礼》、《礼记》等书中记载的蔬菜水果也很多，如韭、芹、笋、荠、瓠、藿、蓼、藕及桃、李、杏、梅、橘、柚等。

(3) 禽畜及水产。这一时期烹饪原料中的禽畜品明显增多，除饲养禽畜外，还狩猎禽畜，以扩大食物来源。《周礼·天官》记载；“庖人掌共六畜、六兽、六禽。”至殷周以后，食用的水产品也越来越多，如鳇鱼、赤眼鳟、草鱼、鲂、鲙、鲨、鲶、鲦及鳖、螺、蜃、蛤等。

2) 调味料

调味料包括：咸味料（主要有盐、醢、酱）、甜味料（主要有蜂蜜、饴、蔗浆）、酸味料（主要有梅子、醯）、苦味料（主要是豆豉）、辛辣芳香料（主要有花椒、生姜、桂皮、葱、芥、蓼、蘘芗等）、酒。

3) 烹饪技艺

这一时期的烹饪技艺，如选料、刀工、配菜、火候、调味、勾芡、食品雕刻等均有不同程度的发展，烹饪方法逐渐增多，主要有：炙（这里指将食品原料“贯串而置之火上”烤）、燔（将食品原料放在火上烧）、炮（古人解为裹烧）、烹（古人解释：“煮于镬曰亨”，放在油中炸也叫烹）、蒸、煎、炸、炖、干炒等。

5. 铁烹

从秦朝开始，铁制炊具出现，烹调进入铁烹时期。这一时期，动植物原料品类多种多样，植物油用于烹饪，炒、爆、涮等新的烹调法陆续出现，基本烹调法完备，美馔佳肴丰富多彩，主要风味流派基本形成，成为中国烹饪的兴旺期。

1.1.4 发明烹调的重大意义

熟食是人类发展的前提，而烹调的发明，则是人类进化的一个关键，是人类历史上的一个重要里程碑，具有重大的历史意义。

(1) 火的发现与运用改变了人类野蛮的茹毛饮血的原始生活方式。这是人类改造客观世界的一项成果，在摄食以维持生存这一主要生活方式上，使人类最终区别于动物，进入了人类文明的新时期。

(2) 先烹后食，又是人类饮食史上的一次大飞跃。熟食可以杀菌消毒，改善滋味，减少咀嚼的负担，利于消化，使人体能从食物中吸取更多的营养，促进人类体质的增强和健康，为人类的智力和体力的进一步发展创造了有利条件。

(3) 发明烹调后，人类扩大了食物的来源和品种，逐渐懂得了吃鱼类等水产品。为了就近获得水产品，人们开始迁移到江河岸边居住，最后离开了与野兽为伍的生存环境。

(4) 熟食以后，人类逐渐养成了定时饮食的习惯，可以有更多的时间从事其他的生产活动。

(5) 通过烹调，人类逐渐懂得使用饮食器皿，进而形成了生活上的一些礼节，开始向文明时期过渡。

人类的饮食文明，经历过生食、熟食、烹饪三个阶段。在我国，生食、熟食与烹饪三个阶段的划分，大致是以北京猿人学会用火及1万年前发明陶器作为界标的。换句话说，我们祖先从生食到熟食，从火炙石燔到水煮盐拌，走过170万年的艰辛历程，直到学会制造最早的生活用具——陶罐，作为文明标志的烹饪术，始在华夏大地诞生。170万年前，我国境内出现最早的人群——元谋猿人。元谋人和60万年前出现的蓝田人、50万年前出现的北京人，统称“猿人”。他们群居于洞穴或树上，集体出猎，共同采集，平均分配劳动所获，过着“茹毛饮血”、“活剥生吞”的生活，这便是中国饮食史上的“生食”阶段。大约在50万年前，先民学会人工取火。继北京猿人之后陆续出现的马坝人、长阳人、丁村人、柳江人、资阳人、河套人及山顶洞人，被考古学家称为“古人”或“新人”。出土文物证实，“古人”或“新人”尽管仍处于原始状态，但已学会了用火烧烤食物、化冰取水、烘干洞穴、照明取暖、防卫身体和捕获野兽，进入中国饮食史上的“熟食”阶段。熟食的最大贡献，就在于它从燃料和原料方面，为烹饪技术的诞生准备了物质条件。中国社会进入距今1万年左右的旧石器时代晚期，生产力已有一定的发展，氏族社会最后形成，并出现原始商品交换活动。这一切又为烹饪技术的诞生准备了社会条件。特别是制造出适用的刮削器、雕刻器、石刀与骨锥，发明摩擦生火，学会烧制瓦陶，更为烹饪技术的诞生提供了必不可少的工具与器具。再加上盐的发现、制取与交换，梅子、苦瓜、野蜜与香草的采集和利用，进而初步解决了调味品的问题。至此，中国烹饪之道始而齐备，中国饮食史从此揭开“烹饪”这崭新的一页。在学术界，也有把用火熟食作为烹饪诞生的标志，称为中国烹饪的萌芽时期，即火烹时期。烹饪的发明，是中华民族从蒙昧野蛮进入文明的界碑，“新人”向“现代人”进化的阶梯，旧石器时代向新石器时代转变的触媒。它对于维系中华民族昌盛、促进生产力发展、带动社会进步、缔造物质文明和精神文明，均有着极其重要的意义。

1.1.5 烹调与烹饪

烹饪一词始见于《周易·鼎》“以木巽火，亨饪也”句。“鼎”是先秦时代的炊、食共用器，形似庙里的香炉，初为陶制，后用铜制，还充当祭祀的礼器。“木”指燃料，如柴草之类。“巽”的原意是风，此处指顺风点火。亨，亦作烹，作加热解；饪作制熟解，合为烹饪，通常理解为运用加热方法制作食品。“以木巽火，亨饪也”就是将食物原料置放在炊具中，添加清水和味料，用柴草顺风点火煮熟。由此可知，烹饪这一概念在古代包括了炊具、燃料、食物原料、调味品以及烹制方法诸项内容，反映出奴隶社会时期先民生活状况及其对饮馔的认识。还由于古代厨务没有明显分工，厨师既管做菜，又做饭，还要酿酒、造酱、屠宰、储藏，因此烹饪一词，在古代实际是食品加工制作技术的泛称。约在唐代出现料理一词，宋代出现烹调一词。两词词义与烹饪基本一样。以后，料理一词弃置，烹饪、烹调二词并存混用。

烹饪是指加热做熟食物。广义的烹饪是人类为满足生理需求和心理需求，把可食原料用适当方法加工成为食用成品的活动。包括对烹饪原料的认识、选择和组合设计，烹调法的应用与菜肴、食品的制作，饮食生活的组织，烹饪效果的体现等全部过程，以及它所涉及的全部科学、艺术方面的内容，是人类文明的标志之一。

烹调是指将经过加工整理的烹饪原料，用加热和放入调味品的综合方法制成一道成熟的完整菜肴的一门技术。近数十年，随着烹饪事业的发展，烹调一词在实际应用中逐步分化出来，成为专指制作各类食品的技术与工艺的专用名词，也称为烹饪工艺。而烹饪则被赋予更加广泛的内容，包含烹调及烹调制作的各类食品、饮食消费、饮食养生，以及由烹调和饮食所延伸的众多文化（狭义的）现象。

1.2 中国烹饪的发展过程

中国烹饪历史十分悠久，在漫长的发展过程中，形成了中国烹饪绚丽多彩的文化内涵与雄厚坚实的技术基础。从其发展的客观历史进程来看，经历了由萌芽到成熟的逐渐发展过程。

1.2.1 史前时期

这一时期是人类逐渐摆脱愚昧野蛮状态而进入文明状态的时期。从原料方面来看，由早期的动物原料、鸟卵、果品、种子等，到水产品、谷物、蔬菜等，范围逐渐扩大，内容也越来越丰富。

中国烹饪诞生后，进入了约有四十多万年历史的无炊具烹饪时代，人类以烧、烤、煻煨等方法加工食物。约在距今两万年前，人类采用石块、石板等作为炊具，进入了石烹时代。这一时期原料没有保证，有烹无调，为我国烹饪的萌芽期。距今一万多年前，人类进入新石器时代，开始使用陶釜、陶甑等陶器作为炊具。公元前三千年，人类发明了“煮海为盐”的方法，水煮和气蒸法相继出现，使得烹调兼备，为我国烹饪的形成期。

(1) 食物原料不很充裕，多系渔猎的水产品和野兽，间有驯化的禽畜、采集的草果、试种的五谷。调味品主要是粗盐，也用梅子、苦果、香草和野蜜。

(2) 炊具是陶制的鼎、甑、鬲、釜、罐和地灶、砖灶、石灶；燃料仍系柴草；还有粗制的钵、碗、盘、盆作为食具，烹调方法是火炙、石燔、气蒸并重，较为粗放。至于菜品，也相当简陋，最好的美味也不过是传说中的彭祖（彭铿）为尧帝烧制的“雉羹”。

(3) 此时先民进行烹调，仅仅出自求生需要；关于饮食和健康的关系，他们的认识是朦胧的。但是，从燧人氏教民用火、有巢氏教民筑房、伏羲氏教民驯兽、神农氏教民务农、轩辕氏教民文化等神话传说来看，先民烹饪活动具有文明启迪的性质。

(4) 在食礼方面，祭祀频繁，常常以饮食取悦于鬼神，求其荫庇。开始有了原始的饮食审美意识，如食器的美化，欢宴时的欢呼跳跃等。这是后世筵宴的前驱，也是他们社交娱乐生活的重要组成部分。总之，新石器时代的烹饪为夏商周三代饮食文明的兴盛奠定了良好的基石。

1.2.2 先秦时期

先秦时期是中国烹饪文化的真正形成时期。如果说中国烹饪是条长河，那么先秦就是河水初丰的时候。经过从夏至战国末期近两千年的历史发展，中国传统烹饪文化的特点已经基本形成。我国的烹调技术在殷周时期有了较大的发展，并开始使用铜器炊具。调味方面，如油（动物油脂）、盐、酱、醋等均已使用，烹调方法亦相应多样化。

首先，从食料方面来看，根据《诗经》等文献的记载，早在西周时期，已是五谷（黍、稷、菽、麦、稻）皆备，还有芋头、山药等杂粮。蔬菜品种更为繁多，见于史籍的有陆生、水生及菌类共数十种，其中有较为常见的蔓菁、萝卜、竹笋、木耳等，也有许多因历史变迁而难知其详的稀有品种。肉食品除了猪、羊、犬等家畜外，还有象、鹿、鸽等。商代已开始了淡水养殖，水产品品种亦逐渐增加。先秦时期的调味料生产比原始社会有了较大的发展，除了原始社会已能生产的咸味料——盐之外，又增加了甜味料（饴糖、蜂蜜等）、鲜味料（酱油、豆豉等）、酸味料（酸酱、醋等）和香辛料（紫苏、花椒、桂皮等），为中国烹饪最为重视的“调味”奠定了物质基础。需要指出的是，当时食料的发展有两点重要的突破，一是贮藏方式，已发明冷藏、香料防腐、醋渍灭菌、乳酸发酵、糖渍等多种保鲜法，腊肉、泡菜、蜜饯等加工食物已经出现。二是美食家已知产地对食料品质有重要影响，对于原材料选择已相当挑剔。《诗经·陈风·衡门》云：“岂其食鱼，必河之鲂；……岂其食鱼，必河之鲤。”就是说，吃鱼一定要选黄河的鲤鱼和鲂鱼，黄河的鲤鱼和鲂鱼被美食家所津津乐道。

其次，从名厨名菜来看，先秦已出现不少身怀绝技的烹饪大师，并且具有相当高的社会地位。例如，相传夏衰商兴时，有一位烹饪大师伊尹，因高超的技艺和烹饪理论深受商王的赏识，委以相位，协助商汤治理天下；春秋时期的易牙被誉为中国古代第一名厨，为使君王齐桓公尝到珍稀之味，竟将自己的儿子杀死，割其肉蒸之献给桓公。名厨的出现与宫廷中的厨师制度有关。《周礼》对服务于宫廷饮食方面的官员分工，作了极为详尽的说明，其中有“膳夫”、“庖人”、“酒正”、“食医”、“笾人”等众多职位，分工详尽，各司其职。有的专司五谷食料，有的专司烹饪，有的主管宴会事务，有的负责冷藏保鲜，有的主管造酒，还有的专管营养卫生……这种复杂的分工反映了贵族生活的奢侈，但同时也为产生技艺精湛的名厨提供了有利条件。

第三，从烹饪技艺方面来看，先秦时期的厨师非常重视刀工，且技艺纯熟。《内则》中强调切牛肉时一定要同肉纤维方向垂直，要选用新鲜牛肉中靠近背脊的部位，并要注意切得薄，这样才能使牛肉细嫩，这与现代刀工要求完全一致。《庄子·养生主》中记载了著名厨师庖丁的精妙刀法，可以使牛在须臾之间迎刃而解，成为千古妙谈。火候也为先秦厨师高度重视，尽管当时的烹饪技法尚不如后世发达，仅以煮、炖、烤、炸等为主，但很讲究火力、时间及容器的选择。《老子》曾记述，烹调小鱼时，一定要谨慎小心，火力不可过猛，也不宜过多翻动，否则势必将鱼烧碎，影响美观。《吕氏春秋》曾讲到煮鸡的技巧，若用过大的鼎来煎煮，放水过多鸡汤就会淡而无味，放水过少则会使鸡焦而不烂，所以必须选择适中的烹调器具。

1. 夏商周三代的烹饪

夏商周在社会发展史中属于奴隶制社会，也系中国烹饪发展史上的“初潮”。它在许多方面都有突破，对后世影响深远。

(1) 烹调原料显著增加，习惯于以五命名。如“五谷”（稷、黍、麦、菽、麻），“五菜”（葵、藿、薤、葱、韭），“五畜”（牛、羊、猪、犬、鸡），“五果”（枣、李、栗、杏、桃），“五味”（米醋、米酒、饴糖、姜、盐）之类。“五谷”有时又写成“六谷”、“百谷”。总之，原料能够以“五”命名，说明了当时食物资源比较丰富，人工栽培的原料成了主体，这些原料是其中的佼佼者，选料方面已经积累一些经验。

(2) 炊饮器皿革新，轻薄精巧的青铜食具登上了烹饪舞台。我国现已出土的商周青铜器物有4000余件，其中多为炊餐具。青铜食器的问世，不仅利于传热，提高了烹饪工效和菜品质量，还显示礼仪，装饰筵席，展现出奴隶主贵族饮食文化的特殊气质。

(3) 菜品质量飞速提高，推出著名的“周八珍”。由于原料充实和炊具改进，这时的烹调技术有了长足进步。一方面，饭、粥、糕、点等饭食品种初现雏形，肉酱制品和羹汤菜品多达百种，花色品种大大增加；另一方面，可以较好运用烘、煨、烤、烧、煮、蒸、渍、糟等10多种方法，烹出熊掌、乳猪、天鹅之类高档菜式，产生影响深远的“周八珍”。“周八珍”又叫“珍用八物”，是专为周天子准备的宴饮美食。它由2饭6菜组成，包括：“淳熬”、“淳母”、“炮豚”、“炮牂”、“捣珍”、“渍”、“熬”、“肝膋”。“周八珍”推出后，历代争相仿效。元代的“迤北（即塞北）八珍”和“天厨八珍”，明清的“参翅八珍”和“烧烤八珍”，还有“山八珍”、“水八珍”、“禽八珍”、“草八珍”（主要是指名贵的食用菌）、“上八珍”、“中八珍”、“下八珍”、“素八珍”、“清真八真”、“琼林八珍”（科举考试中的美宴）、“如意八珍”等，都由此而来。

(4) 在饮食制度等方面也有新的建树。如从夏朝起，宫中首设食官，配置御厨，迈出食医结合的第一步，重视帝后的饮食保健，这一制度一直延续到清末。再如筵宴，也按尊卑分级划类。此外，在民间，屠宰、酿造、炊制相结合的早期饮食业也应运而生，大梁、燕城、邯郸、咸阳、临淄、郢都等都邑的酒肆兴盛。

夏商周三代在中国烹饪史上形成了一个良好的开端，后人有“百世相传三代艺，烹坛奠基开新篇”的评语。

2. 春秋战国的烹饪

春秋战国是我国奴隶制社会向封建制社会过渡的动荡时期。连年征战，群雄并立。战争造成人口频繁迁徙，刺激了农业生产技术迅速发展，学术思想异常活跃。此时烹饪中也出现了许多新的因素，为后世所瞩目。

(1) 以人工培育的农产品为主要食源。这时由于大量垦荒，兴修水利，使用牛耕和铁制农具，农产品的数量增多，质量也提高了。不仅家畜野味共登盘餐，蔬果五谷俱列食谱，而且注意水产资源的开发，在南方的许多地区鱼虾龟蚌与猪狗牛羊同处于重要的位置，这是前所未有的。

(2) 在一些经济发达地区，铁釜（古炊具，敛口圜底带二耳，置于灶上，上放蒸笼，用于蒸或煮）崭露头角。它较之青铜炊具更为先进，为油烹法的问世准备了条件。与此同时，动物性油脂（猪油、牛油、羊油、狗油、鸡油、鱼油等）和调味品（主要是肉酱和米醋）也日益增多，花椒、生姜、桂皮、蒜运用普遍，菜肴制法和味型也有新的变化，并且出现了简单的冷制品和蜜渍、油炸点心。

(3) 继周天子食单之后，又推出新颖的楚宫筵席，形成南北争辉的局面。据《楚辞》中的记载，楚宫宴包括主食（4～7种），肴（8～18种）、点心（2～4种）、饮料（3～4种）四大类别。其中的煨牛筋、烧羊羔、焖大龟、烩天鹅、烹野鸭、油卤鸡、炖甲鱼和蒸青鱼，都达到了较高的水平；而且在原料组配、上菜程序、接待礼仪上均有创新，为后世酒筵提供了蓝本。

(4) 出现南北风味的分野，地方菜系初露头角。其中的北菜，以现今的豫、秦、晋、鲁一带为中心，活跃在黄河流域，它以猪犬牛羊为主料，注重烧烤煮烩，崇尚鲜咸，汤汁醇浓。其中的南菜，以现今的鄂、湘、吴、越一带为中心，遍及长江中下游，它是淡水鱼鲜辅以野味，鲜蔬拼配佳果，注重蒸酿煨炖，酸辣中调以滑甘，还喜爱冷食。这一分野到汉魏六朝时继续演进，由二变四，逐步显示出四大菜系的雏形。

(5) 烹饪理论初有建树，推出《吕览·本味》和《黄帝内经》。《吕览本味》被后世尊为厨艺界的“圣经”，战国末年秦国相国吕不韦组织门客编著。其贡献主要是：正确指出动物原料的性味与其生活环境和食源相关；强调火候和调味在制菜中的作用，并介绍了一些方法，归纳出菜品质量检测的8条标准，并主张“适口者珍”，开列出当时各地著名的土特原料，以供厨师择用。《黄帝内经》是这一时期的医家总结劳动人民同疾病作斗争的经验，托名黄帝与歧伯臣之间的对话而陆续写成的。该书除了系统阐述中医学术理论，从阴阳五行、脏腑（中医对人体内部器官的总称），经络（人体内气血运行通路的主干和分支）、病因、病机（疾病发生和变化的机理）、预防、治则（治病的基本法则）等方面论述人体生理活动以及病理变化规律外，对食养、食治方面还依据自然环境与健康的关系，提出了“六淫”（中医指风、寒、暑、湿、燥、火等六种气候太过，使人致病）、“七情”（中医指喜、怒、忧、思、悲、恐、惊七种情志）、饮食不当、劳倦内伤等病因说，告诫人们注意饮膳和生理功能的自我调适。这两部著述的起点均很高，为先秦时期的烹饪画上了圆满的句号。

1.2.3 秦、汉、唐时期

秦汉以来，统一的中国生产力有了很大的发展。人们的饮食水平相应提高，出现了许多新的烹饪原料，铁制炊具开始广泛使用，植物油也已经用于烹饪，红、白两案开始分工。随着同外域交往的增加，许多外国的食物及烹饪方法传入我国，丰富了我国的食物来源。汉唐饮食文化是我国古代饮食文化史上的一个极其重要的发展阶段。汉唐时期是我国封建社会发育乃至茁壮成长的阶段，是封建经济蓬勃向上、生机盎然的黄金时代，在此基础上形成的饮食文化则是这个阶段历史的重要的组成部分。在汉唐长达一千多年的漫长岁月中，饮食文化经历了曲折的发展变化，奠定了我国人民饮食生活模式的基础，逐步确立了以粟、麦、稻等粮食为主食，以蔬菜和一定的肉类为副食的饮食结构，并逐步形成了以蒸、煮、烤、煎、炸、烹、炒等为基本手法，以色、香、味、形为终极效应，讲究刀工火候，五味调和，具有整体性、完美性的综合烹饪艺术，从而孕育了别具特色的中国菜肴的体系和风味，而且形成和确立了以三餐制为代表的食制食俗。另外，这一时期发展起来的饮食学和食疗养生理论与实践，至今影响依然很大。该时期在我国饮食文化史上占有特殊的、极其重要的承前启后的地位。

1. 秦汉魏六朝时期

这一时期是我国封建社会的早期，农业、手工业、商业和城镇都有较大的发展。民族之间的沟通与对外交往也日益频繁。在专制主义中央集权的封建国家里，烹饪文化不断出现新的特色。这一时期的后半段，战争频繁，诸侯割据，改朝换代快，统治阶级醉生梦死，奢侈腐化，在饮食中寻求新奇的刺激。由此，烹饪就在这种社会大变革中演化，博采各地区各民族饮馔的精华，蓄势待变，焕发出新的生机。

1）烹调原料的扩充

在先秦五谷、五畜、五菜、五果、五味的基础上，汉魏六朝的食料进一步扩充。张骞出使西域后，相继从阿拉伯等地引进了茄子、大蒜、西瓜、黄瓜、扁豆、刀豆等新蔬菜，增加了素食的品种。《盐铁论》说，西汉时的冬季，市场上仍有葵菜、韭黄、簟菜、紫苏、木耳、辛菜等供应，而且货源充足。《齐民要术》记载了黄河流域的31种蔬菜，以及小盆温室育苗，韭菜发芽和挑根复土等生产技术。杨雄的《蜀都赋》中还介绍了天府之国出产的菱根、茱萸、竹笋、莲藕、瓜、瓠、椒、茄，以及果品中的枇杷、樱桃、甜柿与榛仁。有“植物肉”之誉的豆腐，相传也出自汉代，是淮南王刘安的方士发明的，不久，豆腐干、腐竹、豆腐乳等也相继问世。

这时的调味品生产规模扩大，《史记》记述了汉代大商人酿制酒、醋、豆腐各1000多缸的盛况。《齐民要术》还汇集了白饴糖、黑饴糖稀、琥珀饴、煮脯等糖制品的生产方法。特别重要的是，从西域引进芝麻后，人们学会了用它榨油。从此，植物油（包括稍后出现的豆油、菜油等），便登上中国烹饪的大舞台，促使油烹法的诞生。当时植物油的产量很大，不仅供食用，还作为军需用。

在动物原料方面，这时猪的饲养量已占世界首位，取代牛、羊、狗的位置而成为肉食品中的主角。其他肉食品利用率也在提高，如牛奶，就可提炼出酪、生酥、熟酥和醍醐（从酥酪中提制的奶油）。汉武帝在长安挖昆明池养鱼，周长达20公里，水产品上市量很多。再如岭南的蛇虫、江浙的虾蟹、西南的山鸡、东北的熊鹿，都已端上餐桌。《齐民要术》记载的肉酱品，就分别是用牛、羊、獐、兔、鱼、虾、蚌、蟹等10多种原料制成的。此外，在主食中，水稻跃居粮食作物的首位。菌耳、花卉、药材、香料、蜜饯等，也都引起厨师的重视。

2）炊饮器皿的鼎新

炊饮器皿的鼎新突出表现是，锅釜由厚重趋向轻薄。战国以来，铁的开采和冶炼技术逐步推广，铁制工具应用到社会生活的各个方面。西汉实行盐铁专卖，说明盐与铁同国计民生关系密切。铁比铜价贱，耐烧，传热快，更便于制菜，因此铁制锅釜此时推广开来，如可供煎炒的小釜，多种用途的“五熟釜”，以及“造饭少倾即熟”的“诸葛亮锅”，都系锅具中的新秀。与此同时，还广泛使用锋利轻巧的铁质刀具，改进了刀工刀法，使菜形日趋美观。

3）饮食市场的活跃

西汉经过“文景之治”，经济发展，府库充盈，民间较为富足，为饮食市场注入了活力，形成了“熟食遍列，肴旅城市”的红火景象。由于饮食市场的兴盛，地方风味也得以发展。随着经济、政治、文化、军事中心的变迁，先秦时的“北菜”转以秦、豫为主，并充实进“胡食”（西域一带的饭菜）。“南菜”逐步一分为三，西南和中南以荆、湘、巴、蜀为主导；华东一带淮扬菜和金陵菜有较大影响；岭南地区则是粤、闽菜品渐占优越。至此，黄河、长江、珠江三大流域的肴馔差异已经很明显了，它说明鲁、苏、川、粤四大菜系正在酝酿发育之中。

4）烹调技法的改进

秦汉时期出现了两次厨务大分工，首先是红白两案的分工，接着是炉与案的分工。这有利于厨师集中精力专攻一行，提高技术。在烹调技法上，也比先秦精细。据《齐民要术》记载，当时的烹调有鲊(用盐与米粉腌鱼)，脯腊（腌熏腊禽畜肉），羹，蒸煎消（烧烩煎炒之类），菹绿（泡酸菜），炙（烤），奥糟苞（瓮腌、酒醉或用泥封腌），饧脯（熬糖与做甜菜）等大类；每大类又有若干小类，合计近百种，这是一大进步。特别是在铁刀、铁锅、大炉灶、优质煤、众多植物油等要素作用下，油烹法脱颖而出，制出不少名菜，使中国烹饪更上一层楼。现今常用的30多种烹调法中，油烹法约占60%以上。从中不难看出，汉魏六朝发明油烹，其影响是何等深远。尤为可取的是，这时已用栀子花和苏木汁染色，用枣、桂添香，用蜂蜜助味，用牛奶与芝麻油和面，用蛋黄上浆挂糊，用蛋雕及酥雕造型，菜品的色、香、味、形，都跃上了新的高度。

我国自古就有素食的传统，但未形成专门的菜品。汉魏六朝佛、道两教大兴，风味特异的素菜这时才应运而生。素菜的基地是寺观，早期以羹汤为主，辅以面点，是款待施主的小吃，后来充实菜品，才形成阵容。《齐民要术》有“素食”一章，介绍了11个品种，但不少仍杂有荤腥料物，属于“花素”，乃素菜的早期形式。到梁武帝时，“南朝四百八十寺”，素菜更为活跃，有关记载增多。此时的面点工艺，亦是成就巨大。其表现是：面点品种增多，技法迅速发展，出现专门著作。如《饼赋》等，对面点都有生动的描述。我国的市食面点、年节面点、民族面点、宴会面点、馈赠面点等，都是在这一时期初奠基石的。特别是“胡饼”，流传千载仍有活力。

5）烹饪理论的收获

（1）食疗肇始。这时出现了张仲景、淳于意、华佗、王叔和等名医，推出《神农本草经》、《伤寒病杂论》、《脉经》等新著，总结出脏腑经络学说，奠定了辨证论治（中医指根据病因、症状、脉向等全面分析，判断病情，进行治疗）的理论基础，传统医学体系初步形成。在药物运用上，强调“君臣佐使”（中医方剂的比拟词，“君”指起主要作用的药，“臣”指发挥功效的药，“佐”指辅佐作用的药，“使”指直达病区的主药和辅药）、“七情和合”和“四性五味”，并且试图用阴阳五行观解释食饮与健康的关系，使“食医同源”的理论进一步得到验证。像淳于意的“火剂粥”，华佗用葱姜酱醋合剂治疗寄生虫病，都可视作食疗的开端。

(2) 系统食书问世。如《淮南王食经》、《太官食方》、《食珍录》、《四时食利》、《安平公食学》、《食论》等，它们为后世菜谱的编写提供了借鉴。尤其是北魏高阳太守贾思勰所著的《齐民要术》，是中国烹饪理论演进史上的一座丰碑。该书10卷、92篇、12万言，涉猎面甚宽，容量远远超过前代的农书和食书。它是公元6世纪以前黄河中下游地区农业生产经验和食品加工技术的全面总结，其主要贡献是：较多地介绍了主要农作物的品种、性能、产地和养殖方法，初具烹饪原料学的雏形；广泛收集调味品生产的传统工艺，对食品酿造技术进行总结且有所发展；汇集了众多菜谱，分析了不少技法，保留了珍贵的饮馔资料，堪称我国最早的菜品大全。这本书上起夏禹，下及六朝，思路贯通10多个朝代，健笔纵述2000余年。引用了古籍150余种，包容百川。对横向知识也很重视，虽然主要介绍齐鲁燕赵，但对荆湘吴越和秦陇（指甘肃一带）川粤亦有反映。作者力争列全主食、副食、荤菜、素菜和外域菜，以及原料、炊具、储藏知识等，因此它素有“便民的方法、治疱之良方”的美誉。

总之，汉魏六朝上承先秦，下启唐宋，是中国烹饪发展史上重要的过渡时期。引进了众多外来原料，提高了农副产品的养殖技术，食源进一步扩大，改进了炉灶和炊具，以漆器为代表的餐具轻盈秀美；调味品显著增加，开始使用植物油，油煎法问世；菜肴花色品种增多，质量有所提高，素菜发展较快，“胡风烹饪”（西域一带的烹饪技艺）独树一帜；出现不少面点小吃新品种，节令食品与乡风民俗逐步融合；筵宴升级，重视情味；饮食市场兴隆，菜系正在孕育之中；医学理论逐步形成，膳补食疗渐受重视；出现了一批食书，《齐民要术》贡献卓著。

2. 隋唐时期

隋与秦相似，立国时间不长，但为唐朝的发展开了一个好头。唐朝建立后，推行均田制、租庸调制、府兵制和科举制，经济振兴，国库充实，诗歌、绘画、书法等领域都有巨大成就。加之文成公主入藏，疆域空前辽阔，成为中国封建社会发展过程中最强大的王朝。同时又开辟丝绸之路，派玄奘到印度取经，同日本、朝鲜保持睦邻友好关系，使长安成为亚洲经济文化交流中心。这一切都为烹饪的发展开创了有利局面。

隋唐时期，烹饪原料进一步增加，通过陆上丝绸之路和水上丝绸之路，从西域和南洋引进一批新的蔬菜，如菠菜、莴苣、胡萝卜、丝瓜、菜豆等。还由于近海捕捞业的昌盛，海蜇、乌贼、鱼唇、鱼肚、玳瑁、对虾、海蟹相继入馔，大大提高了海产品的利用率。另据《新唐书·地理志》记载，各地向朝廷进贡的食品多得难以数计，其中，香粳、紫杆粟、糟白鱼、橄榄、槟榔、酸枣仁、高良姜、白蜜、生春酒和茶，都为食中上品。此时厨师选料，仍以家禽、家畜、粮豆、蔬果为大宗，也不乏蜜饯、花卉及象鼻、蚁卵、黄鼠、蝗虫之类的“特味原料”。同一原料中还有不同的品种可供选择。在油、茶、酒方面，也是琳琅满目。如唐代的植物油，有芝麻油、豆油、菜籽油、茶油等类别。炊饮器具也得到进一步发展。从燃料看，这时较多使用煤炭，部分地区还使用天然气和石油；有了耐烧的“金刚炭”（焦煤）、类似蜂窝煤的“黑太阳”，以及相当于火柴的“火寸”。还认识到“温酒及炙肉用石炭”；“柴火、竹火、草火、麻核火气味各不同”。炉和灶也有变化，当时流行泥风灶、小缸炉和小红炉。另外，刀工经验也较为成熟。在餐具中，最主要的是风姿特异的瓷质餐具逐步取代了陶质、铜质和漆质餐具。

此外，隋唐时期的饮食市场繁荣。隋唐以“市”、“坊”分区，“市”是买卖聚集之地。据《郡国志》载，大业六年（610年）各国使者来朝贡，请求进入市肆交易，隋炀帝为了向外宣扬声威，特意重修店铺，整理市容。唐代长安有108坊，呈棋盘式布局。各坊经营项目大体上有分工，如长兴坊卖包子之类的食品，辅兴坊卖胡饼，胜业坊卖蒸糕，长安坊卖稠酒（米酒）。唐长安还设有专门承办宴会的“礼席”。同时，筵宴水平甚高，其菜点之精，名目之巧，规模之大，铺陈之美，远远超过汉魏六朝，现能见到的唐代《烧尾宴》菜单中主要菜点就有58道。

总之，隋唐五代时期，扩大了食源，珍馐增多，出现了一批烹调原料专著；燃料质量提高，革新了炉灶炊具，瓷质餐具日益流行；食品雕刻和花碟拼摆突飞猛进，菜式花色丰富，小吃精品层出不穷，菜系正在孕育之中；筵宴升级，铺陈华美，饮食市场活跃。

1.2.4 宋、元、明、清时期及其以后

1. 宋元时期

经历动乱的五代十国，赵匡胤建立了北宋。宋初，比较注意休养生息，经济逐步回升。特别是采煤、冶铁、制瓷的兴盛，带动了商业贸易的发展，出现不少繁华都市，饮食市场空前活跃。后来，女真人崛起，出现隔江对峙两个政权。此时尽管战事不断，经济并未停顿。特别是南宋时期，生产工具改进较快，对外贸易份额高，首都临安相当繁华。同时饮食市场上的激烈竞争，又使一批以地方风味命名的餐馆问世。地方风味演化到宋代，也初现花蕾。不少餐馆首次挂出“胡食”、“北食”、“南食”、“川味”、“素食”的招牌，供应相应的名馔。其中，“胡食”主要指西北等地的少数民族菜品和阿拉伯菜品，与现今的清真菜有一定的渊源关系。“北食”主要指豫、鲁菜，雄踞中原。“南食”主要指苏、杭菜，活跃在长江中下游。“川味”主要指巴蜀菜，波及云贵。“素食”主要指佛、道斋菜，逐步由“花素”

向“清素”过渡。

宋代经济的发展为饮食发展提供了良好的物质基础。都市饮食市场的形成，有利于烹饪技艺的提高，多种饮食著作的问世，促进了烹饪经验的总结和交流。由于南北方的交流，使得佳肴增多，制作技艺日益精细。唐代以前，国家规定各种店铺只能在“市”内经营，但随着城市经济的发展，这一陈规逐渐被打破，允许店铺四处开设。到了南宋，大城市中已出现大街小巷店铺林立的局面，饮食店铺不仅众多，而且规模较大，夜市更加兴盛。饮食业的早市，古已有之；夜市普遍开放，则是宋太祖撤销宵禁之后。如汴京，“夜市直至三更尽，才五更又复开张，如要闹去处，通宵不绝。”夜市以名店为主，众多食摊参加，遍及大街小巷。其特点是规模大，时间长，摊点多，品类全，以大众化食品为主，并且送货上门，可以记账、预约。那时还有承办筵席的机构“四司六局”。四司指布置厅堂、设计筵席的“帐设司”，迎送宾客、供应茶酒的“茶酒司”，安排菜单、烹制肴馔的“厨司”，端茶上酒、清洗盘碗的“台盘司”；六局是指筹办果品的“果子局”，供应蜜饯的“蜜饯局”，采购蔬菜的“蔬菜局”，掌管照明的“油烛局”，提供醒酒料物的“香药局”，负责桌椅家具的“排办局”。由于生产发展和生活提高，这时烹调原料的需求量更大，《东京梦华录》介绍，北宋的汴京(今河南开封)，从城门进猪时，“每群万数”，从新郑门等处进鱼，“常达千担”。北宋有一种“香料胡椒船”，就是专门到印度尼西亚等地运载辛香类调料和其他物品的。宋代的茶，有龙、凤、石乳、胜雪、蜜云龙、石岩白、御苑报春等珍品。

宋代的瓷器餐具发展很快，北方有定窑刻花印花白瓷，官窑纹片青釉细瓷，钧窑黑釉白花斑瓷，海棠红瓷，以及独树一帜的汝窑瓷、耀州瓷、磁州瓷；南方有越窑和龙泉窑刻花印花青瓷，景德镇窑影青瓷，哥窑水裂纹黑胎青瓷，以及吉州窑和建窑黑釉瓷。宋代的高级酒楼仍习惯于使用全套的银质餐具；而帝王之家和官宦富豪，仍使用金玉制品。

宋代食养、食疗又有新发展，《太平圣惠方》中记载有28种疾病的食治方法；李杲著《食物本草》、关瑞著《日用本草》至今仍有参考价值。宋代还出现了许多烹饪专著，如赞宁的《笋谱》、林洪《山家清供》、陈仁玉《菌谱》、傅肱《蟹谱》、王灼《糖霜谱》等，它们的共同特点是探讨的领域扩大了，将烹饪理论进一步推向深化。

当宋、辽、金在中原大地争战不息的时候，北方的蒙古族迅速崛起。不久，成吉思汗便统一了中国，建立了元朝。元代，注重屯田开荒和兴修水利，粮食大面积增产，官办的手工业发展很快，农学、医学、交通、外贸也超出前代水平。加之元代倚重回、维吾尔等少数民族，对各种宗教实行宽容利用的政策，积极开展对外经济文化交流，所以饮食文化呈现出多元化的色彩，比唐宋时期显得丰满，且有特异的情韵。元代，为了满足大都的粮食供应，海运、漕运每年两次，有时国内基本原料不足，还需进口。与元代有贸易关系的国家和地区达140余个，进口货物220余种，其中最多的是胡椒、茴香、豆蔻、丁香等。而元代的酒，则包括阿刺吉酒、金澜酒、羊羔酒、米酒、葡萄酒、香药酒、马奶酒、蜂蜜酒等数十种。

元代以后，我国烹饪理论更加丰富，并且越来越成熟。以太医忽思慧的《饮膳正要》为代表，集食疗理论之大成，注重阐述各种饮馔的性味与补益作用，即注重饮食与营养卫生的关系，是宫廷饮食理论的典章，独树一帜，为其他食谱所不及。

2. 明清时期

这一阶段属于中国封建社会的晚期，政局稳定，经济上升，物资充裕，饮食文化发达。

朱元璋称帝后，加强了中央集权，到永乐年间，国力相当雄厚。郑和七下西洋，同30多个国家建立友好联系，中外文化的交流，使食源更为充沛。明中叶后，朝纲不振，经过万历年间的整治，商品经济得以发展，资本主义生产关系在江南手工业中萌芽。《本草纲目》、《天工开物》和《家政全书》相继刊行，中国烹饪的研究继续深入。宋代中国瓷器发展迅速，到明代，瓷器餐具应用非常普遍，烹调工艺日趋规范，烹饪方法也越来越多样化，且食疗之风盛行。这一时期也是中外饮食文化和各民族风味大交流、大融合的时期，丰富了中国食物原料的品种，著名馔肴大量涌现，烹饪技艺更加精湛，使中国烹饪在很多方面都有较大的发展。

清初的顺治、康熙、雍正、乾隆四朝，政策较为开明，经济迅速复苏，农业、手工业和商业均创出封建社会的最好成绩，饮食文化也如鱼得水，生机盎然。清朝后期社会统治日见衰败，由于帝国主义的侵扰，中国被套上了半封建半殖民地的枷锁。统治阶级骄奢淫逸，贪得无厌，烹饪迅猛发展，宫廷菜和官府菜大盛。“满汉全席”活跃在大江南北，达到了古代社会的最高水平，获得“烹饪王国”的美誉。

(1) 食物原料极大扩展。明代宋诩记载，弘治年间可上食谱的原料已近千种。据《农政全书》记载，此时又从国外引进洋葱、四季豆、苦瓜、甘蓝、花生、马铃薯、玉米、番薯等，蔬菜已达100种以上。进入清代后又引进辣椒、番茄、莴笋、花菜、凤尾菇、西兰花等，蔬菜品种达到130种左右。

在动物原料方面，养猪业和养鸡业更为发达。九斤黄鸡和狼山鸡出口欧美，华南猪引进到英国。而且海产品进一步开发，鱼翅、海参、鱼肚也上了餐桌。当时还能“炎天冰雪护江船”、“三千里路到长安”，在北京可以吃到用冰船送来的江南鲜鲥鱼。与此同时，满、蒙、维、藏等民族地区的特异原料，也被介绍到内地，如林蛙、黄鼠、雪鸡、虫草等。

(2) 工艺规程日益规范。明清500多年间，菜点制作经验经过积累、提炼和升华，形成较高的烹饪工艺。李调元在《醒园录》中总结了川菜烹调规程，蒲松龄的《饮食章》对鲁菜工艺亦有评述。特别是袁枚在《随园食单》的“须知单”和“戒单”里，对工艺规程提出具体要求。如“凡物各有先天，如人各有资禀”，“物性不良，虽易牙烹之亦无味也”，因此选料要切合“四时之序”，不可暴殄。袁枚还提倡“清者配清，浓者配浓，柔者配柔，刚者配刚”。“味太浓重者，只宜独用，不可搭配”。他亦主张火候应因菜而异，“有须武火者，煎炒是也，火弱则物疲矣；有须文火者，煨煮是也，火猛则物枯矣；有先用武火而后用文火者，收汤之物是也，性急则皮焦而里不熟矣”。另外，调味要“相物而施”，“一物各施一性，一碗各成一味”，调料“俱宜选择上品”，“纤（芡）必恰当”。“味要浓厚不可油腻，味要清鲜不可淡薄”，只有“咸淡合宜，老嫩如式”，方能称做调鼎高手。凡此种种，都使烹饪工艺跃升到新的高度。后来的李渔在《闲情偶寄·饮馔部》里，还提出纯净、俭朴、自然、天成的饮食观，尤为重视原料质地和菜品风味的检测。如他评价蔬菜之美是”一清、二洁、三芳馥、四松脆”，其所以胜过肉品，“忝在一字之鲜”。他认为“蟹之为物至美”，“鲜而肥，甘而腻，白似玉而黄似金，已造色、香、味三者之至极，更无一物可以上之。”他还主张，“食鱼者首重在鲜，次则及肥，肥而且鲜，鱼之能事毕矣。”这都说明中国烹调术在明清时期已由量变转为质变。

(3) 筵席不断推陈出新。筵席发展到明清，日趋成熟，展示出中国封建社会晚期的饮食民俗风情。

第一，餐室富丽堂皇，环境雅致舒适。红木家具问世后，八仙桌、大圆台、太师椅、鼓形凳，都被用到酒席上来。为了便于调排菜点、宾主攀谈和祝酒布菜，此时多为6～10人席的格局。席位讲究，明代有对号入座的“席图”，设席地点大多是“春在花榭、夏在乔林、秋在高阁、冬在温室”，追求“开琼筵以坐花，飞羽觞而醉月”的情趣。在台面装饰上，已由摆设饰物发展成为“看席”（专供观赏的花台）。

第二，筵席设计注重套路、气势和命名。明代的乡试大典，席面分为“上马宴”和“下马宴”，各有上、中、下之别。清宫光禄寺置办的酒筵，有祀席、奠席、燕席、围席四类，每类再分若干等级。市场筵席亦以碗碟之多少区分档次，各有规定。在筵席结构上，一般分作酒水冷碟、热炒大菜、饭点茶果三大层次，统由头菜率领；头菜是何规格，筵席便是何等档次。命名亦巧，如《盖州三套碗》、《三蒸九扣席》、《五福六寿席》之类，寄寓诗情画意。

第三，各式全席脱颖而出，制作工艺美轮美奂。全席包括主料全席（如全藕席）、系列原料全席（如野味全席）、技法全席（如烧烤全席）、风味全席（如谭家菜席）四类；具体有全龙席（多指蛇席、鱼席之类）、全凤席（多指鸡席、鸭席、鹌鹑席等）、全麟席（指全鹿席）、全虎席（指全猪席）、全羊席、全牛席、全鱼席、全蛋席、全鸭席、全素席等。其中，全羊席誉满南北，满汉全席被称为“无上上品”。前者用羊20头左右，可以制出108道食馔；后者以燕窝、鱼翅、烧猪、烤鸭四大名珍领衔，汇集四方异馔和各族美味，菜式多达一两百道，一般要分3日9餐吃完。因其技法偏重烧烤，主要由满族茶点与汉族大菜组成，因此又叫”大烧烤席”或”满汉燕翅烧烤全席”。

(4) 烹饪研究成果突出。明代的食书有很多，除《多能鄙事》、《墨娥小录》、《居家必用事类统编》、《便民图纂》等书的饮馔外，还有专著《易牙遗意》、《宋氏养生部》、《遵生八笺》等，李时珍的《本草纲目》亦涉及蔬菜的分类。就饮食理论而言，当以《宋氏养生部》和《饮馔服食笺》为代表，这两部论著以民间饮食为主，汇集明代烹饪制度于渊薮，是官民兼有的饮食集锦。各类医籍中，影响最大的是李时珍的《本草纲目》。它系统总结了我国16世纪以前药物学的成就，是古代最完备的药物学专著。它还集保健食品之大成，是古代最好的食疗著述，也可作为烹调原料纲目使用。现今人们研究豆腐、酒品和不少烹调方法、食治方法的源流，常以此书作为依据。

清代烹饪研究有重大进展，如《调鼎集》、《养小录》、《中馈录》、《随息居饮食谱》、《闲情偶寄·饮馔部》、《粥谱》、《食品佳味备览》、《食鉴本草》、《调疾饮食辨》、《醒园录》、《食宪鸿秘》等专著，都反映了清代烹饪文化的繁荣兴旺。我国古代烹饪理论最优秀的代表当推清代袁枚所著《随园食单》，各种烹饪经验兼收并蓄，各地风味特点汇融一册，理论与操作相结合，形成了系统的理论学说。《随园食单》共有十四篇，主要理论包括：注意原料选择；注意原料搭配调剂；注意饮食卫生。烹调要“精治”；菜肴上桌要有次序；讲究进食艺术等。

3. 民国时期

这一时期，中国处在帝国主义、封建主义、官僚资本主义统治下的半封建半殖民地社会，工农业发展缓慢，人民生活困苦，市场亦不活跃，烹饪演进速度不快，突出成就不甚明显。民国时期，宫廷风味菜品开始进入饮食市场。另外，通过外交、贸易、文化等渠道，出国人数增多，不少侨胞在海外经营中餐馆，传播烹调技艺。同时，西餐也逐渐进入中国饮食市场，使得中西餐开始融合。

(1) 引进新食料和西餐。20世纪以来，帝国主义列强大量向中国倾销商品，牟取暴利。其中就有机械加工生产的新食料，如味精、果酱、鱼露、蛇油、咖喱、芥末、可可、咖啡、啤酒、奶油、苏打粉、香精、人工合成色素等。这些食料引进后，逐步在食品工业和餐饮业中得到应用，使一些食品风味有所变化，质量有所提高，这在沿海大中城市更为明显。新食料的引进，对传统烹调工艺产生了“冲击”(如味精逐步取代高汤，用鸡、鸭、肉、骨等料精心滤熬的鲜美原汤)，有些制菜规程相应也有改变。

与此同时，在北京、广州、上海、青岛、南京等城市，由于外国侵略者和外籍侨民的不断增加，英式、法式、俄式、德意式、日韩式菜点被介绍进来，创设了西餐馆和“东洋料理店”。中国厨师吸收西餐的某些技法，由仿制外国菜进而创制“中式西菜”或“西式中菜”。这类新菜，原料多取自国内，调味料用进口的，工艺主要是中式的，筵席又袭用欧美程式，品尝起来，别具风味。内地厨师向沿海学习，将这类新菜再加移植，增加了中菜品种，丰富了筵席款式。

(2) 仿膳菜肇始。所谓仿膳菜，就是仿制的清宫菜，或称因时而变的御膳菜，出现在20世纪20年代。辛亥革命后，御厨被遣散出宫。为了谋生，许多人重操旧业，或在权贵之家卖艺，或去市场经营餐馆。1925年，留京的10多名御厨，在北海公园挂出“仿膳饭庄”的招牌，从此，以宫廷风味为特色的仿膳菜便风靡一时。

(3) 中餐走向世界。鸦片战争以后，帝国主义列强残酷掠夺劳工，使数百万华人背井离乡，流散海外。民国年间，通过外交、贸易、宗教、军事、文化等渠道，出国的人更多了。这些侨胞中约有1/3的人以经营小型的家庭式中餐馆为生，并且世代相传。他们把中国烹饪介绍给各国，使中餐大规模地进入国际市场。

中餐走出国门后，一部分保持原有的风貌，仍是正宗的粤味、闽味或其他风味，主要食客为华侨和留学生；一部分受原料限制和当地食俗影响，变成“中西合璧”的“混血儿”。不论中餐如何变化，在国外均普遍受到欢迎，而且中餐馆数量非常多，尤其是华侨聚居的唐人街，酒楼鳞次栉比，店堂古色古香，成为一大景观。孙中山先生在《建国方略》和《三民主义》中，多处提及这种盛况：“近年华侨所到之地，则中国饮食之风盛传”；“凡美国城市，几无一无中国菜馆者。美人之嗜中国味者，举国若狂”；“中国烹调之术不独遍传于美洲，而欧洲各国之大都会亦渐有中国菜馆矣”；“日本自维新以后，习尚多采西风，而独于烹调一道就嗜中国之味，故东京中国菜馆亦林立焉”；“昔日中西未通市以前，西人只知烹调一道法国为世界之冠，及一尝中国之味，莫不以中国为冠也。”

4. 建国以后

中华人民共和国成立后，人民当家作主，解放了生产力，也极大调动了广大厨师的积极性和创造性。由于国民经济复苏振兴，工农业产值成倍增长，奠定了餐饮业发展的物质基础，饮食市场也空前活跃。再加上科学技术进步，文化教育普及，有利于烹饪理论研究的开展和新型厨师的培养。而人民生活水平提高，国际交往频繁，第三产业兴盛，又赋予烹饪新的活力。

新中国成立后，烹饪的发展也不是一帆风顺的。大体上可以分作三个阶段。第一阶段是1949年至1956年，属于复苏时期。由于政局稳定，经济回升，烹饪逐步恢复了历史上一些好的传统，各方面初见成效，奠定了大发展的基础。第二阶段是1957年至1976年，属于动荡时期。由于政治运动频繁和自然灾害不断，经济停滞，烹饪发展受到挫折，在20年间又跌入低谷，元气大伤。第三阶段是1977年至今，属于跃升时期。随着改革开放的深入，经济迅猛增长，中国烹饪迎来了又一个春天。建国以后，中国菜肴的发展进入了崭新阶段。中国各地的传统风味菜肴纷纷恢复上市，各种炊具交替使用，现代调味原料应用于烹饪，烹饪技术显著提高，采用先进工艺，创新花色品种。各种风味流派日臻成熟，中医食疗与现代营养学相互结合，烹饪理论研究得以迅速发展与提高，从而使中国烹饪出现了一个空前的百花齐放、异彩纷呈的大繁荣局面。

(1) 开发新食源。这一时期的烹饪原料又有新的发展和变化，除了充分利用现有原料，增加产量，提高质量外，并继续引进新食料，如牛蛙、鸵鸟、袋鼠、海狸、玉米笋、夏威夷果、泰国米、绿花菜等。与此同时，还在繁殖食用昆虫、提取植物蛋白、利用野生草木、推广强化食品等方面开展科研，成果显著。

(2) 炊饮器皿逐步现代化。许多餐厅的厨房设备大为改观，普遍使用冰柜、煤气灶、红外线烤箱、微波炉、炒冰机、紫外线消毒柜、自动洗碗机、不锈钢工作台和其他饮食机械设备。因此工作环境清洁，污染减少，劳动强度下降，工作效率提高，改变了中国“烹调技艺世界一流，厨房设备未入流”的局面。

(3) 注重营养配膳。现代烹饪除了原料品类不断扩充外，膳食结构也有质的变化，更讲究膳食结构合理和营养平衡，强调三低两高（低糖、低盐、低脂肪、高蛋白质、高纤维素），历史上留下来的大鱼大肉、厚油浓汤食风正在改变。鸡鸭鱼鲜和蔬菜水果利用率提高，破坏营养素和有损健康的技法减少，推出不少营养菜谱、食疗菜谱、养生菜谱。食用含碳水化合物为主的谷物比例相对减少，含蛋白质较多的动物、豆类和菌类原料相对增加。

(4) 重视造型艺术。食雕、冷拼、围边和热菜装饰技术发展很快，从立意、命名到定型、敷色，都注意表现时代精神和民族风格。而且还努力运用美学原理，借鉴实用工艺美术的表现手法，赋予菜品新的情韵，提高艺术审美价值。同时在餐具上也有很大革新，流行明净的新工艺瓷，使美食、美器相辅相成。

(5) 烹调工艺逐步规范化。特别重视菜品研究，对名菜点的每道工序、各种用料的比例都注意分析，并用菜谱或录像方式记录下来。像《中国名菜谱》和《中国小吃》，都是由各省组织名师和专家逐一试制、审核，要求定性、定质、定量，操作规范，文字准确。

(6) 积极进行筵席改革。从国宴开始，渐及各种礼宴、喜宴、家宴。总的趋向是“小”(规模与格局)、“精”(菜点数量与质量)、“全”(营养配伍)、“特”(地方风情和民族特色)、“雅”(讲究卫生，注重礼仪，陶冶情操，净化心灵)。

中国烹饪源远流长，是人类历史文明的一个重要组成部分，它经历了一个漫长的发展过程。火食是烹饪的开端，陶器的出现，才有了意义完备的真正烹饪。夏、商、周三代，我国烹饪技艺初具规范。秦、汉、魏、晋、南北朝时期，我国烹饪已有相当高的水平。隋、唐、宋以来，我国烹饪技艺进入高级阶段。元、明、清时期，我国烹饪技艺更加精湛，进入完全成熟时期，特别是清代，已发展成为世界一流的技艺。同时也应看到，我国烹饪发展提高的因素是多方面的。社会生产力的发展，食物来源的扩大，烹饪原料的日益丰富，城市经济的形成与发展，饮食市场的竞争和刺激，炊具的改进，烹饪事业的发展，帝王将相奢侈豪华生活的影响，文人雅士的宣传和推动等，都是我国烹饪技艺不断提高的重要因素，而社会生产力的发展则是诸因素中起决定性作用的因素。

1.3 饮食器具的发展

中国饮食文化源远流长，菜式和烹调方法千变万化，地方菜系各具特色，历代的饮食器具品种繁多，是中国饮食文化的重要部分。从五十多万年前新石器时代出现最初的食器，到以后历代发明的以青铜、铁、陶瓷等制成的各式饮食器具，从中可以窥见不同烹调技法的问世。这不但印证了中国的文明进程，更足见美食与美器之间存在一种相伴相依的关系。并且，古语有云：“美食不如美器”，美食佳肴也要精致的餐具烘托，才能达到完美的效果。饮食活动是中国传统文化的重要组成部分，而饮食器具则是吃的理念与过程的外在表现。因此，对中国古代饮食器具的了解也成了研究传统文化最为有用的一把钥匙。

吃的活动在其初始阶段是没有器具的。在学会用火之前，人类吃的内容、吃的方式与动物界并无两样，即直接食用植物果实和动物血肉，这种“茹毛饮血”的饮食方式不存在也不需要什么饮食具。这一阶段称为原始生食阶段。掌握了用火之后，人们先将食物放在火中烧烤，然后再食用，或将石头烧热而后将食物放在石头上焙熟而食，由此进入原始熟食阶段。但此时仍未产生真正意义上的饮食具。在长达数百万年的旧石器时代，人类就是依靠烧烤和焙熟这两种原始的方式而生存繁衍下来的。

饮食器具文化的研究可以追溯至旧石器时代中后期（约60万年前～1万年前）。这一时期的人主要依靠采集和狩猎为生，食物不加调制，直接生食。后来人类逐步学会了人工取火熟食，又逐渐掌握了采用石板和石子作为传热炊具的间接烧烤技法及发明用水煮的方法，大大改进了饮食的质量。火的使用使人类结束了茹毛饮血的原始生食阶段，进入原始熟食阶段，但无论生与熟，整个旧石器时代都不存在真正的炊具与食具。陶器的发明，将人类社会带入了新石器时代，从此才有了专用于烹调、盛食、进食的器具。陶器的发明是史前时期划时代的变革，这一发明对文明进程的影响深刻而久远，在金属器进入社会生活之前的数千年里，陶器一直是人类最主要的生活器具，直至今日，它仍未能完全退出我们的生活。在中国，陶器的发明被视为由旧石器时代进入新石器时代的标志之一，而人类所发明的第一件陶器是用来做饭的，因此可以说，人类第一件炊具随着新石器时代的到来而产生了。

新石器时代（约1万年～4千年前）时的进食方式一般是席地而坐，环火而食。这一时期亦见证了种植业、养殖业和制陶业的诞生。农业的发展使古人定居下来，从而衍生对容器和食器的要求，促进了陶器的发展。从早期造型简单的陶器，发展到后来对陶罐、陶釜、陶甑等炊具的使用，反映了当时水煮、气蒸的烹饪方法问世；日趋精美的陶制食具更反映了古人对美器的追求与重视。

及至夏、商、周、春秋战国（约公元前21世纪～前221年）时期，中国的饮食生活的基调和格局初步奠定，是中国青铜文化的鼎盛时期，考古发掘出土了大量的青铜器，鼎及簋为夏、商、周时期最盛行的食器。

秦、汉（公元前221～220年）时期，国家统一强盛，农业发达，汉代丝绸之路的开通促进了中外交流，加上温室种植技术的发明，大大丰富了中国的饮食内容。铁制炊具在汉代开始使用，常见的食具有釜、甑、碗、盘、杯、壶、盒、罐等，以及用于烧烤肉串的烤炉、蒸食的蒸笼，饮茶的托盏，以及具有异域色彩的银器等。

魏晋南北朝（220～581年）时期，制瓷业趋于成熟，出现了质量较高的青瓷。

隋唐、宋元、明清（581～1911年）时期，瓷器逐渐成为最普遍的食具，除大量生产，更远销海内外，其质量及制作工艺也日趋精美。这一时期的食器分类越来越细致，茶具、酒具已经从传统食具中独立出来，瓶类实用器逐渐发展成精致的陈设品；而常见食具中以碗、盘、瓶及壶出现最多变化。

1.3.1 中国古代饮食器具的演进

饮食器具的演进是一个环环相扣的链条，但每个环节的材料和构造却不尽一致，这是中国古代饮食具发展史的总特征，也是对饮食具进行分期研究的原因和基础。一般可将中国古代饮食具划分为新石器时代、夏商周时代、秦汉魏晋南北朝时代和唐宋元明清时代四个时期。

1. 新石器时代

作为炊食具发展史上的第一阶段，新石器时代的炊食器具带有初始阶段的原始性，在几千年的发展中也形成了自成系统的组合与功能，从而奠定了中国古代炊食器具的基本架构。其造型与装饰也寄托了先民的宗教意识与审美观念。新石器时代的炊食具基本是陶器，尽管当时使用一定数量的木器和骨器进食，但数量甚微。新石器时代的炊器有灶、鼎、鬲、甗、鬶、甑、釜、斝；食具有盆、盘、钵、罐、瓮、壶、瓶。这些器物的形态与组合关系，是与当时的食品构成、烹饪方式及饮食习俗密切相关的。由于当时对谷物只能进行脱粒、碾碎等简单的加工，因此，食品加工不外乎蒸、煮两种方法，即将碾碎的粮糁放入鼎、鬲、釜等炊具中和水而煮，或将粮糁揉成饭团面饼置入甑、甗中顺汽而蒸，粥羹类软食与饼团状干食就构成了新石器时代的主要成品食物。另外，当时已经栽培的白菜、芥菜类蔬菜瓜果是人类的辅助食品，但主要是通过生吃或切碎后加粮而蒸、煮的方式进入食谱的。肉食在整个食谱中仍占有很大份额，对肉食的加工多以较粗的切割和直接烧烤为主。烤熟的肉食块比较大，可直接手持食用。因此盆、盘、豆、碗类食具主要是盛装素食的。新石器时代的炊食具既有延续发展至商周甚至以后各代，也有仅存于新石器时代某一阶段而成为特有器皿的。如碗、盘、盆、罐类盛食器皿自产生至今便绵延不绝，成为各个时期最普通的食具。而三足类炊具尤其是空三足炊具在新石器时代极盛一时，夏商与西周尚在沿用，东周以后便退出了历史舞台。斝作为饮具只存在于龙山时代，进入夏商、周便成了酒器。而陶鬶作为炊具仅存在于新石器时代晚期。

2. 夏商周时期

进入奴隶制社会后，农业和手工业较新石器时代都有了长足的发展，从而提供了更为充裕的食物来源，饮食具的发展也有了坚实的技术基础。因此，夏商周时期饮食器具的种类和数量都较以前大为增加。由于阶级观念的强化，饮食器具又被赋予了等级的含义，青铜饮食具进而成为国家祭祀的礼食之器。首先，夹砂陶炊器和泥质陶食器仍是日常生活中主要的器皿。自商代中期开始，原始瓷器开始出现，瓷质盛食器成为新的品种，产生于新石器时代的漆器在夏商周时期有了较大的发展。春秋战国之时，成型与装饰也越来越精美，漆木器逐渐成为饮食具中的重要内容。而大量的青铜饮食具的出现与繁盛是这一时期最伟大的变革。其次，青铜饮食具首先是实用器，但其重要性往往作为礼器来体现。周代已形成较为严格系统的用鼎制度，在祭祀、宴会、陪葬等场合，使用不同数量的鼎及与之相配的簋、豆、俎，是身份地位的象征。与之相应而形成的礼法是施行于全社会的准则，因此，夏商周时期的青铜饮食具是分等级而使用，在使用中体现出等级的。丰富的原料对烹饪技术提出了更高的要求。这一时期发展并且完善了烧、烤、蒸、煮的技法，新发明了煎、腌等制作方式，对水质、火候、原料品质、成品调味等予以特别的注意，仅调味品的名称就多达二十余种，较为完整而独特的烹饪理论在这一时期已逐渐形成。与这一状况相适应，这一时期的饮食器具种类庞杂，形态和功能出现了分化。由新石器时代承袭而来的灶、鼎、鬲、釜、甑、甗、盘、盆在继续使用并有所发展，但鬶、甗已被淘汰；发明出盛食的簋、敦、盂、盒、豆等器物是新的饮食礼俗的产物，鼎也由专门的炊具发展为煮、调、盛等多种用途。豆则专以盛装肉食，箸匕类进食具开始形成固定的组合与功能。

3. 秦汉魏晋南北朝

自秦汉至南北朝，充满朝气的中国封建制度逐渐稳定。其间的社会结构与人际关系，技术革新与生活习俗，都呈现出前所未有的新气象。饮食器具在这一千多年间也形成了承前启后的新特点：在经历了春秋战国时期“百家争鸣”的思想解放运动及数百年的兼并战争后，夏商周时期的礼乐制度到秦汉时期已趋于崩溃。曾一度作为礼制载体的饮食器具由祭祀鬼神的神秘礼器还原为满足人们日常生活的普通用具。炊具中的鼎在秦汉时已大为减少并渐失本意而消亡，鬲已不复存在，甗也渐被釜甑取代。盛食器中的豆、簋完全绝迹。这些作为礼器的饮食具的消亡，标志着一个制度的终结。

这一时期的炊具是从灶为核心的复合烹饪器。灶的功能和形态多样化，既有日常的不可移动的垒砌灶，也有专供温食、行军使用的小型金属灶；既有单火孔灶，也有适合煮、蒸、温水的多火孔灶。灶上所用炊具是釜和甑，盛食和进食的器具有碗、盘、盆、罐及勺、箸等。这种组合已基本固定，今天人们所使用的饮食具在秦汉时期已基本齐全了。青铜饮食具的地位极大地削弱，铁质炊具在秦汉时期得到推广和普及。由铁釜演变而成的铁锅成为延续至今的基本炊具。漆木盛食、进食具在秦汉及其以后一度是上流社会的奢侈品。陶器主要用于盛装和贮藏，陶炊具大为减少，瓷器在汉代发展成熟并在魏晋时期大量进入炊事领域。秦汉至南北朝，是饮食具和饮食方式发生重大变革的时期，铁器易于导热的性能与动物油脂的广泛使用促成了“炒”这一最具中国特色的烹饪方式的发明，中西文化交流与民族融合也丰富了这一时期的食物和炊食具品种。

综而观之，秦汉魏晋南北朝时期继承了夏商周时期饮食具的成果，且发展出一套具有时代特色的烹饪理论，这些理论对以后的中国饮食器具影响深远。因此，这一时期是中国古代饮食器具的定型期。

4. 隋唐至明清

隋唐是中国文化与国势强盛时期，各民族在饮食文化上进一步交流融合，菜肴品种大增，建立不同饮食流派，当时已普及高足桌椅，加上宴会菜式丰富，因此由分餐制的一人一套餐具形式演变为多人围桌合食的形式。由隋唐到明清，食具中的瓷器、金银器，漆木器都是技术与艺术的结合体。因此，这一时期的炊食器具也就成了不同审美情趣和社会心态的表现手段。

在炊具方面，由垒砌灶与铁釜、铁甑组成的复合炊具自秦汉迄清末没有发生本质的变化，因此也是隋唐至明清时期的主要炊具。

在食具方面，隋唐时期瓷器开始兴盛，宋代瓷业达到历史上的高峰，出现了以“钧、汝、官、哥、定”为代表的官窑和以磁州窑为代表的众多民窑。元明清三代，青花瓷和五彩、粉彩、珐琅等彩瓷相继粉墨登场，精彩纷呈。所有这些时代的窑场，其产品的绝大部分就是碗、盘类食具，食具进入了真正的瓷器时代。金银器和漆木器依然存在并有所发展，但始终是食具家族的点缀而不是主流。

与唐朝“世界都会”的政治地位相适应，唐代的饮食器具体现着“海纳百川，有容乃大”的气度和开放、乐观的情调。而时刻处于辽、金、西夏威胁下的两宋文人，在报国无门的郁闷中转向了灵魂与哲学问题的思索，弥漫起超然脱俗、洁身自好的情愫。因此，宋官瓷食具便如文人画一般，散发出清秀静雅的韵致。而民众更注重日常生计，“即使在战火中也要生存”的欲念使民用瓷食具呈现出乐观向上的格调，与官瓷风格迥异。明清两代是青花瓷及彩瓷的繁盛期，也是封建制度的最后一站。这种末世心态，即使在繁花似锦的彩瓷图案中也难以掩饰，甚至这些烦琐细缛的图案正是这种奢靡浮华的末世心态的反映。有趣的是，在没落媚俗的气氛中，瓷器的成型、配料、用釉、施彩、呈色、烧造等一系列技术，在此达到了前所未有的高度。另外，不仅以铁器为炊具，以瓷器为食具的物质条件与近代相同，而且今天流行的一日三餐的吃饭习惯在唐宋时期也得到最终确立。因此，如果说秦汉时期是中国古代饮食具的定型期，那么，隋唐至明清的用具与习俗已与现代中国基本没有什么差异了。

饮食器具经历了陶器、铜器、铁器三个发展阶段，每个阶段的发生都以科学技术的革命为标准。饮食具既是技术革命的动因，同时也是技术革命的成果。这在新石器时代表现得尤为充分，陶器作为新石器时代的革命性成果之一，其发生发展的历史从某种意义上也可视为早期饮食器具的发生发展的历史。饮食器具与铜器、铁器、瓷器的关系，同样也显示了饮食器具在文明进程中的重要性。

新石器时代陶质饮食具的制作是中国几千年陶瓷手工业的发端，从原料加工、器物成型到装饰工艺，许多方面都达到了连后人也难以企及的高度。现代陶艺所使用的轮制拉坯成型的技术，在仰韶文化中期即已产生，发展到龙山文化时期形成了一个高峰。从手制捏塑、泥条盘筑、模制慢轮修整到轮制拉坯，中国古代制陶业的成型技术在新石器时代已走完了全过程，此后几千年的发展也难出其右。唐宋及其后代的瓷器制作就是在此基础上发展起来的。而对陶器烧造火候的深刻认识与严格掌握，使陶窑内的温度可达1100℃以上，既可在氧化气氛中烧出红陶，也能在还原气氛中烧出黑陶和灰陶，高温还加速了黏土中金属成分的熔化，从而为商周时期青铜冶铸业的繁荣奠定了技术基础。

与陶器不同的是，青铜器最早是用于武器而不是饮食具制作的，但最能反映中国古代青铜冶炼铸造技术水平的青铜器却是饮食具而非其他。闻名中外的商代司母戊大方鼎可视为商代冶铸工艺的代表作。这件世界最大的单体青铜器重达875千克，冶铸时需要有形体巨大的熔炉，采用地槽流注工艺浇铸，庞大的鼎身和四条柱足需要一次烧注成形，然后再于其上安模、翻范，浇注铜液，做出两只巨耳，工艺流程十分复杂。整个鼎所需铜料在 1000 千克以上，模具和范芯多达数十块，人力数以百计，不仅要有明确的分工协作，还必须具备对铜、锡、锌、铅等金属原料熔点、性能及成分配比的精确知识，以及对火候控制、成型加工技术的严格掌握。这一系列技术问题的解决，不单单铸就了中国古代精美绝伦的青铜饮食具，而且使青铜冶铸业在前就达到了相当的高度。正是在青铜冶铸业高度成就的基础上，中国的冶铁技术虽然产生较晚，但在春秋战国之时一经产生，便迅速地发展开来，在诸多方面一直居于古代世界的领先水平。

中国是瓷器的故乡，而瓷器的发明与使用同样与食具密不可分。在已发现的属于商周时期的原始瓷器中，豆、盘、簋、钵类盛食器皿占绝对多数，说明同陶器一样，瓷器一经产生，便主要是服务于炊事活动的。随着瓷器烧造技术的提高和普及，到唐宋时期，上至王公贵族，下至平民百姓，所使用的餐具主要就是瓷器，中国的餐具进入了瓷器时代并一直延续至今。

无论金属冶铸业，还是陶瓷器的烧造，以及漆木器的加工，玻璃、玉石器的制作，中国传统手工业中每个门类的技术进步，无一不和饮食器具发生千丝万缕的联系。从这个意义上说，对中国古代饮食器具制作工艺的研究，实际上也是中国古代技术史不可或缺的内容。

1.3.2 中国古代饮食器具的分类

1. 炊具

通过烹、煮、蒸、炒等手段，用以将食物原料加工成可食用物品的器具就是炊具。这类器物包括灶、鼎、鬲、甑、甗、釜、鬶、斝等类别，而以灶为核心用具。

灶（见图 1-1）。最原始的灶是在土地上挖成的土坑，直接在土坑内或再于其上悬挂其他器具进行烹饪。这种灶坑在新石器时代广为流行，并发展为后世的用土或砖垒砌成的不可移动的灶。新石器时代中期发明了可移动的单体陶灶，为商周秦汉各代所继承，并发展出了铜或铁铸成的炉灶，较小的可移动灶称为灶或镟，实际就是炉。进入秦汉以后，绝大多数炊具必须与灶相结合才能进行烹饪活动，灶因此成为烹饪活动的中心。

灰陶灶

釉陶灶

青铜灶

提梁虎形青铜灶

上林方炉(铜)

图 1-1 灶

鼎（见图 1-2）。新石器时代的鼎均为圆形陶质，是当时主要的炊具之一。商周时期盛行青铜鼎，有圆形三足，也有方形四足。因功能的不同，又有镬鼎、升鼎等多种专称，主要是用来煮肉和调和五味的。青铜鼎多在礼仪场合使用，进而成为国家政权的象征，而日常生活所用主要还是陶鼎。秦汉时期，鼎作为炊具的意义已大为减弱，演化成标示身份的随葬品。秦汉以后，鼎变为香炉，完全退出了饮食领域。

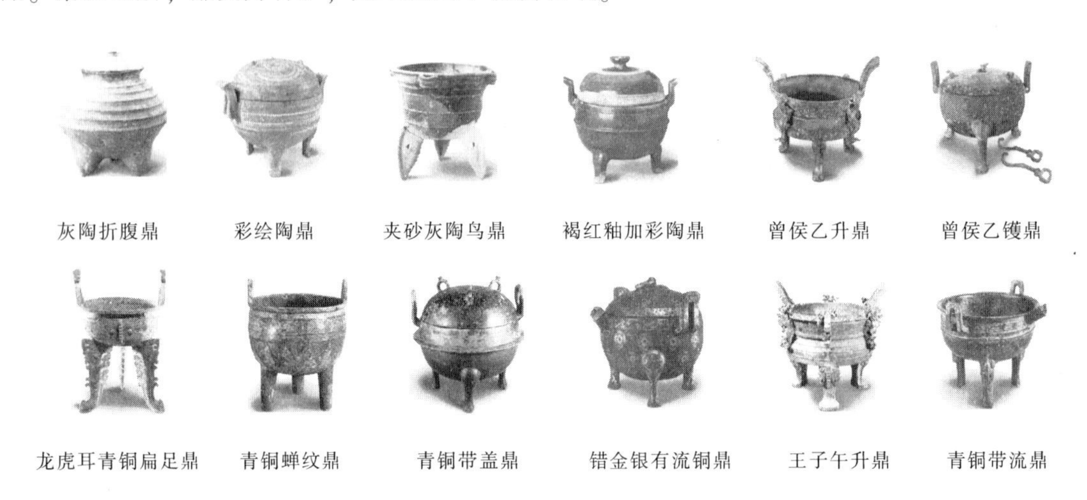

灰陶折腹鼎　彩绘陶鼎　夹砂灰陶鸟鼎　褐红釉加彩陶鼎　曾侯乙升鼎　曾侯乙镬鼎

龙虎耳青铜扁足鼎　青铜蝉纹鼎　青铜带盖鼎　错金银有流铜鼎　王子午升鼎　青铜带流鼎

图 1-2　鼎

鬲（见图 1-3）。最早的鬲产生于新石器时代晚期，至战国时已渐趋消亡，故秦以后的文献中此字已很少见。在青铜鬲出现之前，陶鬲一直是主要的炊器。鬲的外形似鼎，但三足内空，目的是为增大受热面积以更好地利用热能，它的主要用途是煮粥、制羹和烧水，与甑、甗类蒸食器有所不同。在制作陶鬲时，一般要在黏土中加入一定比例的砂粒、蚌粉或谷壳，以便在煮食过程中能承受高温并保存热量。陶鬲是炊具，青铜鬲则同时也作为祭祀用的礼器而存在于夏商周时期。

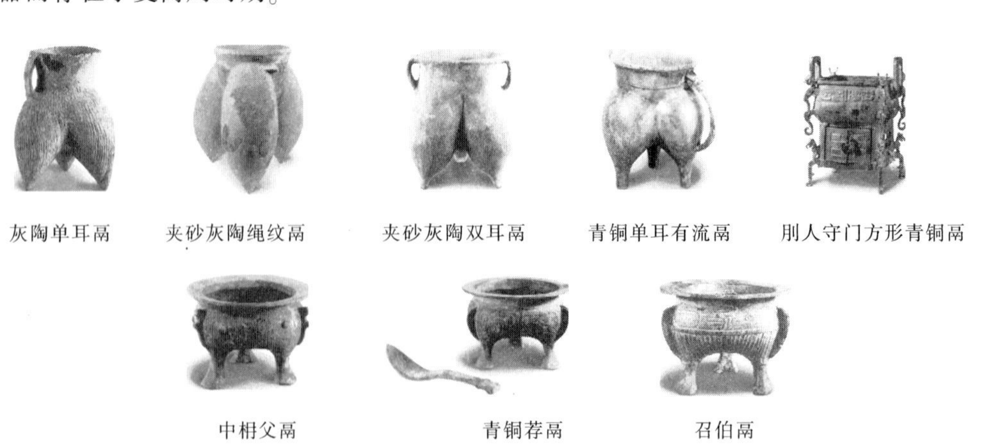

灰陶单耳鬲　夹砂灰陶绳纹鬲　夹砂灰陶双耳鬲　青铜单耳有流鬲　刖人守门方形青铜鬲

中枏父鬲　青铜荐鬲　召伯鬲

图 1-3　鬲

甑（见图1-4）。甑就是底部有孔的深腹盆，是用来蒸饭的器皿，它的镂孔底面相当于一面箅子。甑只有和鬲、鼎、釜等炊具组合起来才能使用，相当于现在的蒸锅。把它放置在炊具上，炊具中煮水产生的蒸汽通过中空的内柱进入甑内并经由柱头的镂孔散发开来，由于上部加有严密的盖，柱头散发的蒸汽无法外泄而只能弥漫于腹内，其热量就把围绕中柱放置的食物蒸熟。

釜（见图1-5）。古代写作鬴，实际就是圜底的锅。它产生于新石器时代中期，商周时期有铜釜，秦汉以后则有铁釜，带耳的铁釜或铜釜叫鍪。釜单独使用时，需悬挂起来在底下烧火，大多数情况下，釜是放置在灶上使用的。“釜底抽薪”一词，已表明了它作为炊具的用途。其上可以加盖，也可以置甑。

青铜汽柱甑

陶釜

铁釜

图1-4 甑　　图1-5 釜

甗（见图1-6）。这是一种复合炊具，上部是甑下部是鬲或釜，下部烧水煮汤，上部蒸干食。陶甗产生于新石器时代晚期，商周时期有青铜甗，秦汉之际有铁甗，东汉之后，甗基本消亡，所以现代汉语中没有相关的语汇，东周之前的甗无论陶还是铜，多是上下连为一体的，东周及秦汉则流行由两件单体器物扣合而成的甗。鬲、鼎与甑相合的甗可直接用于炊事，而釜、甑相合而成的甗仍需与灶相配才能使用。汉代有时将甗称为甑。

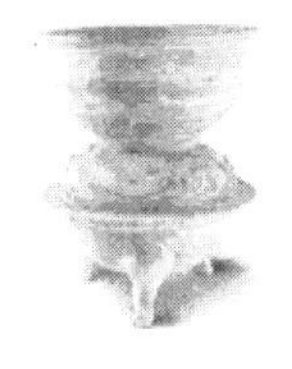
彩绘陶甗

夹砂红陶甗

立鹿耳四足青铜甗

妇好三联甗

青铜甗

图1-6 甗

鬶（见图1-7）。将鬲的上部加长并做出流，一侧再安装上把手就成了鬶，这是中国古代炊具中个性最为鲜明独特的一种，只流行于新石器时代晚期的大汶口文化和山东龙山文化，其他地域罕有发现。鬶的功用与鬲相同，也是烹煮食品的器具，但因它具有尖嘴（即考古界所称的“流”）和把手（即“錾”），所以它无需借助于勺而可以直接将煮好的食品倒入食具且不致溅溢，因而在功能上较鬲先进。

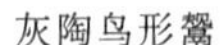

灰陶鸟形鬶　　红陶鬶

图 1–7　鬶

斝（见图 1–8）。外形似鬲而腹与足分离明显。陶斝产生于新石器时代晚期，当时也是空足炊具之一。进入夏商周时期的斝变为三条实足，且多青铜制成，但已是酒具而不是炊具了，作为炊具的陶斝只存在于新石器时代晚期的几百年间，作为酒具的斝则盛行于商周两代。新石器时代的斝是煮水煮粥的炊具而不是专用的酒器。但进入夏代以后，斝渐以盛酒、温酒为主，商代流行青铜斝，已无炊具功能。商代以后，斝由盛转衰以至绝迹。

夹砂灰陶斝

图 1–8　斝

2. 进食具

饮食活动中，将烹饪好的食物从炊具中取出放入盛食器，再从盛食器中取出放入口中，这两个过程所需要的中介工具就是进食器（见图 1–9），中国传统的进食器具可分为勺和筷子两类。筷子一经产生，历三千余年而无功能和形态的本质变化，因而被视为中华国粹的一种，成为饮食文化的象征。而勺类进食具的历史则更为久远，发展变化的过程相对要复杂些。

筷子。筷子古称“箸”，至明代始有今称。作为最基本的进食工具，箸的起源甚早，甚至有可能早过陶器。史载著名的商朝暴君曾以象牙作箸，可见至少在商代，箸已经有多种质料而不单单是木棍竹片了。在“美食不如美器”思想的指导下，历代对箸的制作费尽心思，力图在两支简单的圆柱体上展现出更多的技艺。这种首粗足细的圆柱形进食具，最早应是以木棍为之，商周时期出现青铜制品，汉代则流行竹木质，至为精美。隋唐时出现了金银制作的箸，一直沿用到明清。至宋元时期，出现了六棱、八棱形箸，装饰也日渐奢华，明清时宫廷用箸更是用尽匠心，工艺考究且有题诗作画的箸，实际成了高雅的艺术品。因此，有象牙箸、玉箸、金银箸、铜箸、木箸之分，还有方头、圆头、多棱头之别。作为一种独特的食具，箸成为中华文化的国粹之一，在文化史上处处都能找到箸的印记。

瓢、魁。将完整的葫芦一剖为二便成了两个瓢，故俗语说“比葫芦画瓢”，可见最早的并是木质的。后来又有了陶质和金属瓢，汉代的瓢方形、平底，既可舀水，为"魁"，瓢之较小者称为"蠡"，古语有"以蠡测海"，言其工作之艰巨，瓢魁之类，既可舀水进食，也可用以挹酒。

活动中，勺与箸往往是一同出现并配合使用的。在功能上可分为两食物盛入食具的勺，同时可兼作烹饪过程中搅拌翻炒之用，古称另一种是从餐具中舀汤入口的勺，形体较小，古称匙，即今天所往是兼有多种用途的，专以舀汤入口的小匙的出现应是秦汉及其勺距今已有七千余年的历史，属新石器时代。当时的勺既有木质周时期出现铜勺，带有宽扁的柄，勺头呈尖叶状，自铭为匕，即"匕首"之称即指似勺头的刀类。自战国起，勺头由尖锐变为圆形态一直为后代沿袭；秦汉时流行漆木勺，做工华美，并分化出汤匙；此质的匕、匙类也日渐增多，餐桌上的器具随着食具的多样而更加丰富了。

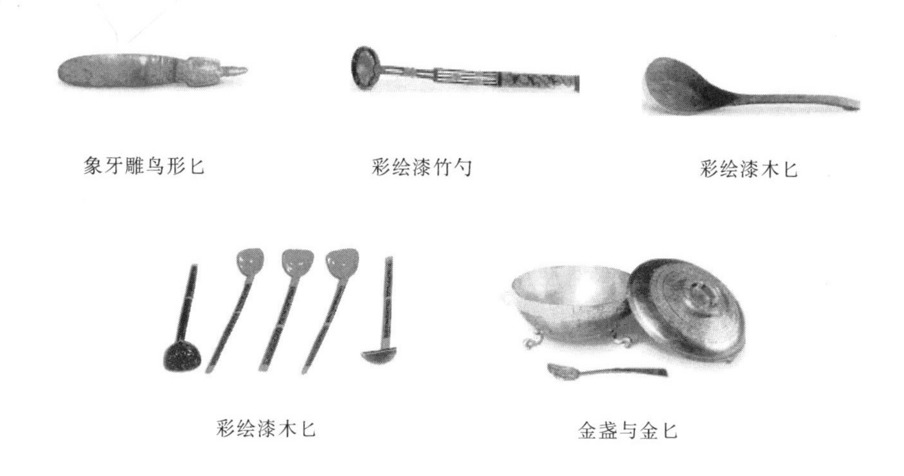

象牙雕鸟形匕　彩绘漆竹勺　彩绘漆木匕

彩绘漆木匕　金盏与金匕

图 1-9　进食具

3. 盛食具

盛食具指进餐时所使用的盛装食品的器具，约相当于今天所说的餐具，包括有盘、盆、碗、盂、钵、豆、敦、俎、案等类。盘是盛食容器的基本形态。

盘（见图 1-10）。新石器时代已广泛使用陶盘作为盛食器皿，自此而后，盘一直是餐桌上不可或缺的用具。作为中国古代食具中形态最为普通而固定、流行年代最为久远的品类，盘包括了陶、铜、漆木、瓷、金银等多种质料。最为常见的食盘是圆形平底的，偶有方形，或有矮圈足。

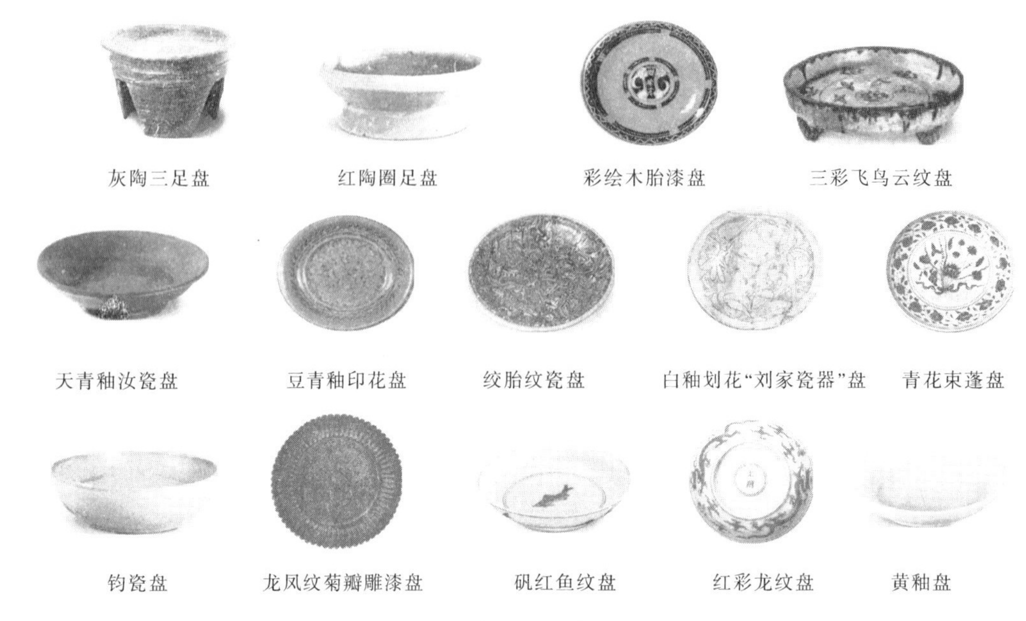

图 1-10 盘

碗、盂、鉢（见图 1-11）。碗似盘而深，形体稍小，也是中国炊食用具中最常见、生命力最强的器皿。碗最早产生于新石器时代早期，历久不衰且品类繁多。商周时期稍大的碗在文献中称为盂，既用于盛饭，也可盛水。盂的外形似较深的盘，最早出现在商代晚期而流行于西周和春秋时期，当时主要做饮器使用。秦以后，盂的功能和名称发生变化，既可盛水，也可盛粥盛羹，形态越来越小，与今天的碗十分相近。所以汉代字书《方言》中就说“盌谓之盂”，“盌”就是碗，可见盂实际就是盛饭的碗。碗中较小或无足者称为鉢，或写作钵，也是盛饭的器皿，后世专以钵指称僧道随身携带的小碗。碗或写为盌，如同鉢写作钵一样，反映了同一类用具的不同质料。

图 1-11 碗、盂、鉢

盆（见图1-12）。盆是一种较浅的大口小底的贮存具，多为圆形。新石器时代的陶盆均为食器，式样较多，秦汉以后盆的质料虽多，但造型一直比较固定，与今天所用基本无异。盆在古代是重要的食具，主要是用来盛贮水和食品的。盆腹深而曲，除视觉上美观外，还具有防止食品或水溅溢的功能。后来，盆由盛贮器演变为一种量器，荀子曾说一亩地能产谷物数盆，即此意。

彩陶曲腹盆　釉陶盆　白地黑花瓷盆　斗彩缠枝西番莲纹盆

图1-12　盆

豆（见图1-13）。豆在古代是用来盛放食品的器具，它实际是一件加有高底座的浅盘。除陶质的以外，还有木质、竹质的，商周以后更盛行青铜豆。按古代字书的解释，木豆称梪，竹豆叫笾，陶豆为登。豆的长柄称为“校”，柄下的圈足称为“镫”。新石器时代晚期即已产生陶豆，沿用至商周时期，汉代已基本消亡。青铜豆最早产生于西周而不见于商代。商周时期，豆均是专用盛装肉食的，广泛用于祭祀场合，故后世以“笾豆之事”代指以食品祭神，豆类器皿因此被称为“礼食之器”，用途甚明。由于造型及容量稳定，制作规整，豆因此也衍化成一种量器，豆也成为容量单位（四升）。后来，进而又以豆为重量单位。秦代有半两钱，半两重十二铢；汉代盛行五铢钱，均以铢为计量单位；而一铢的重量则以豆计，即是六豆为一铢。

黑陶高柄豆　青铜带盖豆　青铜方豆

图1-13　豆

俎（见图1-14）。平板下安有足谓之俎。俎既可用来放置食品，也可用做切割肉食的砧板，故鸿门宴上张良自谓“人为刀俎，我为鱼肉”，其意昭然。新石器时代的此类食具尚无确切的发现，但夏商周时期的俎却多有出土，既有石俎、又有青铜俎。当时的俎也是祭祀用的礼器，用来向神荐奉肉食，所以常常“俎豆”连用，代指祭仪，孔子说：“俎豆之事，则尝闻之矣。”（《论语·卫灵公》）即言其擅长祭祀礼制之意。按照周礼的规定，俎也是祭祀礼器的一种，其使用介于镬鼎、升鼎和豆之间，是承载、切割肉食的器具，而且一般应是每鼎配一俎。

石俎

青铜俎

图 1-14　俎

案（图 1-15）。案的形态功用与俎多有相似，但秦汉及其后多言案而少称俎。食案大致可分两种，一种案面长而足高，可称几案，既可作为家具，又可用做“食案”；另一种案面较宽，四足较矮或无足，上承盘、碗、杯、箸等器皿，专作进食之具，可称为棜案，形同今天的托盘。

木胎彩绘漆案

图 1-15　案

簠（见图 1-16）。青铜质圆形带足的大碗称为簠，又叫做琏，方形的则叫做簋，又叫做瑚，故瑚琏即簋。簋簠常连用，专指商周时期的青铜盛食器。在青铜器产生之前，此类器物是陶质或竹木质，被称为熘，或称土簠，功能与碗相同。簋簠之称仅存在于夏商周时期，当时除作为日常用具外，更多地用做祭祀礼器，且多与鼎连用，鼎单簠双，用来表示使用者身份地位的不同。天子用九鼎八簠，诸侯七鼎六簠，卿大夫五鼎四簠……一般平民不得用，拥有簠者定是高官。因此，簋簠便成了高官的代称，古代官员为政不廉时，“簋簠不饰”婉指其贪。与豆不同的是，簠专盛素食，秦汉之际，作为实用器的簋簠已不复存在。

青铜四足簠

青铜簠

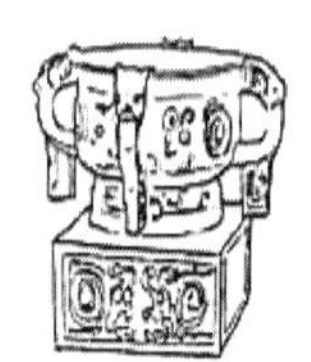

图 1-16　簠

盒（见图 1-17）。两碗相扣成为盒。盒产生于战国晚期，流行于西汉早中期，有的盒内分许多小格；自西汉至魏晋，流行于南方地区，被称为八子槅，后也发展出方形，统称为多子盒；无盖的多子盒又叫格盘，此类器具均是用来盛装点心的，但扣碗形的食盒也一直在使用，不过由陶器变成漆木器或金银器了。

凤纹漆食盒

红陶多子盒

雕漆牡丹盒

五彩多子盒

图 1-17 盒

敦（见图 1-18）。青铜质盛食器，产生于春秋中期，盛行于春秋晚期至战国后期，至秦代已基本消失。敦呈圆球状或椭圆状，由上下两个造型完全相同的三足深腹钵扣合而成，上下均有环形三足（或把手）两耳（或无耳），一分为二，上体为盖，倒置后也可盛食，与器身完全相同。方形之敦叫做彝，但属酒具而非食具。根据周代礼仪的规定，敦是专门盛黍、稷、稻、粱等粮食作物制成品的盛食具。敦的形态是由鼎和簋相结合演变而成的。《周礼》中簋敦不分，宋代称敦为鼎，至清代始有学者将敦单独分出。

青铜敦

图 1-18 敦

4. 贮藏具

贮藏具广义地讲，用于藏贮食物原料与食物成品的器具均可归入此类，腌制食品的容器也可视作贮藏器。这类器物的构成比较繁杂，包括瓮、罐、瓶、壶等，既有存贮粮食的，也有汲水、提水的，还有存贮剩余熟食和腌食的。部分盛食器如盆、盘类也兼有储藏的功能。

瓶。一种小口深腹而形体修长的汲水器，新石器时代的陶瓶形式多样且大小悬殊，尤以仰韶文化的小口尖底瓶最有特色，进入青铜时代以后，金属瓶虽已出现，但数量甚少，用于汲水的瓶仍以陶质为大宗。形体较小的瓶进而兼具盛酒的功能。

瓮。瓮是罐类器物的基本形态，用以存水、贮粮，当然也可贮酒，正如颜师古在注《急就篇》时所说“瓮谓盛酒、浆、米、粟之瓮也。”形体稍小的瓮可称为瓿，一般在口沿部位有穿孔以备绳索，主要用于汲水。另有一种形态与瓮相近的汲水器名为缶，有盖，秦国曾以此为乐器。

壶（见图 1–19）。形态介于瓶和瓮之间且有颈的器物称为壶，因其形似葫芦而得名。壶可存水，也用以存贮粮，另有一部分盛酒。用做量器的壶叫锺，陶壶自新石器时代产生后一直沿用，后又有金属制品及瓷壶。

彩绘陶壶

红陶折肩壶

彩陶壶

褐红釉加彩壶

青瓷双系盘口壶

图 1–19　壶

1.4　中国烹饪的风格特征

1.4.1　中国的风味菜肴

中国的美味佳肴，代表了中华民族五千年的文明史。其最大的特征就是中国的烹饪艺术闻名遐迩，为世人所称道。风味菜肴是中国各地区、各民族各种菜肴的总称，具有历史悠久、技术精湛、品类丰富、流派众多、风格独特的特点，是中国烹饪数千年发展的结晶，在世界上享有盛誉。

1. 历史沿革

据文献记载，早在 5000 多年前，中国已有烤肉、烤鱼等食品。周代出现称为“八珍”的名馔，对后世很有影响。汉魏南北朝时期，中国菜肴迅速发展，名菜大增。马王堆一号汉墓出土的竹简上记有菜肴上百款。北魏贾思勰撰写的《齐民要术》中，载有 200 多种菜肴。由于佛教的传入和流行，加之南朝梁武帝的提倡，佛教斋食逐步在社会上产生影响，使中国早已出现的素菜得到进一步发展。隋唐五代时期，中国的花色菜、食疗菜也有新的发展。宋代，中国菜的发展出现了一个高潮，汴京和临安的市肆中，冷菜、热菜、羹汤和花色菜名目繁多，数以百计。当时市场上已有标明南、北、川味的菜点和素菜，表明中国菜肴的主要风味流派在宋朝时已具雏形。元明清三代，中国菜肴又得到较大的发展，菜肴品种数以千计。这一时期还由于信仰伊斯兰教的少数民族迁居各地，清真菜作为一种独特风味在中国菜肴中占有一席之地，中国菜肴的风味流派已基本形成。晚清至民国初期，随着外国人来华，中国菜肴又融合了某些西菜。 中华人民共和国建立后，尤其是 1979 年以来，在菜肴的继承与创新上取得了令人欣喜的成果。中国各地的传统风味菜肴纷纷恢复上市， 除北京的仿膳菜外，西安、杭州、开封、济南、扬州等地还挖掘研制了仿唐菜、仿宋菜、孔府菜和红楼菜等。

2. 菜品类别

中国菜肴品种繁多，除按地区和民族分类外，还因消费对象的不同，形成了层次不一的菜品，主要有家常菜、市肆菜、寺观菜、官府菜、宫廷菜、药膳菜等。其中以宫廷菜、官府菜和市肆菜影响最广。

宫廷菜是由御厨制作，供君主享用的菜肴，诞生于宫廷之中。宫廷菜的突出特点是用料精奇，烹制细腻，选型精美，注重营养，定名雅致，还融入一些有关帝王的故事传说。宫廷菜享有“中菜之骄子”的美誉。

官府菜是由官厨制作，供文武百官享用的菜肴，源出官府。其特征是以乡土风味为主，讲究精洁，注重养身，工艺有独到之处，不少美馔遐迩闻名。官府菜的社会影响比宫廷菜大得多。

市肆菜是一种商品菜，是在饮食市场上发展起来的，系中国菜的主体，它广取宫廷菜、官府菜、寺观菜、民族菜、外来菜之精华，锐意创新，影响深远。通常以风味流派分类，其中鲁、苏、川、粤风味影响最大；近年来北京菜、上海菜以其独特的政治和经济影响大有后来者居上之势。酒店、餐馆、菜馆、饭铺，乃至街边食摊，所制作和出售的菜点均属市肆菜。此类菜适应时令和各阶层人士的不同需要，品种繁多，技法多样。经史、方志、诗赋、笔记，多有市肆菜肴的记载。

寺观菜泛指道家、佛家烹饪的以素食为主的肴馔。汉朝以后，宫观寺院遍布名山大川，其间多有斋厨、香积厨，善烹三菇六耳及瓜果蔬菇。豆腐、面筋问世之后，寺院菜肴更是名目繁多。宋元至明清，有“全素席”和以素拟荤的素鸡、素鸭、素鱼、素火腿等肴馔。

3. 风格特征和影响

中国菜的特点很多，从烹饪文化角度与其他国家相比，中国菜更具有多彩多姿、精细美好、和谐适中的特征。中国菜在国际上久负盛名，传播到世界许多国家。在唐代，日本先后正式派遣20余次使团来中国学习，其中就有专门学习制作食品的人员。中国也先后多次派遣使节和僧侣到日本进行文化交流，亦将中国菜传给日本。13世纪意大利的马可波罗来到中国，回国时带着中国的调味料和食品，使中国菜进入欧洲大陆。中国菜传到美洲大陆大约在19世纪中期，较早一批中餐馆是1867年在加拿大渥太华和1870年在美国旧金山出现的。20世纪80年代以来，中国与世界各国交往频繁，中国菜更加受到欢迎。

1.4.2 中国烹饪的特点

按照传统，中国烹饪的烹调生产主要由菜品烹调和面点制作两大部分构成，即“红案”和“白案”。我国的烹调技艺举世闻名，它的精湛之处具体体现在我国菜肴的色、香、味、形、器都是非常精美、无与伦比的。经过历代人民的创造、继承和发展，众多技艺精湛、品质优异的传统食品和色香味形各具特点的名菜佳肴，经过不断改进、创新，集中反映出中国饮食文化的特点。中国烹饪体现了中华民族的饮食文化传统，它与世界各国烹饪相比，有许多独特之处。

1. 风味多样

地域广阔的中华民族，由于各地气候、物产、风俗习惯的差异，自古以来，在饮食上就形成了许多各不相同的风味。我国一向以“南米北面”著称，在口味上有“南甜北咸东酸西辣”之别。就地方风味而言，有巴蜀、齐鲁、淮扬、粤闽四大风味。

2. 四季有别

一年四季，按季节而饮食，是中国烹饪的主要特征。我国春夏秋冬四季分明，各种食物原料因时迭出。《周礼》中载有“春多酸，夏多苦，秋多辛，冬多咸，调以滑甘”，这就是讲味道要应合季节时令。对调味品也要按时令调配，如“脍，春用葱，秋用芥。豚，春用韭，秋用蓼。”自古以来，我国一直遵循调味、配菜的季节性，冬则味醇浓厚，夏则清淡凉爽。冬多炖焖煨，夏多凉拌冷冻，特别注意按节令排菜单。就水产原料而言，春尝刀鱼，夏尝鲥鱼，秋尝蟹，冬尝鲫鱼。各种菜蔬更是四时更替，适时而食。

3. 讲究美感

中国烹饪不仅技术精湛，而且自古以来就讲究菜肴的美感。注意食物的色、香、味、形、器的协调一致，对菜肴的美感的表现是多方面的。厨师们利用自己的聪明技巧及艺术修养，塑造出种类繁多、独树一帜的菜肴，达到色、香、味、形美的统一，而且给人以精神和物质高度统一的特殊享受。同时注重内在美与外在美的和谐统一，始终将味美可口与色、形的美观生动结合，特别注重外表的视觉作用，讲究一菜十法，一饺十变，一酥十态等特色，运用图案变化规则和烹饪工艺造型技法，使烹饪造型生动、朴实、自然，富于时代气息和民族特色。

4. 注重情趣

中国烹饪自古以来就注重品味情趣，不仅对菜肴的色、香、味、形、器和质量、营养有严格的要求，而且在菜肴的命名、品味的方式、时间的选择、进餐时的节奏、娱乐的穿插等都有一定雅致的要求。中国烹饪情调优雅，氛围艺术化，主要表现在美器、夸名、佳境三个方面。

袁枚在《随园食单》中云“美食不如美器”，中国饮食器具之美，美在质，美在形，美在装饰、美在与馔品的和谐。中国古代食具主要包括陶器、瓷器、铜器、金银器、玉器、漆器、玻璃器等几个大的类别。彩陶的粗犷之美，瓷器的清雅之美，铜器的庄重之美，漆器的秀逸之美，金银器的辉煌之美，玻璃器的亮丽之美，都曾给人以美的享受，而且是美食之外的又一种美的享受。

美器之美还不仅限于器物本身的质、形、饰，而且表现在它的组合之美及与菜肴的匹配之美。周代的列鼎，汉代的套杯，孔府的满汉全席银餐具，都体现一种组合美。孔府专为举行高级筵宴的满汉全席银餐具，一套总数为 404 件，可上菜 196 道。这套餐具部分为仿古器皿，部分为仿食料形状的器皿。器皿的装饰也极考究，嵌镶有玉石、翡翠、玛瑙、珊瑚等，刻有各种花卉图案，有的还镌有诗词和吉言文字，更显高雅不凡。美器与美食的和谐，是饮食美学的最高境界。

在中国人的餐桌上，没有无名的菜肴。一个美妙的菜肴命名，既是菜品生动的广告词，也是菜肴自身一个有机组成部分。菜名给人以美的享受，它通过听觉或视觉的感知传达给大脑，会产生一系列的心理效应，发挥出菜肴的色、形、味所达不到的作用。中国菜肴的名称具有千变万化、避免雷同、雅俗共赏的特点。菜肴名称除根据主、辅、调料及烹调方法的写实命名外，还有大量的根据以历史掌故、神话传说、名人食趣、菜肴形象着意渲染，引人入胜的寓意。诸如全家福、将军过桥、狮子头、叫化鸡、龙凤呈祥、鸿门宴、东坡肉等，立意新颖，风趣盎然。

小体之食与大千世界相映成趣，是我国饮食文化中审美问题的一个重要方面。中国饮食文化强调进餐时的时、空、人、事诸多因素的协调一致，讲求良辰、美景、可人、乐事的有机联系。吉日良辰，触景生情，可增进饮食情趣；敞厅雅座，水榭亭堂，花前月下，山间林边，得自然清静之野趣；富丽的高堂，辉煌的装饰，优雅的音乐，热情的服务，艺术化的气氛，构成怡人的进餐环境；好友知己，天伦至亲，同声同气，或开杯畅饮，或舒心小酌，无拘无束，抒胸中之气，话彼此之情；席间或吟诗，或题对，或玩笑幽默，海阔天空，任兴而发。美食与美味、美器的色、香、味、形、器的完美结合，构成了饮食文化审美中的意境之美。

5. 食医结合

中国烹饪与医疗保健有密切的联系。在我国，几千年前就很重视“医食同源”、“药膳同功”。在上古时代食物和药物是分不开的，当人们在寻找食物的同时，也发现了一些药物，而且意识到许多食物，不仅能够填腹充饥、补养身体，同时具有治疗一些疾病的作用。利用食物原料的药用价值，烹制成各种美味佳肴，达到对某些疾病的防治及养生保健的目的。

中国人的饮食追求，是“美味享受、饮食养生”。把饮食的味觉感受放在首要位置，注重饮食审美的艺术享受。中国的传统饮食观注重饮食养生，饮食养生包括“辨证施食”与“饮食有节”两方面的内容。“养生之道，莫先于食。”饮食养生首先指的是应用食物的营养来防治疾病，促进健康长寿。俗话说：“药补不如食补。”所谓食补，就是通过调整饮食来补养脏腑功能，促进身体健康和疾病的康复。同时食补能起到药物所无法起到的作用。在我国，利用调整饮食作为一种养生健身手段有着悠久的历史，我们的祖先早在 2000 多年前处于奴隶社会时期的周代就已经认识到了饮食养生的重要性。在周代的宫廷里已配有专门从事皇家饮食的“食医”；魏晋南北朝时期的《食经》，是一部系统论述食物养生功能的经典；唐代名医孙思邈对饮食养生作了重大贡献，他尤其擅长治疗老年病，著有《备急千金要方》和《千金翼方》，其中有很大篇幅是论述饮食养生的。由于孙思邈大力提倡饮食养生，所以，唐朝时期的饮食养生得到了很大的发展。至宋代王怀隐《太平圣惠方》的问世，饮食养生已初步形成一门专一的学科。

饮食是人类维持生命的基本条件，而要使人活得健康愉快、充满活力和智慧，则不仅仅满足于吃饱肚子，还必须考虑饮食的合理调配，保证人体所需的各种营养素的摄入平衡且充足，并且能被人体充分吸收利用。营养平衡，首先必须养成良好的饮食习惯，不可忍饥挨饿，也不宜暴饮暴食，不可偏嗜也不可偏废某种食物。还要注意饮食的卫生，且应根据自身的身体状况禁忌某些食物，这样才有利于防止疾病的发生，达到饮食养生长寿的目的。饮食养生是通过吃来进行的，应用日常食品，根据不同的经济条件、不同的生理病理需要进行调理养生，不但能充饥，更能补充营养，有益健康，祛病延年，是一种乐于被人们接受的重要养生手段。清代著名医家王孟英说：“颐气无玄妙，节其饮食而已。”就是说养生长寿奥妙在于调整饮食，充分强调了饮食养生的重要性。

中国烹饪艺术的表现形式多种多样，这里主要通过肴馔本身的色、形、香、味、滋与筵席组合来窥其一斑。人们常把前者概称为味觉艺术，将后者称为筵席艺术。味觉艺术与筵席艺术归结为味的艺术。中国烹饪既讲究生理味觉的美，也注重心理味觉(即味外之味)的美，从而使人们在烹调师调制的饮食之中得到物质与精神交融的满足，这便是中国烹饪艺术精髓之所在。

人类对于食物的选择早已摆脱了对先天本能的依赖，主要凭教养获得的后天经验，包括自然的、生理的、心理的、习俗的诸多因素，其核心则是对味的实用和审美的选择。烹饪艺术所指的味觉艺术，是指审美对象广义的味觉，广义的味觉错综复杂。人们感受到的馔肴的滋味、气味，包括单纯的咸、甜、酸、苦、辛和千变万化的复合味，属化学味觉；馔肴的软硬度、黏性、弹性、凝结性及粉状、粒状、块状、片状等外观形态及馔肴的含水量、油性、脂性等触觉特性，属物理味觉；由人的年龄、健康、情绪、职业，以及进餐环境、色彩、音响、光线和饮食习俗而形成的对馔肴的感觉，属心理味觉。中国烹饪的烹与调，正是面对错综复杂的味感现象，运用调味料，以烹饪原料和水为载体，表现味的个性，进行味的组合，结合人们心理味觉的需要，巧妙地反映味外之味，来满足人们生理和心理的需要，展示实用与审美相结合的烹饪艺术核心的味觉艺术。烹饪技术是实现味觉艺术的手段，其主旨乃是“有味使之出，无味使之入”。

筵席艺术是中国烹饪艺术的又一表现形式。一份精心设计编制的筵席菜单，对菜点色、形、香、味、滋的组合，餐具饮器的搭配，烹调技法的运用，菜肴、羹汤、点心的排列，馔肴总体风味特色的表现，都有周密的安排。它是时代、地区、饭店的烹调技术水平和烹饪艺术水平的综合反映。审美主体——与筵者的食欲、情绪、心理，均受筵席菜单设计的烹饪艺术效果所左右。

中国烹饪中的科学内涵是十分丰富的，其中心内容在于符合营养要求，达到养生效果的烹调与饮食的终极目的。一方面表现为五味调和的美食观。《黄帝内经》说："天食人以五气，地食人以五味"，"谨和五味，骨正筋柔，气血以流，腠理以密。如是则骨气以精，谨道如法，长有天命。"味是饮食五味的泛称，和是饮食之美的最佳境界。和由调制而得，既能满足人的生理需要，又能满足人的心理需要，使身心需要能在五味调和中得到统一。味是调和的基础，阴阳平衡是人体健康的必要条件。五味的调和，是以合乎时序为美食的一项原则。中国烹饪科学依据调顺四时的原则，调和与配菜都讲究时令得当，应时而制作肴馔。追求肴馔适口，应以适口者为珍。

另一方面表现为养生食治的营养观。《黄帝内经》说："味归形，形归气，气归精，精归化"。"五味入口，藏于肠胃，味有所藏，以养五气，气和而生，津液相成，神乃自主。"这个观念认为人的饮食，目的在于使人体气足、精充、神旺、健康长寿。围绕着这个目的，逐渐形成了中国传统的养生食治学说。"五谷为养，五果为助，五畜为益，五菜为充"这一膳食结构不仅使中华民族得以生存和发展，而且避免了许多"文明病"的困扰，为海外营养学家所称道。还有一个收获则是药膳，可收无病养生、有病食治的效果。食疗文化是中国饮食文化不可分割的一个部分，既融合于饮食文化的一般发展过程之中，又在历史的积淀中逐渐分离和结晶出来，成为中国饮食文化中的一枝奇葩。中国食疗文化的最大特点，即在其浑然天成，效法自然；于日常人生必需的饮食之时，在不知不觉、有意无意之间，调和鼎鼐，强身益寿，治疗疾病；其作用无毒无害，使人置身于美食文化的高度享受之中。中国烹饪是文化、是科学、是艺术，它与法国烹饪、土耳其烹饪齐名，并称为世界烹饪的三大风味体系。

本章小结

本章主要介绍了中国烹饪的发展过程。烹饪是人类在烹调与饮食的实践活动中创造和积累的物质财富与精神财富的总和。它包含烹调技术、烹调生产活动、烹调生产出来的各类食品、饮食消费活动以及由此衍生出来的众多精神方面的产品。中国烹饪文化具有独特的民族特色和浓郁的东方魅力，主要表现为以味的享受为核心、以饮食养生为目的的和谐与统一。中国的烹饪艺术是在烹饪历史发展过程中，逐渐形成、发展并且丰富起来的，具有实用目的与审美价值紧密相连的特点。如陶制炊器的器形从实用需要设计出发，本意为放置平稳，受热均匀，但却给人以对称、均衡美的感受。陶器、铜器、铁器的不断演进，不仅是对工艺、性能方面的改进，还包含着追求形式美的意图。随着物质生产的发展和社会生活的进步，烹饪越来越具有审美性质直至发展成为实用与审美并重的各种花色造型菜点及丰盛华丽的筵席。

思 考 题

1. 烹调的发展大致经历了哪几个阶段，各有何特点？
2. 试述烹调与烹饪的区别。
3. 中国烹饪是怎样发展和演变的？各时期的主要特点是什么？
4. 饮食器具可以分为哪些类别，其发展经历了哪几个阶段？
5. 中国烹饪的主要特点是什么？
6. 如何理解中国传统的饮食养生观？

第2章　中国菜概述

学习目标
- ◎ 了解中国菜系形成与发展的过程。
- ◎ 掌握中国菜肴的主要特点。
- ◎ 熟悉中国的八大菜系。
- ◎ 了解中国的仿古和特殊风味菜肴。

2.1　中国菜系的形成与发展

菜系是指具有明显地区特色的肴馔体系。中国古代菜系，早期仅有“帮口”之说。所谓“帮”，是指从业人员的地方性“行帮”；“口”指的是口味，即地方性风味特色。如“川帮菜”原指四川厨师烹制的四川风味的菜肴，后来外地厨师烹制的四川风味菜肴，也称“川帮菜”，其他菜亦然。中国烹饪由于原料生产、烹调技法、风味特点的差异，历史上形成了众多的帮口。但各帮口之间的相互渗透，形成若干共同或近似之处，于是又形成较大的帮口——菜系。其特点在于具有某些独特的烹饪方法；有特殊的调味品和调味手段；有品类众多的烹饪原料；有从低到高、从小吃到筵席等一系列的风味菜式，且在国内外有相当的影响。菜系的形成有经济、地理、社会、文化等诸多因素。我国幅员辽阔，是一个以汉族为主体的多民族国家，由于地理气候、物产文化、风俗习惯、生活方式等差异，形成了不同的地方风味流派。

2.1.1　中国菜系的形成与发展过程

菜系的形成是长期发展的结果。菜系的渊源可以追溯到很远的时期，因为菜肴的特色，是以物产这一自然条件为基础的。晋代张华的《博物志·五方人民》中说得明白：“东南之人食水产，西北之人食陆畜。”“食水产者，龟蛤螺蚌以为珍味不觉其腥臊也；食陆畜者，狸兔鼠雀以为珍味，不觉其膻也。”“有山者采，有水者鱼”。也就是说“靠山吃山，靠海吃海”。这是形成菜系的主要条件，正是“今天下四海九州，特山川所隔有声音之殊；土地所生有饮食之异。”

以物产为依据，形成了口味的差异是菜系发展的重要因素。《全国风俗志》称：“食物之习性，各地有殊，南喜肥鲜，北嗜生嚼（葱、蒜），各得其适，亦不可强同也。”这种饮食嗜好，成为人们难移的习性。“饮食一道如方言，各处不同。只要对口味，口味不对，又如人之性情不和者，不同一日居也。”（《履园丛话》）只有到了近百年来，交通之发达，经济之发展，科学之文明，才将地域之间的距离缩短，物产不再是一隅之产，使物产已不再成为其菜系的惟一依据，但这种千百年沿袭而成的食俗还是不易改变的。

除上述因素外，烹调方法的差别，也是形成菜系不可忽视的重要条件。清代袁枚的《随园食单》中，曾写了南北两种截然不同的烹调方法，做猪肚：“滚油爆炒，以极脆为佳，此北人法也；南人白水加酒煨两柱香，以极烂为度。”可见在袁枚之前，早以形成以烹饪术为别的菜系的不同特色。

至清末，四大菜系的不同特色则更加鲜明。《清稗类钞》记述清末饮食状况，称：“各处食性之不同，由於习尚也。则北人嗜葱蒜，滇黔湘蜀嗜辛辣品，粤人嗜淡食，苏人嗜糖。”又更加具体分析了各地的菜系特色：“苏州人之饮食，尤喜多脂肪，烹调方法皆五味调和，惟多用糖，又席加五香。”“闽粤人之饮食，食品多海味，餐食必佐以汤，粤人又好啖生物，不求火候之深也。”“湘鄂人之饮食，喜辛辣品，虽食前方丈，珍馐满前，无椒芥不下箸也，汤则多有之。”“北人食葱蒜，亦以北产为胜。”如此等等，不一而足。尽管引证之处，不足以说明菜系的全貌，但从中可看出四大菜系之特色。由此可将我国菜系的形成与发展概括为以下几个时期。

(1) 萌芽时期。南味、北食风味差异，先秦已见端倪。《周礼》中记载的“八珍”乃宫廷名菜，且为北方菜的代表，其用料多为陆产，其制法多依殷商，其地应属黄河流域。而《吕氏春秋·本味》所列菜肴，则多具南方菜特色，用料以水产类居多，应属长江流域。

(2) 形成时期。至唐代，南味一分为三：长江中上游川味占优势，长江下游淮扬味居上风，而岭南与珠江、闽江流域，则以粤味占主导。到宋代，川食、虏食（东北地区）、南烹之名正式见于典籍，饮食市场上出现不同风味的酒楼。至此，中国四大菜系（鲁、川、苏、粤）实际已经形成。

(3) 发展时期。元明清时期，特别是清代，我国的四大菜系都有较快发展。鲁菜不仅扩大到京津，而且传至东北地区；淮扬菜则在江、浙、皖、赣等地发展市场，并与当地菜肴互补；川菜在湘、鄂、黔、滇、贵一带颇有影响；粤菜则在闽、台、琼、桂诸方占领市场，吸收外域食法较多，形成独特风味。四大菜系相互影响，相互渗透，相互促进，但又保持和发展了各自的特色，后又增为八大菜系或十大菜系，但多数人认为，影响最大的仍属四大菜系。

中国菜系主要是指地方风味，是中国烹饪长期发展的产物。其形成原因也是多种多样的，既有自然因素，也有社会因素。自然因素中包括地理气候的不同，而造成物产与人们饮食习俗的差异等；社会因素包括经济因素（社会生产力水平和市场贸易流通的状况等）、政治因素（政治中心、历史的变迁等）及文化因素等。因此，菜系的形成既有物质基础方面的因素，也有精神文明的因素，而菜系的差异主要表现在基本风味的差异上。各大菜系互相促进，互相补充，互相交融，且将随着社会的发展而不断发展变化。

2.1.2 中国菜肴的特点

经过长时期的发展和完善，中国烹饪以取料广泛、技艺精湛而享誉世界，并且融会了我国灿烂的传统文化，集各民族烹调技艺的精华，形成了中国菜肴独特的风格特征。

1. 选料讲究，品种多样

选料是中国厨师的首要技艺，是做好一品中国菜肴的基础，要具备丰富的知识和熟练运用的技巧。中国烹饪所应用的原料非常丰富，一般分为主配原料、调味原料和佐助原料三大类，总数在万种以上，而常用者达三千种左右。除天然原料外，还创制了许多经过精细加工的原料品种，如火腿、风鸡、板鸭、榨菜等。由于原料品种繁多，所以原料的质量和季节性至关重要，必须做到因料施烹，这样才能烹制出更多精美的菜肴。每种菜肴所取的原料，包括主料、配料、辅料、调料等，都有很多讲究和一定之规。概而言之，则是“精”、“细”二字，所谓孔子所说的“食不厌精，脍不厌细”也。中国烹饪原料既精且宽，各有所用。所谓“精”，是指选取的原料，要考虑其品种、产地、季节和生长期等特点，以鲜嫩、质优为佳，并且注意选用原料的最佳部位。如猪、羊等肉类原料，其各部位分档取料，据其烹饪特性，用于不同菜肴的制作，并且将其头、脑、内脏等都能得以充分利用，这也是中国烹饪的特色之一。另外，在选料时，质量上力求鲜活，规格上也非常讲究；如滑熘肉片须用里脊肉，烹制川菜须选用四川郫县豆瓣酱，等等。这些都是烹制精美菜肴的必备条件。

汉唐时代，习惯于将美味佳肴称做“八珍”。大约从宋代开始，八珍具体指八种珍贵的烹饪原料。到了清代，各种系列的“八珍”不胜枚举，主要指八种珍稀原料组合的宴席。如“满汉全席”的“四八珍”，即指四组八珍组合的宴席。“四八珍”即山八珍、海八珍、禽八珍、草八珍，指 32 种珍贵的原料。

山八珍：驼峰、熊掌、猴脑、猩唇、象拔、豹胎、犀尾、鹿筋。

海八珍：燕窝、鱼翅、大乌参、鱼肚、鱼骨、鲍鱼、海豹、狗鱼（大鲵）。

禽八珍：红燕、飞龙、鹌鹑、天鹅、鹧鸪、彩雀、斑鸠、红头鹰。

草八珍：猴头、银耳、竹荪、驴窝菌、羊肚菌、花菇、黄花菜、云香信。

2. 刀工精细，精于运用火候

刀工是制作菜肴的一个重要环节，也是厨师必须具备的基本技能之一。即对原料进行刀法处理，使之成为烹调所需要的、整齐一致的形态，以适应火候，受热均匀，便于入味，并保持一定的形态美，因而是烹调技术的关键环节之一。我国早在古代就十分重视刀法的运用，经过历代厨师的反复实践，创造了丰富的刀法，如直刀法、斜刀法、平刀法及剞刀法等。针对原料的不同性质，根据菜肴的不同要求，运用切、批等刀法，切制出片、块、丝、条、粒、段、丁、末、茸和荔枝花、麦穗花等众多形状。既便于原料在烹调过程中成熟均匀，又利于调味，同时也便于美化菜肴。还可镂空成美丽的图案花纹，雕刻成“喜”、“寿”、“福”、“禄”字样，增添喜庆筵席的欢乐气氛。特别是刀工和拼摆手法相结合，把熟料和可食生料拼成艺术性强、形象逼真的鸟、兽、虫、鱼、花、草等花式拼盘，如“龙凤呈祥”、“孔雀开屏”、“喜鹊登梅”、“荷花仙鹤”等。

古代文学家的笔下，常常奔涌出吟咏厨师精妙刀法的句子。《庄子·养生主》描述了解牛的庖丁，经三年苦练，达到“目无全牛”、“游刃有余”的境地，“手之所触，肩之所倚，足之所履，膝之所踦，砉然响然，奏刀騞然，莫不中音，合于《桑林》之舞，乃中《经首》之会。”观他解牛，如观古舞；闻其刀声，如闻古乐。由是观之，动刀解牛，也是艺术。唐代也确有以刀工进行艺术表演的，《酉阳杂俎》说“有南孝廉者善斫脍，縠薄丝缕，轻可吹起；操刀响捷，若合节奏。因会客炫技。”

火候是形成菜肴风味特色的关键之一。但火候瞬息万变，没有多年操作实践经验很难做到恰到好处。因而，掌握适当火候是我国厨师的一门绝技。在烹调菜肴的过程中，火力的强弱和用火的时间、长短也是影响菜肴质量的一个重要原因。烹调用火一般分为旺火、中火和小火，因菜品的不同需要而分别施用。如用旺火快速烹制的菜肴；用微火长时间炖煨的菜肴；或先用旺火，再用小火加热的菜肴，等等。火候是烹制菜肴的重要环节，若火候掌握不当，即便使用珍稀原料，也不能烹制出美味佳肴。我国厨师能精确鉴别旺火、中火、微火等不同火力，熟悉各种原料的耐热程度，熟练控制用火时间，善于掌握传热物体（油、水、气）的性能，还能根据原料的老嫩程度、水分多少、形态大小、整碎厚薄等，确定下锅的次序，加以灵活运用，才能烹制出美味佳肴。火候掌握得恰当适宜，是保证菜肴色、香、味、形、营养等的关键。

早在古代，我国厨师就对火候有过专门研究，并且阐明火候变化规律及掌握要点：“五味三材，九沸九变，必以其胜，无失其理。”（《吕氏春秋》）北宋大诗人苏轼不仅是位美食家，而且还是一位烹调家，创造出著名的“东坡肉”，这与他善于运用火候有密切关系，他还把这些经验写入炖肉诗中：“慢着火，少着水，火候到时自然美。”后人运用他的经验，采用密封微火焖熟法，烧出的肉原汁原味，油润鲜红，烂而不碎，糯而不腻，酥软犹如豆腐，适口而风味突出。

火候是烹调中最重要的事，同时也是最难把握和说明的事，真可谓是“道可道，非常道”，而一位烹饪者能否成为名厨，火候乃其关键。所以中国饮食中的厨者在操作时，积一生之经验，悟己身之灵性，充分发挥自己细微的观察体验能力和丰富的想像能力，进行饮食艺术的创造。所谓运用之妙，存乎一心，真是“得失寸心知”了。

3. 配料巧妙，技法多样

配料是烹调之前不可缺少的一道重要工序。配料原则一般体现在量、质、色、香、味、形、营养等方面，还要考虑到荤素、粗细、单个菜品与整桌宴席原料的配合及成本等内容。通过合理搭配，有利于原料的合理使用，形成菜肴的多样化。值得一提的是，中国烹饪特别擅长于拼制各种花式冷盘，美食配美器，使菜肴不仅具有食用价值，而且极具艺术欣赏价值，这也是中国烹饪艺术的组成部分之一，形成了独特的民族格调与情韵。

烹调方法是我国烹调技艺的核心，其实质主要是对于热能的运用。火力的大小、强弱，时间的长短及不同的运用方法，产生了许多不同的加热效果，从而形成了丰富多彩的烹调方法。如炸、炒、熘、爆、炖、烹、煸、煮、焖、烤、烧、扒、烩、煎、涮、蒸等，同时也包括用于冷菜制作的卤、腌、拌、酱、炝等方法。

4. 风味多样，品种丰富，讲究盛装器具

调味也是烹调的一种重要技艺，所谓“五味调和百味香”。中国烹饪特别讲究味的塑造与表现，要求一菜一格，百菜百味，追求美味佳肴和风味特色。调味料繁多，应用手法也很多，主要有基本调味、定型调味和辅助调味三种，以定型调味方法运用最多。所谓定型调味，是指原料加热过程中的调味，是为了确定菜肴的口味。基本调味在加热前进行，属预加工处理的调味。辅助调味则在加热后进行，或在进食时调味。通过多种调味方法，组合成咸鲜、麻辣、鱼香、怪味等多种口味的地方菜系，构成了中国烹饪的风味体系。除四大菜系、八大菜系、十大菜系外，还包含市肆风味、民族风味、素馔风味、宫廷菜等。

美食与美器是相互促进、密不可分的。中国菜肴的盛装器具非常讲究，具有品种多样、外形美观、质地精良、色彩鲜艳等特点。随着饮食文化的不断发展，饮食器具也在不断发展，就类别而言，有瓷器、玻璃、银器、木器、竹器等，又有多种款式和造型。以美器映衬美食，使食与器达到完美的统一与和谐。

2.2 中国的八大菜系

中国幅员辽阔，是历史悠久的多民族国家。由于气候、物产和风俗的差异，各地区人民的饮食习惯和品味爱好有很大不同，因而发展出多种多样、具有地方风味和特色的菜肴，以及与之相适应的烹调方法，形成了不同的地方风味。南北两大风味，始于春秋战国，形成于唐宋。清代初期，鲁菜（包括京津等北方地区的风味菜）、苏菜（包括江、浙、皖地区的风味菜）、粤菜（包括闽、台、潮、琼地区的风味菜）、川菜（包括湘、鄂、黔、滇地区的风味菜），已成为我国最有影响的地方菜，后称“四大菜系”。清末，加入浙、闽、湘、徽地方菜成为“八大菜系”，后再增京、沪，便有“十大菜系”之说。

各地方风味菜选料考究，制作精细、品种繁多、风味各异，讲究色、香、味、形、器俱

佳的协调统一，其高超的烹饪技艺和丰富的文化内涵，堪称世界一流。且各有其发展的历史，不仅体现了精湛的传统技艺，还有种种优美动人的传说或典故，成为我国饮食文化的一个重要部分。

2.2.1 鲁菜

鲁菜（包括京津等北方地区）又称山东菜，主要由济南和胶东地方菜组成，为中国四大菜系之一。

1. 形成与发展

鲁菜的历史十分悠久，影响非常广泛，是中国饮食文化的重要组成部分，以其味鲜咸脆嫩、风味独特、制作精细享誉海内外。齐鲁大地依山傍海，物产丰富，经济发达，为烹饪文化的发展及山东菜系的形成，提供了良好的条件。早在春秋战国时代，齐桓公的宠臣易牙就曾是以“善和五味”而著称的名厨；南北朝时，高阳太守贾思勰在其著作《齐民要术》中，对黄河中下游地区的烹饪术作了较系统的总结，记下了众多名菜做法，反映当时鲁菜发展的高超技艺；唐代的段文昌，山东临淄人，穆宗时任宰相，精于饮食，并自编食经五十卷，成为历史掌故。到了宋代，宋都汴梁所称“北食”即鲁菜的别称，已具规模。明清两代，已经自成菜系，成为宫廷御膳的主体，对京津、东北各地影响很大。随着历史的演变和经济、文化、交通事业的发展，鲁菜又逐渐形成了济南、胶东两地分别代表内陆与沿海的地方风味。

2. 特点

鲁菜总的特点在于注重突出菜肴的原味，内地以咸鲜为主，沿海以鲜咸为特色。菜肴以清鲜脆嫩著名，原料多选用畜禽、海产、蔬菜等，善用爆、炒、烧、扒、炸、拔丝、蜜汁等烹调法，偏于用酱、葱、蒜调味，如葱烧、葱爆、蒜泥拌等。善用清汤、奶汤增鲜，口味咸鲜比较明显。菜品风格大方高雅，适应性强。

3. 代表菜品

代表菜有蟹黄海参、白汁裙边、山东蒸丸、红烧海螺、九转大肠、糖醋黄河鲤鱼、德州扒鸡、油爆双脆、油爆海螺、诗礼银杏、干蒸加吉鱼、孔府一品锅等。

2.2.2 川菜

川菜（包括四川、云南、贵州、湖南和湖北等地在内）原料多选山珍、江鲜、野蔬和畜禽。善用小炒、干煸、干烧和泡、烩等烹调法。以善用“味”而闻名全国，味型较多，富于变化，以鱼香、红油、怪味、麻辣较为突出。其菜品风格朴实而又清新，具有浓厚的乡土气息，为我国四大菜系之一。

1. 川菜的历史

概括地说，川菜发源于古代的巴国和蜀国，它是在巴蜀文化背景下形成的。按中国历史演变序号——朝代来说，川菜历经春秋至秦的启蒙时期后，到两汉，两晋之时，就已呈现初期的轮廓。隋唐五代，川菜有较大的发展。两宋时，川菜已跨越了巴蜀疆界，进入北宋东京、南宋临安两都，为川外人所知。明末清初，川菜运用引进种植的辣椒调味，对继承巴蜀早就形成的“尚滋味”、“好辛香”的调味传统，进一步有所发展。晚清以后，逐步形成一个地方风味极其浓郁的体系，与黄河流域的鲁菜，岭南地区的粤菜，长江下游的淮扬菜同列。

2. 川菜的基本特征

正宗川菜以成都、重庆两地的菜肴为代表，素以味广、味多、味厚著称，享有一菜一格，百菜百味的美誉。烹饪特别讲究火候，且以小煎、小炒、干烧、干煸见长。重视选料，讲究规格，分色配菜，主次分明，鲜艳协调。其特点是酸、甜、麻、辣、香、油重、味浓，注重调味，离不开三椒（即辣椒、胡椒、花椒）和鲜姜，以麻、辣、酸、香脍炙人口，为其他地方菜所少有，形成川菜的独特风味。川菜善于综合用味，收汁较浓，在咸、甜、麻、辣、酸五味基础上，加上各种调料，相互配合，形成各种复合味，如家常味、咸鲜味、鱼香味、荔枝味、怪味等23种。川菜发展至今，已具有用料广博、注重调味、味型多样的特征，其中尤以味型多、变化巧妙而著称。“味在四川”，便是世人所公认的。

美食是以美味为基础的，美味则需要调味技巧来创造。川菜之味，以麻辣见长。辣椒与其他辣味料合用或分别使用，就出现了干香辣（用干辣椒）、酥香辣（糊辣壳）、油香辣（胡椒）、芳香辣（葱姜蒜）、甜香辣（配圆葱或藠头）、酱香辣（郫县豆瓣或元红豆瓣）等多种不同辣味。四川常用的23种味型，与麻辣有关的达13种，如口感咸鲜微辣的家常味型，咸甜辣香辛兼有的鱼香味型，甜咸酸辣香鲜各味十分和谐的怪味型，以及表现不同层次麻辣的红油味型、麻辣味型、酸辣味型、糊辣味型、陈皮味型、椒麻味型、椒盐味型、芥末味型、蒜泥味型、姜汁味型，使辣味调料发挥了各自的长处，辣出了特色。

3. 代表菜品

代表菜肴的品种有鱼香肉丝、黄焖鳗、怪味鸡块、麻婆豆腐、干煸牛肉丝、水煮牛肉、宫保鸡丁、酸菜鱼、干烧岩鲤、回锅肉、棒棒鸡、清蒸江团等。

2.2.3 苏菜

苏菜（包括江苏、上海、浙江、江西和安徽等地在内）又称淮扬菜，为我国四大菜系之一。按照自身风味体系又可分为淮扬风味、金陵风味、苏锡风味和徐海风味四大流派。原料以水产为主，注重鲜活，刀工比较精细，尤以瓜雕享誉四方。善用炖、焖、烧、烤、煨等烹调法。口味平和，清鲜而略带甜味。其菜品细致精美，格调高雅。其特点是浓中带淡，鲜香酥烂，原汁原汤浓而不腻，口味平和，咸中带甜。烹调时用料严谨，注重配色，讲究造型，四季有别。

1. 形成

江苏菜历史悠久，扬州地扼长江、运河交通要冲，为历代漕运中心，北连两淮重镇，并称淮扬。明清时期，盐运使设扬州，漕运使设淮阴，舟楫所经，必须破泊，商贾云集，经济繁荣。烹饪事业也甚为发达，影响传播广远，厨师众多，遍及鲁西、长江中下游和东南沿海一带。据出土文物表明，约在六千年以前，江苏先民已用陶器烹调。《楚辞·天问》记载了彭铿作雉羹事帝尧的传说。春秋、战国时期，江苏已有了全鱼炙、露鸡、吴羹和讲究刀功的鱼脍等。据《清异录》记载，扬州的缕子脍、建康七妙、苏州玲珑牡丹鲊等，有“东南佳味”之美誉，说明江苏菜在两宋时期已达到较高水平。至清代，江苏菜得到进一步发展，据《清稗类钞·各省特色之肴馔》一节载：“肴馔之各有特色者，如京师、山东、四川、广东、福建、江宁、苏州、镇江、扬州、淮安。”所列十地，江苏占其五，足见其影响之广。

江苏又为名厨辈出之地，帝尧时的彭铿，春秋时的太和公（或作太湖公），明代的曹顶，以及中国第一位被立传的厨师王小余、仪征萧美人和号称“天厨星”的董桃楣。江苏的烹饪文献亦十分丰富。著名的有元代大画家倪瓒的《云林堂饮食制度集》、明代韩奕的《易牙遗意》、清代袁枚的《随园食单》等。此外，历代史书、诗词等记江苏名产名肴也是屡见不鲜。苏菜影响遍及长江中下游广大地区，在国内外享有盛誉。

2. 特点

江苏菜的烹调技艺擅长于炖、焖、烧、烤、煨等。用料广泛，以江河湖海水鲜为主；刀工精细，烹调方法多样，擅长炖焖煨烤；追求本味，清鲜平和，适应性强；菜品风格雅丽，形质均美，酥烂脱骨而不失其形，滑嫩爽脆而益显其味。

江苏菜风格清新雅丽，反映在刀工精细，刀法多变上。无论是工艺冷盘、花色热菜，还是瓜果雕刻，或脱骨浑制，或雕镂剔透，都显示了精湛的刀工技术。

江苏菜以重视火候、讲究刀工而著称，尤擅长炖焖煨烤，著名的“镇扬三头”（扒烧整猪头、清炖蟹粉狮子头、拆烩鲢鱼头）、“苏州三鸡”（叫花鸡、西瓜童鸡、早红桔酪鸡）及“金陵三叉”（叉烤鸭、叉烤桂鱼、叉烤乳猪）都是其代表之名品。

清鲜平和、追求本味、适应性强是江苏风味的基调。无论是江河湖鲜，还是禽畜时蔬，都强调突出本味的一个“鲜”字。调味也注意变化，擅用蕈、糟、醇酒、红曲、虾籽，调和五味，但不离清鲜本色。

江苏菜式的组合亦颇有特色。除日常饮食和各类筵席讲究菜式搭配外，还有“三筵”具有独到之处。其一为船宴，见于太湖、瘦西湖、秦淮河；其二为斋席，见于镇江金山、焦山斋堂、苏州灵岩斋堂、扬州大明寺斋堂等；其三为全席，如全鱼席、全鸭席、鳝鱼席、全蟹席，等等。

3. 代表菜

著名的菜肴品种有清汤火方、鸭包鱼翅、水晶肴蹄、松鼠桂鱼、西瓜鸡、盐水鸭、清炖甲鱼、三套鸭等。

2.2.4 粤菜

粤菜（包括广东、广西、福建、台湾和海南等地在内）又称广东菜。原料广采博收，追求生猛。善用烧、煲、软炸、软炒等烹调法，口味清淡鲜和。其菜品风格清丽洒脱，刻意求新。粤菜由广州、潮州、东江三个地方菜组成，它广泛吸取了川、鲁、苏、浙等地方菜的烹调技术精华，自成一格，有“食在广州”的美誉。

1. 形成与发展

粤菜是我国著名四大菜系之一，其烹饪技艺精湛，独特的风味饮誉四方。粤菜的形成，有着悠久的历史。虽然在秦以前，岭南与经济文化已较发达的中原地带相比，饮食相对简单粗糙，但广东地处亚热带，濒临南海，省内有密布的内河网络，可供食用的动植物繁多。南越人以采集螺、蚌、蚬、牡蛎等水产品为生，善渔业。据《周礼》记载，“煮蟹当粮哪食米”，而且有“生食之”的习惯。战国时成书的《山海经》就有南方人吃蛇的记载。至西汉人刘安编著的《淮南子》，也有“越人得蚺蛇以为上肴”的记述。可见，具有粤菜风味的“蛇馔”出现至少已有几千年的历史了。

秦始皇南定百越，中原与岭南的文化、经济交往渐多。到了汉代，南越武王赵佗归汉以后，汉越交往越来越频繁，岭南地区的经济文化有了很大的发展。烹调技术也随文化的传入而传入进来。在广州发掘的几座汉墓中，食物有芋、姜、黄瓜、甜瓜、木瓜、桃、梅、橘子、荔枝等蔬菜水果；畜禽有猪、牛、羊、鸡、鸭、鹅；还有泥蚶、青蚶及禾花雀等。在禾花雀的残骨中，夹存着黄土和木炭，表明禾花雀是用黄土裹着置于炭中烘熟的，这种制法，周代叫“炮”。可见中原汉人接受了南越人杂食之风，又把中原的烹调法移入而形成了独特的饮食习惯。

南宋时期，大批中原士族南下，中原的烹调技术更是随之大量流入南方。南逃的皇室把中原饮食习俗一直带到琼海，使广东菜系至今保留许多中原古代食法。而南宋人惊叹的岭南人“不问鸟兽虫蛇，无不食之”的地方风格与正食的北味烹调技术相结合，就转变为南方特有的菜肴。至此，粤菜作为一个菜系已初具雏形，“南烹”之名见于典籍。

除本地物产外，自汉代以后，广东先后从国外引进了茉莉花、海枣、芒果、菠萝蜜、番石榴、番荔枝、花生、玉米、番薯等许多农作物。据明末清初屈大均的《广东新语》载："天下所有食货，粤东几尽有之，粤东所有之食货，天下未必尽也。"丰富的原材料使广东烹饪能做到"飞潜动植皆可口，蛇虫鼠鳖任烹调"。到了晚清，广州已成为中国南方最大的经济重镇，更加速了南北风味大交流。京都风味、姑苏风味、扬州炒卖等与广东菜各地方风味特色互相影响和渗透促进，烹饪大师们不断吸收、积累各种烹调技术，并且根据本地环境、民俗、口味、嗜好加以改良创造，使粤菜得以迅猛发展，在闽、台、琼、桂诸方占有主要阵地。《清稗类钞》记载："肴馔之有特色者，如京师、山东、四川、广东……。"粤菜其时已成为我国四大菜系之一。而在这个大菜系中，又按地域自然形成了广州菜、潮州菜、东江菜三大流派，风味各异。

正因为粤菜善于博采众长，融会贯通，鸦片战争后，相继传入的西餐烹调技艺也给粤菜留下鲜明的中西合璧的烙印。这一点较之其他各大菜系尤为显著。乃至近年来涌起的"新派粤菜"潮流，就是在发扬粤菜博采众长、用料广杂的传统特色基础上，更加广泛地运用当今世界各国的食物原料、调味料及烹调方法来变化菜品。其糅合南北风味，中西风格，并集菜肴、点心、小食于一身的特点更为明显。

2. 特点

粤菜口味讲究鲜、嫩、滑爽、生脆，擅长煎、炒、烧、烩、烤等，调味喜用蚝油、虾酱、梅膏、沙茶、红醋和鱼露，颇具特色。菜肴色彩浓重，清淡爽口，滑而不腻。粤菜用料广博奇异，善用生猛海鲜，尤以烹制蛇、狸、猫、狗、猴、鼠等野生动物而负盛名。烹调技艺多样善变，口味清新，讲究鲜、爽、嫩，并注重养生功效。

3. 代表菜

著名的菜肴品种有龙虎斗、五蛇羹、盐火焗鸡、蚝油牛肉、烤乳猪、干煎大虾碌、冬瓜盅、潮州冻肉、文昌鸡、五彩炒蛇丝、护国菜等。

2.2.5 徽菜

徽菜菜系又称"徽帮"、"安徽风味"，是中国著名的八大菜系之一，以皖南、沿江、沿淮三地区的地方菜为代表构成的。其特点是选料朴实，讲究火功，重油重色，味道醇厚，保持原汁原味。徽菜以烹制山野海味而闻名，早在南宋时，"沙地马蹄鳖，雪中牛尾狐"，就是那时的著名菜肴了。其烹调方法擅长于烧、焖、炖。

1. 形成

徽菜原是徽州山区的地方风味。由于徽商的崛起，这种地方风味逐渐进入市肆，流传于苏、浙、赣、闽、沪、鄂以至长江中下游区域，具有广泛的影响。

徽菜的形成、发展与徽商的兴起、发迹有着密切的关系。徽商史称“新安大贾”，起于东晋，唐宋时期日渐发达，明代晚期至清乾隆末期是徽商的黄金时代。其时徽州营商人数之多，活动范围之广，资本之雄厚，皆居当时商团之前列。宋朝著名数学家朱熹的外祖父祝确，就是当时徽商的典型代表，他所经营的商栈、邸舍（即旅店）、酒肆，曾占据歙州城的一半，号称“祝半城”。明嘉靖至清乾隆年间，扬州著名商贾约八十人，其中徽商就占六十之多；十大盐商中，徽商竟居一半以上。徽商富甲天下，生活奢靡，而又偏爱家乡风味，其饮馔之丰盛，筵席之豪华，对徽菜的发展起了推波助澜的作用，哪里有徽商哪里就有徽菜馆。明清时期，徽商在扬州、上海、武汉盛极一时，上海的徽菜馆一度曾达至500余家。

在漫长的岁月里，经过历代名厨的辛勤创造、兼收并蓄，特别是解放以后，省内名厨的交流切磋、继承发展，徽菜已逐渐从徽州地区的山乡风味脱颖而出，如今已集中了安徽各地的风味特色、名馔佳肴，逐步成为一个雅俗共赏、南北咸宜、独具一格、自成一体的著名菜系。

2. 特点

徽菜的总体风格是：清雅淳朴、原汁原味、酥嫩香鲜、浓淡适宜，并具有就地取材、选料严谨，巧妙用火、功夫独特，讲究食补、以食养身，注重本味、菜式多样、南北咸宜的共同特征。

徽菜的烹饪技法，包括刀工、火候和操作技术，三个因素互为补充，相得益彰。徽菜之重火工是历来的优良传统，其独到之处集中体现在擅长烧、炖、熏、蒸类的功夫菜上，“符离集烧鸡”先炸后烧，文武火交替使用，最终达到骨酥肉脱原形不变的质地；“徽式烧鱼”几分钟即能成菜，保持肉嫩味美、汁鲜色浓的风格，是巧用武火的典范；“黄山炖鸡”、“问政山笋”经过风炉炭火炖熬，成为清新适口酥嫩鲜醇的美味，是文火细炖的结晶；而“毛峰熏鲥鱼”、“无为熏鸡”又体现了徽式烟熏的传统技艺。不同菜肴使用不同的控火技术是徽帮厨师造诣深浅的重要标志，也是徽菜能形成酥、嫩、香、鲜独特风格的基本手段，徽菜常用的烹饪技法约有二十大类五十余种，其中最能体现徽菜特色的是滑烧、清炖和生熏法。

3. 代表菜

著名的菜肴品种有符离集烧鸡、火腿炖甲鱼、腌鲜桂鱼、火腿炖鞭笋、雪冬烧山鸡、红烧果子狸、奶汁肥王鱼、毛峰熏鲥鱼、李鸿章杂烩等。

2.2.6 湘菜

湖南菜简称湘菜，是我国著名的八大菜系之一。从它自成体系以来，就以其丰富的内涵和浓郁的地方特色声扬海内外，并同其他地方菜系一起，共同构成中国烹饪这一充满勃勃生气的整体，凝成华夏饮食文化的精华。湘菜是以湘江流域、洞庭湖区和湘西山区的菜肴为代表发展而成的。其特点是用料广泛，油重色浓，多以辣椒、熏腊为原料，口味注重香鲜、酸辣、软嫩。烹调方法擅长腊、熏、煨、蒸、炖、炸、炒。

1. 形成

湘菜源远流长，在几千年的悠悠岁月中，经过历代的演变与进化，逐步发展成为颇负盛名的地方菜系。早在战国时期，伟大的爱国诗人屈原在其著名诗篇《招魂》中，就记载了当地的许多菜肴。西汉时期，湖南的菜肴品种就达 109 个，烹调方法也有九大类，这从 20 世纪 70 年代初长沙马王堆汉墓出土的文物中可以得到印证。南宋以后，湘菜自成体系初见端倪，一些菜肴和烹饪技艺由官府衙门盛行，并逐渐步入民间。明、清两代，是湘菜发展的黄金时期，此时海禁解除，门户开放，商旅云集，市场繁荣，烹饪技艺得到广泛的拓展和交流；其显著特征是茶楼酒馆遍及全省各地，湘菜的独特风格基本定局。清朝末期，湖南美食之风盛行，一大批显赫的官僚权贵，竞相雇用名师主理湘菜供其独享，而豪商巨贾也群起仿效。这些都为湘菜的提高与发展，客观上起到推波助澜的作用。

2. 特点

烹饪是科学，是艺术，更是一门文化。作为全国八大菜系之一的湘菜，除了与祖国古老的文化有着千丝万缕的联系之外，同时自身还具有其鲜明的特色。

一是选料广泛。湖南地处长江中游南部，气候温和，雨量充沛，土质肥沃，物产丰富，素称“鱼米之乡”。优越的自然条件和富饶的物产，为千姿百态的湘菜在选料方面提供了源源不断的物质条件。

二是品类丰富。湘菜之所以能自立于国内烹坛之林，独树一帜，是与其丰富的品种和味别不可分的。它品种繁多，门类齐全。就菜式而言，既有乡土风味的民间菜式，经济方便的大众菜式；也有讲究实惠的筵席菜式，格调高雅的宴会菜式；还有味道随意的家常菜式和疗疾健身的药膳菜式。据有关方面统计，湖南现有不同品味的地方菜和风味名菜达八百多个。近年来，为了满足人民群众的需求，湘菜正在向多样化、合理化、卫生化和营养化的方向发展。

三是擅长调味。湘菜历来重视原料互相搭配，滋味互相渗透，交汇融合，以达到去除异味、增加美味、丰富口味的目的。调味工艺随着原料质地而异，依菜肴要求不同，有的菜急火起味，有的菜文火浸味，有的菜先调味后制作，有的菜边入味边烹制，有的则分别在加热前或加热中和加热后调味，从而使每个菜品均有独特的风味。在烹制的多种单纯味和多种复合味的菜肴中，湘菜调味尤重酸辣。因地理位置的关系，湖南气候温和湿润，故人们多喜食辣椒，用以提神去湿。用酸泡菜作调料，佐以辣椒烹制出来的菜肴，开胃爽口，深受青睐，成为独具特色的地方饮食习俗。

四是技法多样。湘菜的烹调方法历史悠久，经过历代厨师的不断演化、总结和创新，到现在已经形成几十种烹调方法，在热烹、冷制、甜调三大类烹调技法中，每类技法少则几种，多的有几十种。

3. 代表菜

其著名菜肴品种有腊味合蒸、东安子鸡、麻辣子鸡、红煨鱼翅、汤泡肚、冰糖湘莲、金钱鱼、湘西酸肉等。

2.2.7 闽菜

闽菜是福建菜的简称，是中国八大菜系之一，在中国烹饪文化宝库中占有重要一席。烹调以熘、蒸、炒、炸、煨、炖为擅长，调味偏甜、酸、淡，善于用糟。福州、闽南、闽西三路显示出福建菜的不同风味。福州菜清鲜、淡爽，偏于甜酸；闽南菜讲究调料，善用甜辣；闽西菜稍偏咸、辣，具有山区风味的特点。闽菜的风格特色是：淡雅、鲜嫩、和醇、隽永。

1. 形成

闽菜起源于福建省闽侯县，它以福州、泉州、厦门等地的菜肴为代表发展起来的。丰富的山珍、野味、水产资源，为福建菜系提供了良好的物质条件。福建自唐宋以来，随着北方移民和泉州、福州、厦门对外通商，外地烹饪技术相继传入，使闽菜得到了进一步的发展，其特点是以烹制山珍海味著称，以清鲜、和醇、荤香、不腻为其风味特色，制汤有“一汤十变”之誉，其特点是以色调美观，滋味清鲜而著称。烹调方法擅长于炒、熘、煎、煨，尤以“糟”最具特色。由于福建地处东南沿海，盛产多种海鲜，如海鳗、蛏子、鱿鱼、黄鱼、海参等，因此多以海鲜为原料烹制各式菜肴，别具风味。

2. 特点

闽菜的特点主要表现在如下四个方面。

一是烹饪原料以海鲜和山珍为主。由于福建的地理形势倚山傍海，北部多山，南部面海。苍茫的山区，盛产菇、笋、银耳、莲子和石鳞、河鳗、甲鱼等山珍野味；漫长的浅海滩涂，鱼、虾、蚌、鲟等海鲜佳品，常年不绝；平原丘陵地带则稻米、蔗糖、蔬菜、水果誉满中外。山海赐给的神品，给闽菜提供了丰富的原料资源，也造就了几代名厨和广大从事烹饪的劳动者，他们以擅长制作海鲜原料，并在蒸、氽、炒、煨、爆、炸等方面独具特色。

二是刀工巧妙，一切服从于味。闽菜注重刀工，有“片薄如纸，切丝如发，剞花如荔”之美称。而且一切刀均围绕着“味”下工夫，使原料通过刀工的技法，更体现出原料的本味和质地。它反对华而不实，矫揉造作，提倡原料的自然美并且达到滋味沁深融透，成型自然大方，火候表里如一的效果。

三是汤菜考究，变化无穷。闽菜重视汤菜，与多烹制海鲜和传统食俗有关。长期以来把烹饪和确保原料质鲜、味纯、滋补联系起来，从长期积累的经验认为，最能保持原料本质和原味的当属汤菜，故汤菜多而考究。有的白如奶汁，甜润爽口；有的汤清如水，色鲜味美；有的金黄澄透，馥郁芳香；有的汤稠色酽，味厚香浓。

四是烹调细腻，特别注意调味。闽菜的烹调细腻表现在选料精细、泡发恰当、调味精确、制汤考究、火候适当等方面。特别注意调味则表现在力求保持原汁原味上。善用糖，甜去腥膻；巧用醋，酸能爽口，味清淡则可保持原味。

3. 代表菜

著名菜肴品种有佛跳墙、醉糟鸡、酸辣烂鱿鱼、烧片糟鸡、太极明虾、清蒸加吉鱼、荔枝肉、太极芋泥、东壁龙珠等。

2.2.8 浙菜

浙菜是中国八大菜系之一，是以杭州、宁波、绍兴、温州等地的菜肴为代表发展而成的。其特点是清、香、脆、嫩、爽、鲜。浙江盛产鱼虾，又是著名的风景旅游胜地，湖山清秀，水光山色，淡雅宜人，故其菜如景，许多名菜，来自民间，制作精细，变化较多。烹调技法擅长于炒、炸、烩、熘、蒸、烧。

1. 形成

浙菜的历史，也就是浙江烹饪的历史，可上溯到吴越春秋。越王勾践为复国，加紧军备，并在今绍兴市的稽山，过去称“鸡山”，办起大型的养鸡场，为前线准备作战粮草用鸡。故浙菜中最古的菜要首推绍兴名菜“清汤越鸡”。其次是杭州的“宋嫂鱼羹”，出自“宋五嫂鱼羹”，至今也有880年的历史。从杭州近郊的良诸和浙东的余姚河姆渡两处人类活动的古遗址中发现，从猪、牛、羊、鸡、鸭等骨骸中证明，浙菜的烹饪原料在距今四五千年前已相当丰富。东坡肉、蜜汁火方、叫化童鸡等传统名菜均离不开这些烹饪原料。南宋建都杭州，北方大批名厨云集杭州，使杭菜和浙江菜系从萌芽状态进入发展状态，浙菜从此立于全国菜系之列。

浙江菜以杭州、宁波、绍兴、温州风味为主，其中以杭州菜为代表。

杭州菜历史悠久，自南宋迁都临安后，商市繁荣，各地食店相继进入临安，菜馆、食店众多，而且效仿京师。据南宋《梦粱录》记载，当时“杭城食店，多是效学京师人，开张亦御厨体式，贵官家品件”。经营名菜有“百味羹”、“五味焙鸡”、“米脯风鳗”、“酒蒸鲥鱼”等近百种。明清年间，杭州又成为全国著名的风景区，游览杭州的帝王将相和文人骚客日益增多，饮食业更为发展，名菜名点大批涌现，杭州成为既有美丽的西湖，又有脍炙人口的名菜名点的著名城市。

2. 特点

浙菜有比较明显的特色风格，概而言之有四。

一为选料刻求“细、特、鲜、嫩”。“细 ”，取用物料的精华部分，使菜品达到高雅上乘；“特”，选用特产，使菜品具有明显的地方特色；“鲜”，料求鲜活，使菜品保持味道纯真；“嫩”，时鲜为尚，使菜品食之清鲜爽脆。

二为烹调擅长炒、炸、烩、熘、蒸、烧。海鲜河鲜烹制独到，与北方烹法有显著不同，浙江烹鱼，大都过水，约有 2/3 是用水作传热体烹制的，突出鱼的鲜嫩，保持本味。

三为注重清鲜脆嫩，保持主料的本色和真味，多以鲜笋、火腿、冬菇和绿叶菜辅佐，同时十分讲究以绍酒、葱、姜、醋、糖调味，借以去腥、戒腻、吊鲜、起香。

四为形态精巧细腻，清秀雅丽。此风格可溯至南宋，《梦粱录》曰：“杭城风俗，凡百货卖饮食之人，多是装饰车盖担儿，盘食器皿，清洁精巧，以炫耀人耳目……”许多菜肴，以风景名胜命名，造型优美。

3. 代表菜

久负盛名的菜肴有西湖醋鱼、生爆鳝片、东坡肉、龙井虾仁、叫化童鸡、清汤鱼圆、干菜焖肉、大汤黄鱼、爆墨鱼卷、锦绣鱼丝、宋嫂鱼羹等。

我国幅员辽阔，各个地区的自然条件、地理环境和物产资源有很大的差别。这是各地人民的饮食品种和口味习惯不同的物质基础和先决条件。俗话说：“靠山吃山，靠水吃水。”这个道理是毋庸多说的。但是社会的发展，政治、经济、文化中心的形成和转移，也是地方菜系的促成和催化因素。从上古到东周，华夏族的主要繁衍、活动地区在以黄河流域为中心的北方。因此，以陆产作为主要原料的北方菜，源远流长，对中华民族的饮食习惯的形成有很大的影响。战国时期，长江以南的楚、吴、越等国逐渐强盛，出现另一种色调的楚文化。从《楚辞·招魂》中可以看到南方菜以水产和禽类居多，显然与北方菜是两种不同的风格。在当时，无论北方菜或南方菜，都还处在发展的不自觉阶段，远没有发挥自已的优势，成为独立的流派。秦始皇统一中国，扩大了我国的版图，并且组织多次大规模的移民，开发边疆地区；于是西汉时，西南部巴蜀的经济文化获得发展，风土人情也进一步汉族化。南北朝时期是民族大迁徙的年代。北方少数民族统治中原后，与汉族逐渐融合；而汉族中的贵族阶级移居南方，带来了长江中下游经济文化的繁荣。这对日后出现苏菜、浙菜极有影响。隋炀帝开凿大运河，为南北打开一条通道；其扬州之行，更使扬州在全国的地位日益显要。到唐代，扬州成了中外、南北的交通枢纽，因而有“扬一益二”之说。扬州菜系，于此已见端倪。南宋都城临安是当时世界上最繁华、人口最密集的大城市之一。《武林旧事》中开始有“南食店”、“北食店”之称，可见那时还有南北菜系的分界，其实浙菜也已经崭露头角了。自辽、金、元开始，北京几乎一直是我国的首都。经过数百年的酝酿、积累，北京菜广泛吸收北方菜的众长，终于成为独树一帜的菜系。我国有川菜、粤菜、苏菜、浙菜、闽菜等名目，并自成体系，则是从清代才开始的。康熙和乾隆的多次“南巡”，各处地方官百般殷勤，佳肴纷呈，这对发展地方风味菜都起到很大作用。

各地菜系的最后完成，取决于必须涌现一大批名店、名厨和名菜，还必须有一大批名人、名著和名句的揄扬。例如京菜在明末清初还并不是很有名。到了乾隆年间，“北京烤鸭”开始小有名气。《燕京杂记》云：“京师美馔，莫妙于鸭，而炙者尤佳，其贵至有千余钱一头。”《竹叶亭杂记》亦云：“都城风俗，亲戚寿日，必以烧鸭烧豚相馈遗。”同治三年(1864)，河北蓟县人杨全仁在前门外开设“全聚德鸭店”，用填喂方法育鸭，肌肉丰满，皮薄脯大，挂炉烘烤后，皮脆、肉嫩、味香，名曰“北京填鸭”，并制成几十种鸭菜，称为“全鸭席”，从此名声大著，带动了其他京菜的身价日高。《都门杂咏》中有一首诗云：“闲来肉市醉琼酥，新到莼鲈胜碧厨。买得鸭雏须现炙，酒家还让碎葫芦。”又如浙菜的享誉也只有 100 多年历史。道光 28 年 (1848 年)，西湖孤山风景区开设一家楼外楼菜馆。据说当时店主请清代著名学者俞曲园题名。俞说：“既然你的菜馆开在我俞楼外侧，那就借用南宋林升“山外青山楼外楼”的名句，叫做“楼外楼”吧!”由于该菜馆精心烧制杭州传统名菜西湖醋鱼，滋味鲜美，引来各方游客都想登楼览湖，品尝美味，从而使浙江的其他佳肴也相得益彰，逐渐发展为一支很有特色的菜系。有人在该菜馆楹联上题曰：“推窗望湖平，水清柳翠，楼外风光好；举箸尝鲢肥，笋嫩莼鲜，席间笑语盈。”总之，地方风味菜，一要菜肴确实精美，富有特色，形成系列；二要有人善于总结经验，写成食谱，代代相传，并有所创新，发扬光大；三要办好一批著名菜馆，做出声誉；四要依靠名人文士制造舆论，扩大影响。没有这四条互相配合，是很难形成气候的。

中国菜虽然已经流派林立，各成系统，但这种局面也不一定是铁板一块，永不改变的。随着时间的推移，饮食业此消彼长的情况是经常要发生的。应该看到，由于交通的发达，缩短了各地区之间的距离，人们的口味将发生变化，各地名菜也在互相吸收对方的长处，这都可以使这个动态结构重新组合，乃至“合久必分，分久必合”。经过一番融合，然后在新的基础上分成新的菜系，这就有可能使中国菜“更上一层楼”。

2.3 其他风味流派

上下五千年辉煌璀璨的中华文化，孕育出饮食文化的一枝奇葩；纵横一万里壮丽富饶的神州大地，散布着香飘中外的八大菜系。除以上八大菜系外，中国菜肴还有许多风味流派，各有其浓厚的地方特色，在我国有着不同程度的影响。

2.3.1 少数民族风味菜肴

我国是一个幅员辽阔、人口众多的多民族国家。其中少数民族在我国人口中占很大的比例。在中国烹饪这个百花园地里，少数民族菜以它独特的烹调方法和著名的菜肴享誉中华大地。少数民族在长期历史发展中，也形成了各自的饮食文化模式，曾出现了不少著名的菜肴风味流派，主要有清真菜、蒙古族菜、满族菜、朝鲜族菜等。各个民族都有其独特的烹饪方法和著名的菜点。在此我们着重介绍清真菜，其他少数民族菜，亦各具特色，这里不一一详述。

清真菜为我国特色风味之一，是信奉伊斯兰教民族肴馔的总称，系由古代部分游牧民族饮食习俗演变而来。清者，洁如澄水，明如满月；真者，言无虚假，行无伪诈。要做到“清真”两字，从人到事，遍及至物，都须如此。公元七八世纪，回族在北京定居，公元 1279 年，元代在北京建立帝都，回民食品开始普及。经过近七百年的发展变化，渐已为北京人所接受，许多回民菜馆已在北京落户数十年乃至百年以上。

早期传入我国的清真菜，主要由阿拉伯人和后来逐渐形成的回族人民经营的，有三种形式：清真寺院菜、民间菜、小型商业菜。保持阿拉伯饮食文化风貌，选料上多用羊肉、洋葱、胡萝卜、胡椒面、杏仁粉、盐等，不喜用酱油。口味上以辣、甜、咸、酸为特色。工艺上以烤、炸、煮见长。后来逐渐形成各个地区不同风味的清真菜，大致分为三种风味特色：一是西北地区，保留了较多的阿拉伯饮食特色，以炸、煮、烤制作，口味浓厚；二是长江以北，以北京地区为代表的清真菜，烹调方法精细，擅制牛羊；三是杂居在南方沿海地区的回族清真菜，口味清淡，以海鲜禽类烹调最为拿手。各种风味清真菜构成了中国清真菜的总体。

清真菜的特点是嫩、脆、香、浓，烹调用料以油、盐、醋、糖为主，使用的酱、香料品种甚多，烹调方法除涮、烤之外，大致与京菜相似。清真膳食，擅烹牛羊肉，著名菜肴有“涮羊肉”、“锅烧牛脯”、“酱爆鸡丁”、“烤全羊”等。擅用烤、烧、爆、炸、扒、炖、煮、烩等烹调技法。肴馔品种繁多，风味独特。涮羊肉、烤全羊、炸羊尾、滑熘里脊、清炖牛肉、抓炒羊肉、白扒鸭条、烩鸭四宝、水爆肚仁等品，名扬四方。

最突出的特点还在于饮食禁忌比较严格，其饮食习惯来源于伊斯兰教教规。伊斯兰教认为，人们的日常饮食不仅为了养身，而且还要利于养性，因而主张吃佳美、合法的食物。所谓佳美，就是清洁、可口，富于营养。清真菜忌用猪、狗、驴、无鳞鱼以及所有自死动物等为原料入馔。《古兰经》指出不洁、禁吃的食物有自死的动物、血液、猪肉以及未诵安拉之名而宰的动物。此外无鳞鱼和凶狠食肉、性情暴躁的动物也不能吃，如鹰、虎、狼、驴、骡等。伊斯兰教规定可食的动物主要有：反刍的、食草的畜类和吃谷的禽类，如牛、羊、驼、鹿、兔、鸡、鸭、鹅、鸽以及河海中的鳞鱼、虾等。所谓合法，就是以合法手段取得。按照伊斯兰教的规定，宰杀这些供食用的禽畜，一般都要请清真寺内的阿訇认可的人（教门中专门从事屠宰的师傅）代刀，并且必须事先沐浴净身后再进行屠宰，宰杀时还要口诵安拉之名，方为合法。穆斯林个人高诵真主的尊名进行屠宰也是可以的。同西亚和北非阿拉伯穆斯林国家的菜肴相比，中国清真菜的风味迥异，而在饮食禁忌上则是完全相同的。

2.3.2 仿古风味菜肴

1. 宫廷菜

旧时皇室所用的肴馔。宫廷菜肴集四方贡珍奇品，御厨精烹，品式繁多，成为中国菜的组成部分之一。宫廷菜原本来自民间，进入皇宫后，选料更精，加工更细，并且在菜式和配套餐具、用具方面，又增加了皇宫特色。宫廷菜回到民间后，经多次实践，成为北京最具代表性的菜肴。宫廷菜是北京的一大特色，清代宫廷菜品种繁多，吸取历代美食精华，融南北烹调技艺，汇八方风味菜点，可谓集中华美食文化之大成。清代帝王入关前，生活在我国东北，平时饮食为满族食俗，定都北京后，宫中御膳房逐渐吸取汉、蒙、回族等烹调技艺和风味菜点。清朝后期，还把民间饭食和坊间小吃，列入食谱。康熙、乾隆多次到各地巡游，对江南美食和寺院素斋，十分赞赏。有时还把外地名厨带回北京。由此可见，清宫御膳实际上是中华美食的汇集。

历代帝王生活奢侈，清代也不例外，清宫膳食有专门机构管理、供应。下边的御膳房御厨很多，乾隆时已超过四百人，内膳房专供皇帝、皇后、嫔妃等膳食。御膳房内又分荤、素、挂炉、点心、饭食，等等；外膳房只承办宴席及侍卫、值班大臣的饭食。清朝被推翻后，御膳房厨师纷纷流入社会，经营饭馆。

宫廷菜选料讲究，有所谓山八珍、陆八珍和海八珍之说，主要原料除鸡、鸭、鹅、鸽、鱼、牛、羊、猪、甲鱼以外，还有熊掌、鹿、豹、鸵、犀、飞龙、虎、猴、果子狸等及参、鲍、贝、银耳、燕窝、口蘑、香菇和时鲜蔬菜、干鲜果品、蜜饯，等等。宫廷菜不仅选料精，而且制作格外细致，做出菜的色形要美，口味要清淡鲜醇，甜咸适口，有的菜肴还要求酥脆，且营养丰富，其中有一些是食疗补品或药膳。

2. 谭家菜

谭家菜是中国最著名的官府菜之一，由清末官僚谭宗浚的家人所创。谭氏为广东人，一生酷爱珍馐美味，他与儿子刻意饮食，并以重金礼聘京师名厨，得其烹饪技艺，将广东菜与北京菜相结合而自成一派。谭家菜先是在谭氏家中承办筵席。20世纪50年代初，谭家的几位家厨开馆经营谭家菜。谭家菜咸甜适口，南北均宜，调料讲究原汁原味，制作讲究火候足，下料狠，菜肴软烂，因而味道鲜美，质地软嫩。谭家菜近两百种佳肴，其海味菜最为有名，尤其是谭家菜中的清汤燕菜更有其独到之处。代表菜品有黄焖鱼翅、清汤燕菜、红烧鲍鱼、扒大乌参、草菇蒸鸡、银耳素烩、清蒸白鱼、柴把鸭子、珍珠汤、罗汉大虾、蚝油鲍鱼、砂锅鱼唇等。谭家菜流传到社会后，有人说：“戏界无腔不学谭（谭叫天），食界无口不夸谭（指谭家菜）”。

时至今日，谭家菜被完好地继承了下来，并获得了新的发展。作为中国官府菜中的一个最突出的典型，谭家菜不仅赢得了许多国内外美食家的赞美，也引起了不少烹饪研究家的兴趣。从中国烹饪历史角度说，谭家菜是一块活化石，提供了一份研究清代官府菜的最完整而准确的资料。

3. 孔府菜

孔府菜是中国著名的官府菜之一，在国内外享有极高的声誉，具有选料广泛、制作精细、造型美观、注重营养、豪华奢侈、讲究礼仪等特点。孔府的日常饮食肴馔，选料精而广、技法多而巧，具有浓厚的乡土气息，日常的食品富营养、讲时鲜、有风味、搭配调剂恰当；接待来宾的筵席菜则有严格的等级差别，讲究排场、注重礼仪。

在我国著名的文化古城山东省曲阜城内的孔府，又称为衍圣公府。这座坐北朝南三启六扇威严的宫殿式府第，门额上高悬蓝底金字“圣府”，它是孔子后裔的府第。中国封建社会，孔府既是公爵之府，又是圣人之家，乃“天下第一家”。历代统治者，都把孔子的后裔封为“圣人”。直至蒋介石 1935 年封孔子 77 代孙孔德成为“大成至圣先师奉报官”，并以“特任官待遇”，都是加官晋爵。从明清到近代，由于历代“袭封衍圣公”，官列“文臣之首”，权势十分显赫。“食不厌精，脍不厌细”是孔子的论述，历来作为饮食名言相传。孔府孔氏子孙在饮食方面较圣人有过之而无不及。因此，经过千万厨役的劳动，创造了独具特色的孔府烹饪。

孔府菜由家常菜和筵席菜组成。家常菜是府内家人日常饮食的菜肴，由内厨负责烹制；筵席菜是为来孔府之帝王、名族、官宦祭孔和拜访举办的各种宴请活动的菜肴，由外厨负责烹制。宴席菜和家常菜，虽然有时互相通用，但烹饪是有区别的。孔府宴席用于接待贵宾、上任、生辰家日、婚丧喜寿时特备。宴席遵照君臣父子的等级，有不同的规格。第一等用于接待皇帝和钦差大臣的“满汉全席”，是以清代国宴的规格设置的，使用全套银餐具，上菜 196 道，全是山珍海味，熊掌、燕窝、鱼翅等。另一种是喜庆寿宴的高摆宴席。在宴席上有四个“高摆”，是用江米面做成的图柱体，像支粗大的蜡烛，外面用各种干果填成图案和字形，写有“寿比南山”等吉言，每一个字，摆在银盘中，成为宴席的特殊装饰品，庄重高雅。

孔府有一种与火不接触的独特自烤菜。如烤花篮桂鱼，把炮制干净的桂鱼调味、造型后，网油，再包面饼，把鱼包封严密，放在铁钩上，下用木炭火两面烤熟，其鲜味不失，色白而嫩。食者知其味，不知其法，曾是孔府秘不外传的名菜制法。烤鸭、烤乳猪，都被孔府列为宴席菜，被称为“红烤菜”，指烤出的菜红润光亮。

孔府的另一类菜肴是“家常菜”，从米粥、煎饼、咸菜、豆腐到豆芽、香椿、鸡蛋、茄子，这些来自民间的常食小吃，经过孔府厨师的精巧制作，成为孔府的独特菜品，其原则是“精菜细作，细菜糖炒”。所以孔府的家常菜也是别有风味的。如豆芽菜，将豆芽去芽和根，清油快炒，鲜脆爽口，曾受到乾隆皇帝的赞赏。香椿芽也是山东西部民间春季常用的菜蔬，孔府每年收进数百斤上好的椿芽，供一年食用。

历史沧桑，时光流转，一个个封建王朝兴亡更替。经过历史的淘汰，官府菜真正能够完整流传下来的，实在是凤毛麟角。孔府菜是因孔府在历代封建王朝中所处的特殊地位而保全下来，孔府饮食生活十分讲究，设有内厨、外厨，历代相承。从接待皇亲贵戚、近支族人的豪华筵席，到日常饮膳之家常菜点，均由府内厨役操办，饮食精美，注重营养，风味独特，自成一套完善的饮食格局。《孔府档案》所载大厨饮食、宴席格局菜单等，为我国珍贵的烹饪史料。

代表菜品有：诗礼银杏、神仙鸭子、带子上朝、一卵孵双凤、怀抱鲤、玉带虾仁、花蓝桂鱼、孔府一品锅、八仙过海闹罗汉、白扒通天翅、红扒鱼翅等。孔府菜中有不少掌故，其中孔府一品锅之名源于孔府，是由皇帝赐名的一款孔府名菜，其后代承袭衍圣公，在明、清两代封爵为“当朝一品”官衔。乾隆皇帝赐孔府“满汉全席”银餐具中最大的一件，称当朝一品锅。另外还有一种圆形不分隔的一口锅，名曰 “钟鼎一口品锅”。后来的一品锅，因放入的锅料不同，又有燕菜一品锅、鱼翅一品锅、海参一品锅、什锦、素锅等。“带子上朝”、“怀抱鲤”，都是一大一小放在同一个餐具中，寓言辈辈为官、代代上朝。这些菜造型完整，不能伤皮折骨，所以在掌握火候调味、成型等方面，难度很大。“神仙鸭子”是大件菜，为保持原味，将鸭子装进砂锅后，上面糊一张纸，隔水蒸制。为了精确地掌握时间，在蒸制时烧香，共三炷香的时间即成，故名“神仙”。相传这是被逼出来的，衍圣公要求此菜做成立即趁热上桌，不得延误，要熟烂，又要准时，厨师想出点香计时的方法，成为烹饪中的美谈。白扒通天翅是孔府鱼翅大件席的一个主菜，主料选用名贵的白玉脊全翅，用白扒的烹调方法烹制鱼翅，滑润鲜美。八仙过海闹罗汉是大品锅菜。用八种鲜物做成各种形状，烧制而成，并以八仙过海闹罗汉命名。在数代孔府祝寿时，此菜为宴席的首菜，此菜上桌后，喜庆宴会才开始，为传统的孔府名菜。

4. 随园菜

随园菜系因袁枚的《随园食单》而得名的清代官府菜。清代乾隆时期著名诗人、文学家袁牧（号随园），是一位美食家。他根据自己的饮食实践，结合古代烹饪文献和听到的厨师关于烹饪技术的谈论，将有关烹饪的丰富经验系统地加以总结，形成烹饪学理论著作《随园食单》。此书以“单”为纲，共有十四单：须知单、戒单、海鲜单、江鲜单、特牲单、杂牲单、羽族单、水族有鳞单、水族无鳞单、杂素菜单、小菜单、点心单、饮粥单、茶酒单。书中所列 326 种菜肴和点心，自山珍海味到小菜粥饭，品种繁多，其中除著者常居的江南地方风味菜肴外，也有山东、安徽、广东等地方风味食品。书中讲述的烹饪饮食的理论，有许多是至今仍有应用价值的妙理与高论。

随园菜的主要风味特点是：

(1) 选料严格，以原书所载为准，决不降格而求；

(2) 加工与烹调精细卫生，严格按照原书的“二十须知十四戒”去做；

(3) 讲究色香味形器，保持官府菜的原貌；

(4) 注重筵宴的制作技艺，突出饮膳的文化气质和情韵。

其代表菜品有：八宝豆腐、素燕鱼翅、素烧鹅、叉烤山鸡、酒煨水鱼、栗子烧鸡、醉虾等。

2.3.3 特殊风味菜肴

1. 药膳

中国药膳是在中医药理论指导下，将药物进行调配，采用中国独特的饮食烹饪技术和现代科学方法，加工烹饪而成的具有防病治病、调理机体、保健强身功能和一定的色香味形的膳食。中国药膳不是食物与中药的简单相加，而是在中医辨证配膳理论指导下，由药物、食物和调料三者精制而成的一种既有药物功效，又有食品美味，用以防病治病、强身益寿的特殊食品。药膳选取入食的药材一般以植物性原料居多，经过前期加工，去除异味后方可使用。在配料时一般因人而异，根据食用者各人不同的生理状况配以不同的药材，以达到健身强体、治病疗疾的功用。

1) 形成与发展

中国药膳源远流长。古代关于“神农尝百草”的传说，反映了早在远古时代中华民族就已开始探索食物和药物的功用，故有“医食同源”之说。人类的祖先为了生存的需要，不得不在自然界到处觅食，久而久之，也就发现了某些动物、植物不但可以作为食物充饥，而且具有某种药用价值。在人类社会的原始阶段，人们还没有能力把食物与药物分开，这种把食物与药物合二而一的现象就形成了药膳的源头和雏形。也许正是基于这样一种情况，中国的传统医学才有“药食同源”之说。现代考古学家已经发现不少原始时代的药性食物，现代民族学也发现一些处在原始时代的民族会制作具有药物作用的食品，这些都证明药膳确实可以说起源于人类的原始时代。当然，这种原始的药膳雏形，还不能说是真正的药膳，那时的人们还不是自觉地利用食物的药性，真正的药膳只能出现在人类已经有了丰富的药物知识和积累了丰富的烹饪经验之后的文明时代。那么真正意义的药膳在我国究竟起源于何时，又是如何发展演变的呢？

我国自文字出现以后，甲骨文与金文中就已经有药字与膳字。而将药字与膳字联起来使用，形成药膳这个词，则最早见于《后汉书·列女传》，其中有“母亲调药膳思情笃密”这样的字句；《宋史·张观传》还有“蚤起奉药膳”的记载。这些记载证明，至少在一千多年前，我国出现药膳其名。而在药膳一词出现之前，我国古代典籍中，已出现有关制作和应用药膳的记载。公元前一千多年的周朝，宫廷医生分为四科，其中的“食医”，即通过调配膳食为帝王的养生、保健服务，同时书中还涉及其他一些有关食疗的内容。这些记载表明，我国早在西周时代就有了丰富的药膳知识，出现从事药膳制作和应用的专职人员。成书于战国时期的《黄帝内经》载有：“凡欲诊病，必问饮食居处”、“治病必求其本”、“药以祛之、食以随之”。并说：“人以五谷为本”，“天食人以五气，地食人以五味”，“五味入口，藏于肠胃”，“毒药攻邪，五谷为养，五果为助，五畜为益，五蔬为充，气味合而服之，以补精益气”。与《黄帝内经》成书时间相近的《山海经》中也提到了一些食物的药用价值：“枥木之实，食之不老”。上述医籍的记载，说明在先秦时期中国的食疗理论已具雏形。《黄帝内经》中共有 13 首方剂，其中有 8 首属于药食并用的方剂，说明这时药膳的制作与应用也较成熟。

秦汉时期药膳有了进一步发展。东汉末年成书的《神农本草经》集前人的研究，载药 365 种，其中大枣、人参、枸杞、五味子、地黄、薏苡仁、茯苓、沙参、生姜、葱白、当归、贝母、杏仁、乌梅、鹿茸、核桃、莲子、蜂蜜、龙眼、百合、附子等，都是具有药性的食物，常作为配制药膳的原料。汉代名医张仲景的《伤寒杂病论》、《金匮要略方论》进一步发展了中医理论，在治疗上除了用药，还采用了大量的饮食调养方法来配合，如白虎汤、桃花汤、竹叶石膏汤、瓜蒂散、百合鸡子黄汤、当归生姜羊肉汤、甘麦大枣汤等。在食疗方面张仲景不仅发展了《黄帝内经》的理论，突出了饮食的调养及预防作用，开创了药物与食物相结合治疗重病、急症的先例，而且记载了食疗的禁忌及应注意的饮食卫生，至今仍有实用价值。汉代以前虽有较丰富的药膳知识，但仍不系统，为我国药膳食疗学的理论奠基时期。

晋唐时期为药膳食疗学的形成阶段。这时的药膳理论有了长足的发展，出现了一些专门著述。晋代葛洪的《肘后备急方》、北魏崔浩的《食经》等著述，对中国药膳理论的发展起到了承前启后的作用。唐代名医孙思邈的《备急千金要方》专列有“食治”、“养老食疗”等，药膳方十分丰富。其中共收载药用食物 164 种，分为果实、菜蔬、谷米、鸟兽四大门类，至此食疗已开始成为专门学科，孙思邈还指出：“食能排邪而安脏腑，悦情爽志以资气血”、“凡欲治疗，先以食疗；既食疗不愈，后乃用药耳”；并认为“若能用食平疴，适性遣疲者，可谓良工，长年饵老之奇法，极养生之术也”。孙思邈的弟子孟诜集前人之大成编成了《食疗本草》，这是我国第一部集食物、中药为一体的食疗学专著，共收集食物 241 种，详细记载了食物的性味、保健功效，过食、偏食后的副作用，以及其独特的加工、烹调方法，对后世影响较大。

宋元时期为食疗药膳学全面发展时期。至宋代，王怀隐等所著的《太平圣惠方》论述了许多疾病的药膳疗法，记载药膳方剂 160 首，可以治疗 28 种病症，且药膳以粥、羹、饼、茶等剂形出现。陈直的《养老奉亲书》是我国现存的早期老年医学专著，在其所载的方剂中，药膳方约占 70%。该书强调：“凡老人之患，宜先以食治，食治未愈，然后命药。”元朝的统治者也重视医药理论，提倡蒙、汉医的进一步结合和吸收外域医学的成果。由太医忽思慧所编著的《饮膳正要》为我国最早的营养学专著，药膳方和食疗药方十分丰富，收载食物 203 种，涉及对疾病的治疗；首次从营养学的观点出发，强调正常人应加强饮食、营养的摄取，用以预防疾病；详细记载了饮食卫生、服用药食的禁忌及食物中毒的表现，颇有见解；且有妊娠食忌、乳母食忌、饮酒避忌等内容。

明清时期是中医食疗药膳学进入更加完善的阶段。几乎所有关于本草的著作都注意到本草与食疗学的关系，对于药膳的烹调和制作也达到了极高的水平，且大多符合营养学的要求。明代的医学巨著《本草纲目》给中医食疗提供了丰富的资料，收载了许多药膳方，仅药粥、药酒就各有数十则；仅谷、菜、果三部就收300多种，其中专门列有饮食禁忌、服药与饮食的禁忌等。明代高濂的养生学专著《遵生八笺》，也载有许多养生保健药膳。此外卢和的《食物本草》、贾铭的《饮食须知》等，它们至今在临床及生活中仍有较大的实用价值。清代的药膳专著各有特色，如章穆的《调疾饮食辩》所涉及的药用食物更多；袁枚的《随园食单》介绍了多种药膳的烹调原理和方法；曹庭栋的《老老恒言》中则列出老年保健药粥百种。这一时期的食疗学还有一个突出的特点，就是提倡素食的思想得到进一步发展，如黄云鹄所著的《粥谱》、曹庭栋的《老老恒言》均重视素食，这对于食疗、养生学的发展均有帮助。

中国药膳起远古至现今，源远流长，自宫廷到民间，广为传播，且在国外也享有盛誉。药膳是中国传统饮食和传统医学的重要内容，如今药膳的品种在传统工艺的基础上正在不断增加，结合现代科研成果制成的具有治疗作用的食品、饮料，品种繁多，各具特色。

2）特点

中华药膳在中国菜中独具特色。其特点是以中医理论为基础，将中药材经过严格的加工，与传统烹饪原料结合而烹制成的可口菜肴，在进餐的同时起到治病养身的作用。药膳在中国源远流长，历来有“药补不如食补”之说，药膳取材广泛，用料考究，制作严谨，品种丰富，风味独特。中国药膳具有以下特点。

(1) 注重整体，辩证施食。所谓“注重整体”、“辩证施食”，即在运用药膳时，首先要全面分析患者的体质、健康状况、患病性质、季节时令、地理环境等多方因素，判断其基本症型，然后再确定相应的食疗原则，给予适当的药膳治疗。根据人们的体质和患者的病症进行辨体和辨证施食，是药膳食疗的精髓。药食结合是中医的传统疗法，为综合治疗中的一种重要方法。它是以中医的阴阳五行学说、脏腑经络学说为基础，结合本草学原理，采用辨证施治的理论进行调整补养的治疗方法。药膳只有在中医药的理论指导下，充分利用药物、食物的作用才能调节人体脏腑的功能。药膳应在辨证施治的原则下选用对症的食疗才能取得预期的效果，只有在正确的辨证基础上，明确不同食用者的病变所在，有针对性地选用不同的药膳，才能达到目的。在运用“辨证施治”原则的时候还应注意四时气候、地理环境对人的生理、病理的影响，在不同的季节选用不同的药膳。

(2) 防治兼宜，效果显著。药膳既可治病，又可强身防病，这是有别于药物治疗的特点之一。药膳尽管多是平和之品，但其防治疾病和健身养生的效果却是比较显著的。但是，药膳不等于营养，药膳也不是普通食物。它强调中药和食物的合理调配，在药物或食物的配伍组方上，按药物食物的性质，有目的地进行调配组合，取药物之性，用食物之味，食借药力，药助食威。

(3) 良药可口，服食方便。由于中药汤剂多有苦味，故民间有“良药苦口”之说，有些人多畏其苦而拒绝服用；而药膳使用的多为药、食两用之品，且有食品的色、香、味等特性。药膳不是药，药膳强调的是“膳”，是以食物为主，配以少量药物。即使加入了部分药材，由于注意了药 物性味的选择，并且通过与食物的调配及精细的烹调， 仍可制成美味可口的药膳。因此，药膳不应有过多的药物异味，应该是药借食味，食助药性，变“良药苦口”为“良药可口”，满足人们“厌药喜食”的天性。药膳的主要原料是药物和食物，它必须寓药于食，寓性于味，融药物功效与食物美味于一体。因此，它也就必须以精湛的烹调艺术为手段，借助炖、焖、煨、蒸、煮、熬、炒、卤、烧等中国传统的烹调方法，同时按患者身体的需要进行中药的调补和选料。对所选用的中药应根据药物的不同，采用不同的炮制、加工方法及分离提取法，以保证制成的食品既具有一般美食的色、香、味、形，又可在享受美味的同时达到治病、保健和强身的作用。

3）代表菜

代表菜品有黄芪枸杞炖乳鸽、莲子百合煲瘦肉、沙参玉竹煲老鸭、熟附煨姜焖狗肉、川芎白芷炖鱼头、赤小豆焖鲤鱼、冬虫夏草炖老鸭、猪腰煲杜仲、仙人掌炒牛肉、枸杞炖牛鞭、马齿苋绿豆汤、韭菜炒鲜虾、川贝冰糖炖饭汤、天麻炖猪脑、砂仁蒸鲫鱼等。

2. 素菜

素菜通常指用植物油、蔬菜、豆制品、面筋、竹笋、菌类、藻类和干鲜果品等植物性原料烹制的菜肴。中国素菜源远流长，从很早的时候起便自成体系，独树一帜，风格别致，并形成了选料精细、制作考究、口味清淡、花样繁多的一种菜系，成为丰富多彩的中国菜肴和食文化的一个重要组成部分。其显著特点是以时鲜为主，选料考究、技艺精湛，品种繁多，制作精细，用料四季分明，刀工精巧，精益求精，造型美观，色彩悦目，营养丰富，风味别致。

中国素菜由寺院素菜、宫廷素菜、民间素菜三种风味组成。寺院素菜又称为斋菜，是专门由香积厨制作，供僧侣和香客食用的菜肴；宫廷素菜，是专门由御厨制作，供帝王斋戒时享用的菜肴；民间素菜是在继承传统素菜品种的基础上，吸收宫廷和寺院素菜的精华而在民间素菜馆发展而形成的菜肴。

1）形成与发展

人们说起素菜，多有素菜源于寺院的说法，其实不然。据《礼记》等古代文献记载，远在佛教传入中国前和中国道教确立以前，中国已有“素食”之说。《仪礼·丧服》记载：“既练……饮素食。”讲的是祭祀先人时要素食。《礼记·场记》说：“七日戒，三日斋。”这里讲的“斋戒”，即是古人在祭祀或遇重大事件时，事先要数日沐浴更衣、独居并素食和戒酒等，使心地纯一诚敬，称“斋戒”，素食即是其中之一。

我国的素食形成于汉代，发展于魏晋时期和唐代，这与当时植物蔬菜的更加丰富不无关系。汉代张骞出使西域，带回大量外域的瓜果蔬菜及豆腐的发明等，都为素食的发展奠定了一定的物质基础。魏晋南北朝时期，佛教的盛行和寺院经济的发展，使素食素菜的发展进入一个关键阶段。南朝梁武帝萧衍是虔诚的佛教徒，他弘扬佛法，尊崇僧尼，大兴佛寺，吃斋茹素，发明了面筋。一经皇帝提倡，各地效尤，素食之风盛行大江南北。在这一时期，住进寺院的佛教徒们认为吃素是“仁者的美德”，寺院也规定了严格的清规戒律。在寺庙掌握相当的经济实力后，具备了条件，又反过来研究饮食。原来一些简单的素食并不可口，于是，这些佛教徒们就自然而然地研究、探讨怎样将素菜做得更好吃，久而久之，就形成了一个风格更加独特的“素菜系”。北魏贾思勰《齐民要术》中载有11种“素食”，如葱韭羹、瓠羹、油豉、膏煎紫菜、薤白蒸、蜜姜、茄子等。到宋代，许多大城市出现了素菜馆、素面馆，素菜品种十分丰富。清新的素菜和精巧的素点，犹如万紫千红的朵朵鲜花，出现在宋元都市的饮食市场中。

我国素菜的大发展是在明清时期，特别是到清朝，素菜还出现了三个不同的派别，即“寺院素食”、“宫廷素食”、“民间素食”。三个素菜系都有自己的拿手名菜和得意名厨，风格迥异，各有千秋。宫廷素食质量首屈一指；寺院素菜制作十分精细、讲究，到嘉庆年间又出现“以果子为肴者”，如炒苹果等。更有甚者，还有以花叶入馔者，如胭脂叶、金雀花、韭菜花、菊花瓣、玉兰花瓣、玫瑰花瓣等，甚是新奇。随着时间的推移，素菜已大有与荤菜分庭抗礼之势，人们对素菜的兴趣日益增加。

2）基本特点

素菜的烹饪技艺主要在于色、香、味，而不在于形。因为最好的素菜在于素菜本身的特色，失去了固有的特色，也就不成佳肴了。素菜是中国饮食体系中的一个重要组成部分，以时鲜为主，清幽素净，这是素食区别于荤食的显著特点。鲜爽素净的蔬菜，是人间真正有味的佳品，在我国的饮食文化中占有一席之地。纵览中国的素菜系列，主要具有如下三大特征。

首先，别具风味，有利于人体健康。素菜主要以绿叶菜、果品、菇类、豆制品、植物油为原料，味道鲜美，富有营养，容易消化。有的素菜还有抗癌和防腐作用，对人们的身体健康十分有益。

其次，选料极广，珍品繁多。综观我国的大江南北，以及长城内外，各个地区都有丰富的素菜原料，不但味道好，而且营养成分也很高。明代刘若愚在《明宫史·饮食好尚》一书中，曾介绍许多名特素蔬，如五台的天花羊肚菜、鸡腿银盘等蘑菇；东海的海白菜、龙须、海带、鹿角、紫菜；江南的莴笋、糟笋、香菌；辽东的松子；苏北的黄花、金针；北京的山药、大豆；南京的苔菜；武当的莺嘴笋、黄精、黑精；北方的山货如栗、梨、枣、核桃、蕨菜、蔓菁等。到现在，可以用于制作素菜的原料更广，珍品也更多，如西湖药菜、各类银耳、各类人造香菇和草菇，等等。

第三，模仿荤菜，形态逼真，口味相近或相似。素菜经由厨师之手，可以以假乱真，如素鸽蛋透明逼真，竹笋可做成名贵的“鱼翅”，木耳可变成蓬莱“海参”等。

我国的素菜发展到现在，品种已达8 000种。按其制作方法，大体可分为三类。一是卷货类：用油皮包馅卷紧，淀粉勾芡，烧制，如素鸡、素酱肉、素肘子、素火腿、素肉、素肠等。二是卤货类：以面筋、香菇为主，烧制而成，如素什锦、香菇面筋、酸辣片等；三是炸货类：经过油煎炸而成，如素虾、香椿鱼、小松肉等。

3）代表菜

代表菜品有素油鸡、白烧干贝、半月沉江、金边白菜、西湖莼菜汤、灯影苕片、冰糖湘莲、冰糖甲鱼、菊花素海参、奶汤煮干丝、炸金钱里脊、罗汉斋、桂花鲜栗羹、鼎湖上素、宫保鸡丁、白扒鱼翅、丝雨孤云、百合桃、酸菜粉丝冻豆腐、雪菜冬笋、清汤竹荪、冬菇豆腐、香泥藏珍、清蒸冬瓜盅、烤菜花（北京广济寺名菜）、扬州干丝（扬州大明寺名菜）、火烧赤壁（上海静安寺名菜）等。

本章小结

本章主要介绍了中国菜系的发展及其特点。中国是一个多民族的国家，由于地理、气候、物产、文化、信仰等的差别，菜肴的风味差别很大，形成了众多流派。菜系的划分单就汉族的饮食特点而言，目前有四大菜系、八大菜系、十大菜系之说，而且划分系类仍有继续增加的趋势。从菜系的命名看，虽以省命名，但其影响所及则远远超出省的界限，凡在饮食习俗方面都受其影响，口味、烹调都一般相同，这就是菜系的范围。当然在一个菜系之内，还有不少流派或分支，这不过是“大同”之中的“小异”。就鲁、川、粤、苏四大菜系而论，鲁菜的范围除山东外，还有华北平原、京津地区、东北三省以及晋陕都是山东菜的口味和食俗的地域，成为北方菜的主干。川菜则是以天府之国为中心扩展至长江中上游、两湖、云贵一带的广大地区。粤菜主要是珠江流域，闽贵也都受其影响。苏菜为淮河、长江下游的广大地区，以及沪、杭、宁等城市亦属这一范围。当然这只是概略的划分，接壤地区有些是交叉的。

思考题

1. 中国的菜系是怎样形成的？
2. 中国的八大菜系的主要特点各是什么？
3. 中国菜肴的主要特点有哪些？
4. 仿古和特殊风味菜肴主要指什么，各有何特点？
5. 谈谈你对药膳的看法。

第3章　中国饮食民俗

学习目标

◎ 理解中国的传统饮食习俗。
◎ 熟悉我国主要的年节文化食俗。
◎ 了解我国各少数民族的主要食俗。

饮食民俗是指人们在筛选食物原料，加工、烹制和食用食物过程中，即民族食事活动中所积久形成并传承不息的风俗习惯，也称为饮食风俗、食俗。一般包括年节食俗、日常食俗、宗教信仰食俗、少数民族食俗等。

中国人的传统饮食习俗是以植物性食料为主，主食是五谷，辅食是蔬菜，外加少量肉食。形成这一习俗的主要原因是中原地区以农业生产为主要的经济生产方式。但在不同阶层中，食物的配置比例也不尽相同，因此，古代也称在位者为“肉食者”。

以热食、熟食为主，也是中国人饮食习俗的一大特点。这与中国文明开化较早和烹调技术的发达有关。古人认为，热食、熟食可以“灭腥去臊除膻”（《吕氏春秋·本味》）。热食不仅是中国人的饮食习惯，而且是中国菜肴审美的关键，是中餐的灵魂。袁枚在《随园食单》中谈到，菜肴的鲜美“全在起锅时”，“略为停顿，便如霉过衣裳，虽锦绣绮罗，亦觉……旧气可憎矣!”他还说到“以起锅滚热之菜，不使客登时食尽，而留之以至于冷，则其味之恶劣可知矣。”此外，成语“惩羹吹齑”、商周时期的“温鼎”等都从不同侧面反映出中国人热食的悠久历史。

在饮食方式上，中国人也有自己的特点，这就是聚食制。与西方的分食制不同，中国人素来以聚食为传统。聚食制的起源很早，从许多地下文化遗存的发掘中可见，古代炊间和聚食的地方是统一的，炊间在住宅的中央，上有天窗出烟，下有篝火，火上安放陶釜、陶鼎，在火上做炊，就食者围火聚食。这种聚食古俗，一直至后世。聚食制的长期流传，是中国重视血缘亲属关系和家族家庭观念在饮食方式上的反映。当原始社会进入父系氏族时期后，家族的观念深入人心，聚食制更是被根深蒂固地保存下来。两汉以后，这种聚食制又进一步延伸扩展成各种形式和目的的宴聚，从普通百姓的婚丧嫁娶，士人阶层的野宴郊游，到国家之间的礼尚往来，无不包含程序复杂、礼仪繁缛的筵宴聚餐。可以说，这种聚食制充分体现了华夏民族渊源深厚的血缘和家族观念，同时也是中国政治历史上的大一统思想在饮食文化领域的侧面反映。

合餐并不是与生俱来的，事实上，它约在宋代才真正出现，距今仅有千年历史。此前，中国人一直实行分餐之制。分餐或合餐受到很多条件的制约，其中之一就是家具。上古、中古之时，并无桌椅板凳，人们席地而坐，面前摆一张低矮的小食案，轻巧的食具置于案上，重大的食具放在地上。食案一人一张，各自进食。南北朝时期，北方少数民族南迁，带来了他们的凳子、椅子、胡床等家具，这对汉族的传统家具是个重大冲击，也对饮食习俗产生了一定影响。敦煌壁画《宫乐图》中，十余宫女围坐在一张大食案前，一人一碗，案中有一大碗，一宫女正手执长勺将大盆内的饮料分给同伴，可见高桌会食已经开始。南唐画家顾因中的传世名作《韩熙载夜宴图》，描绘的是五代时期一个难得的夜宴场面。每人面前都摆放一份完全相同的食物，碗边放着互不混杂的勺和筷子，看似合食，实乃分餐，与唐代情形一样。这种以合餐为名，分餐为实的做法是由分餐向合餐转变过程中的一个中间环节，这个转变的最后完成是在宋代。这与当时社会生活的丰富和世俗化、与封建社会后期的思想观念是一致的。

人们今天对一日三餐习以为常，仿佛自人类诞生之日起就是这样。其实不然，在很长的时期内，古人一日两餐，后逐渐演变为三餐，这经过了漫长的过程。

在远古的“茹毛饮血”时代，并无食制，先民饥饱也无定时。捕得食物时就饱餐一顿，运气不佳时，也可能多日不饱，尤其是冬天。殷商时，人们已能根据太阳在天空中的位置来表示时间了，他们把一天分为旦、旦明、旦日。一日两餐，早餐 (大食) 约在七到九点，晚餐 (小食) 约在三到五点，早餐量多且丰富，晚餐量少且简单。这种两餐制与当时的社会环境相适应，那时，“日出而作，日入而息”，白天正是繁忙时间。“日中为市，致天下之民，聚天下之货，交易而迟”，所以重视早餐，以补充所需能量；晚上不事劳作，故不必多吃。东周时期，随着社会生产的发展，整个社会面貌发生了很大变化，生活内容日渐丰富。战国时专用灯具的大量出现表明有了夜间娱乐活动，于是，一日两餐就不能满足果腹的需要了。所以，在部分层次和场合，出现了一日三餐的现象。两汉时，种类繁多的灯具，说明当时人们已不再是日入而息了，而生活习惯的改变必然影响到饮食习俗。所以，在汉代的时间分段中，已有早食，晡时或下晡 (午餐)，暮食或夜食 (约晚十点) 之分，明确表明一日三餐。另外，汉代以后，中国封建社会进入大发展时期，劳动强度增大，两餐制已不能满足身体的需要。同时，社会的发展，粮食作物的丰富，为日食三餐提供了经济基础。至此，一日三餐经过战国、秦的尝试，到汉代形成定式。

在食具方面，中国人的饮食习俗的一大特点是使用筷子。筷子，古代称箸，在中国有悠久的历史。《礼记》中曾说“饭黍毋以箸”，可见至少在殷商时代，已经使用筷子进食。我国较早的餐具是刀和俎，俎是长方形的小板，曰砧板。人们把煮好的肉从鼎里捞出，置于俎上，用刀割着吃，通常是一人一俎。《史记·项羽本纪》中樊哙说：“如今人为刀俎，我为鱼肉”。与刀俎配合使用的还有匕，类似后世的勺匙，尖形，刃部锋利，便于叉肉。如果烹煮的是蔬菜的话，无论用匕还是用刀都很不方便，于是人们就用两根细长之物来夹菜，这就是最早的筷子。先秦时期就已为人们使用，在商代后期的墓葬中还出土过铜筷。《礼记·曲礼》中“羹之有菜者用梜”，“梜”即筷，意思是说，如果汤羹中有菜，用筷去捞。先秦之时，人们吃饭依然主要用匕，辅之以筷。汉代以后，筷子逐渐风靡流行，于是成为中国最有特点、最引外国人注目的餐具。筷子质地有黄金、白银、象牙制的，更多的是竹、木制的。一双筷子在手，运用自如，既简单经济，又很方便。许多欧美人看到东方人使用筷子，叹为观止，赞为一种艺术创造。实际上，东方各国使用筷子多出自中国，中国人的祖先发明筷子，确实是对人类文明的一大贡献。

3.1 中国民间年节文化食俗

3.1.1 春节食俗

春节是中华民族最重要的传统节日。我国过春节的历史，可以上溯到尧舜时代，不过那时的春节不是在正月。到汉武帝时，确定以农历正月初一，即“岁首”为春节，一直至今。春节，古代称“元旦”、“元日”等。辛亥革命以后，我国开始采用公历纪年，改称“春节”。春节是中国民间历史最悠久、最隆重的传统节日，也是汉族和大部分少数民族的共同节日。

春节期间，饮食是其中的重要内容。人们在春节必食年糕的风俗，起源于春秋战国时期，盛于明代，是我国大江南北共有的民间食俗。全国各地几乎都用江米面和黍子粘面做成年糕（也叫粘糕），寓意“年年高”。年糕也是汉族过新年的必备食物，做年糕的谷物有多种，各地做法不尽相同，其中以江南的水磨粘糕最为著名。北方则吃白糕或黄米粘糕，西南少数民族习惯吃糯米粑粑。

每逢新春佳节，饺子更成为一种应时不可缺少的佳肴。据三国魏人张揖著的《广雅》记载，那时已有形如月牙称为“馄饨”的食品，和现在的饺子形状基本类似。到南北朝时，馄饨“形如偃月，天下通食”。据推测，那时的饺子煮熟以后，不是捞出来单独吃，而是和汤一起盛在碗里混着吃，所以当时的人们把饺子叫“馄饨”。这种吃法在我国的一些地区仍然流行。大约到了唐代，饺子已经变得和现在的饺子一模一样，而且是捞出来放在盘子里单独吃。宋代称饺子为“角儿”，它是后世“饺子”一词的词源。这种写法，在其后的元、明、清及民国间仍可见到。元朝称饺子为“扁食”。明朝万历年间沈榜的《宛署杂记》记载：“元旦拜年……作匾食”。刘若愚的《酌中志》载：“初一日正旦节……吃水果点心，即匾食也。”元明朝“匾食”的“匾”，如今已通作“扁”。清朝时，出现了诸如“饺儿”、“水点心”、“煮饽饽”等有关饺子的新的称谓。饺子名称的增多，说明其流传的地域在不断扩大。民间春节吃饺子的习俗在明清时已经相当盛行。饺子一般要在年三十晚上 12 点以前包好，待到半夜子时吃，这时正是农历正月初一的伊始，吃饺子取“更岁交子”之意，“子”为“子时”，交与“饺”谐音，有“喜庆团圆”和“吉祥如意”之意。

过年吃饺子有很多传说，一说是为了纪念盘古氏开天辟地，结束了混沌状态；二是取其与“浑囤”的谐音，意为“粮食满囤”。另外，民间还流传吃饺子的民俗与女娲造人有关。女娲抟土造成人时，由于天寒地冻，黄土人的耳朵很容易冻掉，为使耳朵能固定不掉，女娲在人的耳朵上扎一个小眼，用细线把耳朵拴住，线的另一端放在黄土人的嘴里咬着，这样才算把耳朵做好。老百姓为了纪念女娲的功绩，就包起饺子来，用面捏成人耳朵的形状，内包有馅（线），用嘴咬吃。

饺子成为春节不可缺少的节日食品，究其原因：一是饺子形如元宝。人们在春节吃饺子取“招财进宝”之意，二是饺子有馅，便于人们把各种吉祥的东西包到馅里，以寄托人们对新的一年的祈望。在包饺子时，为了讨吉利，人们往往把硬币、糖、花生仁、枣和栗子等与肉馅一起包进新年的饺子里。吃到硬币的人，象征新年发财；吃到糖的人表示来年日子更甜美；吃到花生仁象征健康长寿等。

有些地区的人家在吃饺子的同时，还要配些副食以示吉利。如吃豆腐，象征全家幸福；吃柿饼，象征事事如意；台湾人吃鱼团、肉团和发菜，象征团圆发财。饺子因所包的馅和制作方法不同而种类繁多。即使同是一种水饺，亦有不同的吃法：内蒙古和黑龙江的达斡尔人要把饺子放在粉丝肉汤中煮，然后连汤带饺子一起吃；河南的一些地区将饺子和面条放在一起煮，名日“金线穿元宝”。饺子这一节日佳肴在给人们带来年节欢乐的同时，已成为中国饮食文化的一个重要组成部分。

春节期间，各种群众自娱活动很多，鞭炮声此起彼伏，家家户户的室内和门上贴上年画和春联。年画起源于古代的门神画，而门神画早在尧舜时期就已出现，两汉时期已很流行。唐代时，太宗为感谢手下两元大将秦叔宝和尉迟恭忠心护驾，又唯恐他们长期夜守宫门外过于辛苦，让人把两位将军的形象画在大门上。这样，鬼怪不敢侵扰，他们二人也可以休息。后来几经演变，形成了独特的风格，便是现在的年画。春联起源于我国古代的“桃梗”。《淮南子》上说，桃符（即桃梗）是桃木刻成的，上面刻着灭祸降福的咒语，一年一换。五代后蜀皇帝孟昶在过春节时，心血来潮，命翰林学士辛寅逊题词于门上“桃符”，后亲自题联“新年纳余庆，佳节号长春。”这便是我国最早的春联。而春节爆竹之俗始于汉代，已有两千多年的历史。据《荆楚岁时记》记载，“岁旦，鸡鸣而起，先于庭前爆竹，以辟山臊恶鬼。”当时用火烧竹子，使之爆裂，发出“劈啪”声，以避邪驱鬼，祈盼来年幸福吉祥。

中国是个多民族的国家，除汉族外还有55个少数民族。他们虽有不同的语言、文字，有不同的生活方式和风俗习惯，但是他们大多数都以春节作为本民族的重大节日来欢庆。春节期间，我国各族人民按照自己的习俗，举行各种各样的庆祝活动，具有各自浓厚的民族独特风采。

达斡尔族：年年高

达斡尔族有拜年的习惯，春节时，人们穿上节日盛装，逐家走访，互相祝贺。每家都备有蒸糕，拜年者一进门，主人就用蒸糕款待。“糕”在汉语中与“高”谐音，以糕款待，表示互相在新的一年中，生活水平进一步提高。

蒙古族：酒肉不尽

蒙古族过春节却是另一番景象，节前家家户户都备下了当年生长的公羊和各种奶制品以及几坛美酒。除夕之夜，人们穿上漂亮的蒙古袍，全家席地坐在蒙古包中央，迎接新的一年的到来。午夜开始饮酒进餐，按常规要多吃多喝，酒肉剩得越多越好，这样象征着新的一年酒肉不尽，吃喝不愁。

高山族：围炉

居住在中国台湾省的高山族，他们在过春节时则是另一番情趣。除夕晚上，一家老少围坐在放有火锅的圆桌上聚餐，叫做“围炉”。平常滴酒不沾的妇女，也要象征性地喝一口酒，以示吉利。“围炉”时吃的蔬菜不用刀切，洗净后带根煮熟，表示祝愿父母长寿。如果家里有人外出，也要空出一个席位，把这个人的衣服放在空位上，表示全家人对他的思念。

3.1.2 元宵食俗

农历正月十五日元宵节，又称上元节、灯节，是整个农历新年的欢喜结尾。人们在这天提灯笼、猜灯谜、吃元宵，各地还有许多别具地方特色的民俗活动。这天是一年中第一个月明之夜，晚上家家户户点红灯，吃定心圆（糖圆）、汤团，庆贺团圆。元宵节必吃元宵，是各地的普遍食俗。不过陕西有的地方这天要吃在面汤里放进各种菜和水果制成的“元宵茶”；关中人元宵节早上喝油茶吃麻花，晚上吃元宵，亲友之间还互赠元宵和粽子等；豫西一带的人吃枣糕；昆明人则吃豆面团。

元宵节又是灯节。从正月十三日到十八日（其中十五是正日），“满城灯火耀街红，弦管竹歌处处同”，热闹异常。江南风俗，十三日晚上吃汤圆，十八日晚上吃面条，叫做“上灯圆子落灯面”。灯节期间，家家必备一盏荷花灶灯，挂在灶台前，晚上用红烛点燃，表示对食事的敬重。这天晚上，家家红烛高照，还要欢宴一次。元宵一过，农民要投入春播，其他人“元宵三日罢，依旧作生涯”，便照常各干各行了。

正月十五闹元宵，将从除夕开始延续的庆祝活动推向又一个高潮。元宵之夜，大街小巷张灯结彩，人们赏灯、猜灯谜、吃元宵，成为世代相沿的习俗。元宵节赏灯的习俗始于汉朝，西汉文帝时，大将周勃戡平“诸吕之乱”，正逢正月十五，汉文帝每逢此夜，都要令京城张灯结彩，出宫游玩，与民同乐，以示庆贺。又有一说，是祭祀太一神。另外，由于道教有三元之道，上元天官是正月十五诞生的，因此隆重举行祭祀活动，故亦称“上元节”。隋唐时发展成盛大的灯市，到宋元时期，京都灯市常常绵延数十里。宋代朱淑真的《生查子·元夕》写到“去年元夜时，花市灯如昼，月上柳梢头，人约黄昏后。今年元夜时，月与灯依旧，不见去年人，泪湿春衫袖。”灯会的时间，汉朝只限于正月十五一夜，唐玄宗延长到三夜，到明朝规定从正月初八一直持续到正月十七。唐朝灯会中出现了杂耍技艺，宋代开始有灯谜，明朝又增加了戏曲表演。灯市所用的彩灯，也演绎出橘灯、绢灯、五彩羊皮灯、无骨麦秸灯、走马灯、孔明灯，等等。始于南宋的灯谜，生动活泼，饶有风趣。经过历代发展创造，至今仍在使用的谜格有粉底格、秋千格、卷帘格、白头格、徐妃格、求凤格等一百余种，大多有限定的格式和奇巧的要求，巧立名目，妙趣横生。

元宵节的主要食品是元宵，也叫“汤圆”、“圆子”。据说元宵象征合家团圆，吃元宵意味新的一年合家幸福、万事如意。吃元宵的习俗源于何时何地，民间说法不一。一说春秋末楚昭王复国归途中经过长江，见有物浮在江面，色白而微黄，内中有红如胭脂的瓤，味道甜美。众人不知此为何物，昭王便派人去问孔子。孔子说：“此萍蓬果也，得之者主复兴之兆。”因为这一天是正月十五日，以后每逢此日，昭王就命人用面仿制此果，并用山楂做成红色的馅煮而食之。还有一种说法，元宵原来叫汤圆，汉武帝时，宫中有个宫女叫元宵，做汤圆十分拿手，从此以后，世人就以这个宫女的名字来命名。这两个传说不见史料记载，不足为信。关于元宵节吃元宵的最早记载见于宋代，当时称元宵为“浮圆子”、“圆子”、“乳糖元子”和“糖元”。

从《平园续稿》、《岁时广记》、《大明一统赋》等史料的记载看，元宵作为欢度元宵节的应时食品是从宋朝开始的。因元宵节必食“圆子”，所以人们使用元宵命名之。元宵在宋朝很珍贵，姜白石有诗“贵客钩帘看御街，市中珍品一时来，帘前花架无行路，不得金钱不肯回。”诗中的“珍品”即指元宵。

到了现代亦有与元宵节有关的故事。袁世凯在做了大总统之后心犹未甘，还想当皇帝，因美梦不能成真，终日烦恼。一日他的姨太太说要吃元宵，话刚一出口，就被袁世凯打了一个耳光，因“元宵”与“袁消”谐音，从此袁世凯就给手下的人下了个命令，以后不许再说“元宵”，而只能说“汤圆”。后来有人就此事写了一首打油诗：“诗吟圆子溯前朝，蒸化煮时水上漂。洪宪当年传禁令，沿街不许喊元宵。”

元宵是用糯米粉做成的圆形食品，从种类上可分实心和带馅的两种。桂花酒酿元宵和以肉馅、豆沙、芝麻、桂花、果仁制成的五味元宵以及用葱、芥、蒜、韭、姜制成的象征勤劳、长久、向上的五辛元宵都各有特色。元宵的制作方法很多，南北方有很大差异。南方做元宵时，先将糯米粉用开水调和成皮，然后将馅“包”好；北方做元宵，先把馅儿捏成均匀的球，放在铺有干糯米粉的箩筐里不断摇晃，不时加入清水使馅沾上越来越多的糯米粉，直至大小适中。元宵的吃法亦很多，可水煮、炒、油炸、蒸等。

3.1.3 清明食俗

清明是我国二十四节气之一，也是一个重要的传统节日，时在四月五日前后。据《岁时百问》记载，“万物生长此时，皆清洁而明净，故谓之清明。”旧俗在清明前一天为古代的寒食节。古人为纪念春秋时被晋文公烧死的介子推，实行禁火冷食，要到清明的中午才能重新举炊。春秋时期，晋公子重耳为逃避迫害而流亡国外，流亡途中，在一渺无人烟之处，又累又饿，再也无力站起来。随臣也找不到一点吃的，正在大家万分焦急的时候，介子推走到僻静处，从自己的大腿上割下一块肉，煮了一碗肉汤，使重耳渐渐恢复了精神，当重耳发现肉是介子推从自己腿上割下的时候，流下了眼泪。十九年后，重耳做了国君，也就是历史上的晋文公。即位后文公重赏了当初伴随他流亡的功臣，“独子推无所得”。很多人为介子推鸣不平，劝他面君讨赏，然而介子推最鄙视那些争功讨赏的人，他打好行装，悄悄地到绵山隐居去了。晋文公听说后，羞愧莫及，亲自带人去请介子推，然而介子推已离家去了绵山。绵山山高路险，树木茂密，找寻两个人谈何容易，有人献计，从三面火烧绵山，逼出介子推。大火烧遍绵山，却没见介子推的身影。火熄后，人们才发现身背老母的介子推已坐在一棵老柳树下死了。晋文公见状，恸哭不已。装殓时，从树洞里发现一封血书，上书：“割肉奉君尽丹心，但愿主公常清明。”为纪念介子推，晋文公下令将这一天定为寒食节。

第二年晋文公率众臣登山祭奠，发现老柳树死而复活，便赐老柳树为“清明柳”，并晓谕天下，把寒食节的后一天定为清明节。人们在清明节吃冷食青团，并用青团祭祀祖先。《吴竹枝词》诗：“相传百五禁烟厨，红藕青团各祭先”。这里所说“百五”，是指冬至到寒食为105天。古人为适应寒食禁火冷食的需要，还创造了一些食品。如蜀人逢到寒食，用麦草捣汁和糯米作青粉团，乌桕汁染乌饭作糕，北京人用香椿芽拌面筋、嫩柳叶拌豆腐，作寒食食品。用面粉制成“子推燕”插于门楣，举行野宴，品尝桃花粥、醴酪等节令食品。

清明节在古代是祭祀性节日。时日，晋国百姓家家门上挂柳枝，人们还带上食品到介子推墓前祭奠、扫墓，以表怀念，此风俗延续至今。这一天民间有食青团子，又名翡翠团子的习俗。一般人家要用四碟六碗珍馐清酒祭奠祖先。祭毕，家人和应邀来的亲戚共享酒食，叫做“吃清明”。

清明节除扫墓祭祖外，其食俗也是丰富多彩的。

吃青团子：清明时节，江南一带有吃青团子的风俗习惯。青团子是用一种名叫“浆麦草”的野生植物，捣烂后挤压出汁。接着取用这种汁水同晾干后的水磨纯糯米粉拌匀、揉和，然后开始制作团子。团子的馅心是用细腻的糖豆沙制成，在包馅时，另放入一小块糖猪油。团坯制好后，将它们入笼蒸熟，出笼时另用熟菜油均匀地用毛刷刷在团子的表面，就大功告成了。

吃馓子：我国南北各地清明节有吃馓子的食俗。“馓子”为油炸食品，香脆精美，古时叫“寒具”。《齐民要术》载“环饼一名寒具，……以蜜水调水溲面”。北宋著名文学家苏东坡曾作《馓子》诗云：“纤手搓来玉色匀，碧油煎出嫩黄深。夜来春睡知轻重，压扁佳人缠臂金”。寒食节禁火寒食的风俗现已消失，但与这个节日有关的馓子却仍为人们喜食。现在流行于汉族地区的馓子有南北方的差异：北方馓子大方洒脱，以麦面为主料；南方馓子精巧细致，多以米面为主料。

此外，我国南北各地在清明时还有食鸡蛋、清明螺、欢喜团、枣糕、夹心饼、清明粽、清明稞等多种多样富有营养的食品。

3.1.4 端午食俗

农历五月五日端午节，又称端阳节、龙船节、粽包节等，是我国民间的一大传统节日。五月初五叫端午，“端”者，初也。有关端午节的起源很多，如源于远古华夏族的祭龙活动；纪念投江祭父的孝女曹娥、替父雪耻的伍子胥、爱国诗人屈原等。由于战国时代伟大的爱国诗人屈原死于这一天，后来端午节的纪念活动多与屈原联系在一起，其意义变得比较重要。汉代至魏晋是端午节初步形成的阶段，而南北朝至隋唐则是端午节定型、成熟的阶段。节日习俗是吃粽子、饮雄黄酒、赛龙舟、插菖蒲等。

端午节最主要的节令食品是粽子。相传粽子始于汉代，是端午节投向水中祭奠屈原的供品。南朝梁人吴均《续齐谐记》载“屈原五月五日投汨罗江而死，楚人哀之，每至此日竹筒贮米，投水祭之。”

端午节还有另一个重要的民俗内容，就是卫生和“压邪”。农历五月，古称“恶月”，“阴阳争，血气散”。因时序已交夏令，蚊蝇孳生，百虫出动，人的健康容易受到毒虫危害，古人曾想出许多办法消灾防病强身。用雄黄、蒜头、菖蒲根浸酒洒在墙壁上，在室内点燃艾枝烟熏，以驱杀蛇虫蚊蝇。吃大蒜头以去食积、除败毒、防病疫，是符合卫生之道的。“饮了雄黄酒，百病都远走”，喝雄黄酒亦有驱除邪恶之意。赛龙舟可以强身健体，而端午食粽则有补充营养、抵御酷暑的功效。因此也可以说端午节是一个防御疾病和卫生保健的节日。

3.1.5 中秋食俗

中秋节又名仲秋节、团圆节、八月节、拜月节，是我国传统的文化节日。按照我国的历法，农历八月居秋季之中，而八月的三十天中，十五又居一月之中，故八月十五日称为“中秋”。一年分为四季，每季又分为孟、仲、季三部分，所以中秋也称“仲秋”。“暮云收尽溢清寒，银汉无声转玉盘。”中秋夜晚，皓月当空，清辉洒满大地，人们把月圆当做团圆的象征，把八月十五这一天当做亲人团聚的日子，因此也称中秋节为团圆节。

“十二度月皆好看，其中圆极是中秋”。“中秋”一词最早见于《周礼》，其渊源是先秦时的秋祀和拜月习俗。周代，每逢中秋之夜都要举行祭月活动，晋代已有中秋赏月之举，唐宋时期日益盛行，北宋正式定八月十五日为中秋节。

“中秋佳节吃月饼”，是我国流传已久的传统风俗。中秋节吃月饼的风俗始于唐代，但当时尚无“月饼”这一名称，月饼之名，始见于南宋《武林旧事·蒸作饮食》。当时，杭州民间就有“又月饼相馈，取中秋团圆之意”。到了元朝末年，月饼已成为中秋节日美点。清代月饼制作方法已极精细，制作的月饼外皮酥薄，内馅充实而油润，味道多样。其形为圆，富有家家团圆、欢乐之意。这天全国各地都有拜月、赏月、吃月饼、瓜果的风俗，每当风清月朗、桂香沁人之际，家家尝月饼、赏明月，喜庆团圆，别有风味。

说起中秋的来源，民间一直流传着许多传说和神话故事，其中就有朱元璋月饼起义、唐明皇梦中游月宫和嫦娥奔月的故事。南方人在中秋节祭月时使用芋头，据说是纪念元末汉人杀鞑子的历史故事。当初汉人起义，推翻元朝蒙古人暴虐的统治，是在八月十五夜晚，汉人在杀鞑子起义后，便以其头祭月。后来当然不能在每年中秋节用人头祭月，便用芋头来代替，至今还有些地方在中秋节吃芋头时把剥芋皮叫做“剥鬼皮”。但中秋节的起源，还有另一个较为现实的说法就是秋祀。秋天是收获的季节，各家都拜土地神，中秋可能就是“秋报”的遗俗。

时至今天，中秋的原意已经没有多少人知道，但最令人难忘的是赏月和团圆。明代田汝成的《西湖游览志余》云，“八月十五谓之中秋，民间以月饼相馈，取团圆之意。”在赏月的同时，摆上酒席、月饼、瓜果等，进行“焚香拜月”。苏轼的“明月几时有，……千里共婵娟。”在月光下饮酒，寄托了对离别亲人的思念之情。清代的北京，“每届中秋，府第朱门皆以月饼果品相馈赠，至十五月圆时，陈瓜果于庭以供月，并祀以毛豆、鸡冠花。是时皓月当空，彩云初散，传杯洗盏，儿女喧哗，真所谓佳节也。”（《燕京岁时记》）在杭州，中秋前后半个月，西湖的画舫多歌舞宴饮，殆无虚夕。在苏州，中秋晚上妇女盛装出游，谓之“走月亮”，虎丘山麓，笙歌声中，人们吃月饼赏月，通宵热闹异常。

八月十五中秋佳节，正是春华秋实，一年辛勤劳动结出丰硕果实的季节，届时家家都要置办佳肴美酒，怀着丰收的喜悦，欢度佳节，从而形成我国丰富多彩的中秋饮食风俗。

吃田螺：中秋食田螺在清咸丰年间的《顺德县志》有记载：“八月望日，尚芋食螺。”民间认为，中秋田螺，可以明目。据分析，螺肉营养丰富，而所含的维生素A又是眼睛视色素的重要物质。食田螺可明目，言之成理。为什么一定要在中秋节特别热衷于食之。有人指出，中秋前后，是田螺空怀的时候，腹内无小螺，因此肉质特别肥美，是食田螺的最佳时节。如今在广州民间，不少家庭在中秋期间，都有炒田螺的习惯。

吃芋头：中秋食芋头，则寓意辟邪消灾，并有表示不信邪之意。清乾隆《潮州府志》曰：“中秋玩月，剥芋头食之，谓之剥鬼皮”。剥鬼而食之，大有钟馗驱鬼的气概。

饮桂花酒：每逢中秋之夜，人们仰望着月中丹桂，闻着阵阵桂香，喝一杯桂花蜜酒，欢庆合家甜甜蜜蜜、欢聚一堂，已成为节日的一种美的享受。桂花不仅可供观赏，而且还有食用价值。屈原的《九歌》中便有“援虉斗兮酌桂浆”、“奠桂酒兮椒浆”的诗句，可见我国饮桂花酒的年代，已是相当久远了。

3.1.6 重阳食俗

农历九月九日是我国人民传统的节日重阳节，也称重九节、登高节、九月九、茱萸节、菊花节、敬老节。每逢这一天，人们要登高、赏菊，还要吃菊花糕，饮菊花酒，插茱萸，以避邪祛灾。王维的《九月九日忆山东兄弟》就是重阳节的真实写照。

重阳节由来已久，一般认为始于战国时期。关于重阳节习俗的起源有“桓景避乱之说”。

传说东汉时，汝南人桓景拜方士费长房为师。一日，费长房对桓景说，九九重阳这一天有灾祸，家人必须登高饮菊花酒，缝囊盛茱萸以系臂，方可免灾。桓景如言，在九月九之前举家搬至山顶。夕还，见鸡犬牛羊都已暴死，幸亏人已上山，免于灾难。自此，每年到了重阳节前夕，人们都要登高饮酒。居住平原的百姓因无山可登，就在重阳节这天在自制的米粉糕点上插上一面彩色三角小旗，以示登高避邪之意。因“糕”与“高”同音，“吃糕”也就被赋予“登高”的含义了，久而久之，这种习俗流传开来。重阳糕历史久远，唐宋已十分普及，明清时重阳吃糕之风仍盛极一时。

重阳节正是菊花盛开、蟹脂填腹的时候，因此过重阳节又是古代文人雅士赏菊食蟹、聚会宴熟的日子。南宋李清照的《醉花阴》中有“东篱把酒黄昏后，有暗香盈袖，莫道不销魂，帘卷西风，人比黄花瘦。”抒发了饮酒赏菊的情感。所谓“无酒无菊不重阳”，人们过重阳节也要通过饮食来享受生活的欢愉。

3.1.7 腊八食俗

中国民间传统节日，时在农历腊月初八，简称“腊八”，亦称“佛成道节”。

在远古时期，“腊”本是一种祀仪，常在新旧接替时，用猎获的禽兽举行大祭，以此来祈福求祥，避灾驱邪。古代“腊、猎”相通，猎字原意为“合”，并有“接”的意思，古人就把这种祭祀称为“腊祭”，于是，冬至的十二月就被称为“腊月”了。十二月初八，古称“腊日”。从先秦起，“腊日”是当做年节来过的，但当时并不固定在十二月初八这一天。将“腊八节”固定在初八这天，是南北朝时期。南朝梁宋懔《荆楚岁时记》称“十二月八日为腊日，谚语“腊鼓鸣，春草生”，村人击细腰鼓，戴胡头，及作金刚力士以逐疫。”由此可见，击鼓逐疫为腊八节的显著特征。在南北朝时，我国民间受佛教寺院腊月初八吃“七宝五味粥”的影响，形成了吃“腊八粥”风俗。每逢农历十二月八日，古代寺院要取香谷和果实等杂煮成粥糜敬佛，民间也效法在腊月初八煮这样的粥吃，以消灾除病。宋代杭州民间的腊八粥是用“胡桃、松子、乳蕈、柿、栗之类”和米煮成的。（《武林旧事》）明清时各地盛行吃腊八粥，腊八粥名义上要八样原料，但也不拘泥，少者四五样，多者十几样均可。有些地方的腊八粥，是糯米、红糖和十八种干果、豆子掺在一起熬煮的，十分隆重。

用莲子、银杏、花生、红枣、松子加上姜桂等调料掺入大米煮成腊八粥，取其有温暖手足、滋补身体的功效。也有用豇豆、金针、木耳、豆腐等煮成的腊八粥，这些是“细腊八”。普通人家吃的腊八粥，在米中掺入绿豆、黄豆、蚕豆、豆腐、胡萝卜、荸荠煮成，是所谓“粗腊八”。我国北方一些不产或少产大米的地方，人们不吃腊八粥，而是吃腊八面。有些产玉米的山区，逢到腊八，以玉米代替稻米，做成“腊八麦仁”吃。

腊八节亦被称为“佛成道节”是源于这样一个传说。相传释迦牟尼成佛之前，绝欲修行。一日饥饿劳顿，昏倒在地，被一牧羊女发现，用黏米、糯米、野果、山泉水煮成“乳糜”粥相救，醒后独坐菩提树下，静观默想，终于在腊月八日悟道成佛。此后，佛教徒都取新鲜谷果，洗净器皿，熬成粥，以供奉佛祖，并举行群僧集会，诵经演法，喝“腊八粥”，以示纪念。

3.1.8 中元食俗

农历七月十五中元节，俗称“鬼节”，又名祭祖节、盂兰盆节，是佛、道两家共有的祭祀祖灵和亡魂的传统节日。节日的庆祝活动从农历七月初一开始，直到七月三十日，长达一个月。中元节始于梁武帝时，唐宋时期更加兴盛。元代周密的《乾淳岁时记》中云，是日，“道家谓之中元节，各有斋醮等会；僧寺则以此日作盂兰盆斋，而人家亦以此日祀先。”佛教与道教对这个节日的意义各有不同的解释，佛教强调孝道；道教则着重于为那些从阴间放出来的无主孤魂做“普度”。

佛教庆祝中元节的仪式称为“盂兰盆会”，庆祝中元节不仅是为了拜祭死去的亲人，对佛教徒来说，这也是纪念目莲的日子，藉以表扬其孝道。目莲救母的故事出自《大藏经》。根据《大藏经》的记载，目莲在阴间地府经历千辛万苦后，见到死去的母亲刘氏四娘受一群饿鬼折磨，目莲用钵盆装菜饭给她吃，却被饿鬼夺走。目莲向佛祖求救，佛祖被目莲的孝心感动，授予盂兰盆经。目莲按照指示，于七月十五日用盂兰盆盛珍果素斋供奉母亲，挨饿的母亲终于得到食物。为了纪念目莲的孝心，佛教徒每年都有盛大的“盂兰盆会”。

道教则认为，从农历七月初一起，阴间打开鬼门，放出孤魂野鬼到人间来接受奉祭。人间为了免受鬼神的干扰伤害，便在七月十五日设“中元普度”，供奉食品及焚烧冥纸以安抚那些无主孤魂。《东京梦华录》记载，“……挂搭衣服冥钱在上焚之。”烧纸的习俗也有蔡伦造纸的传说。蔡伦的兄嫂蔡英与慧娘学造纸，但技术不过关，卖不出去，于是慧娘便施计，诈死阴间。蔡英嚎哭，烧纸超度，使其得以还阳。邻居见状，得知烧纸有此作用，便争相烧纸给祖先，流传至今。

中元节虽然是一个宗教节日，但由于其本身劝人尽孝，对非信徒来说，也是有意义的。我们可以把这个节日当做追念祖先及已故亲友的节日。

中元节期间，我国各地还有一些较为特殊的食俗。在五台山，家家捏“面人”宴客，并相互馈赠，亦称“喜馍”、“礼馍”；居住在滇、黔、桂等地的壮、布依各族，则在此时操办“祭祖席”；在南方一些地区以此日作为“敬孤节”。

3.2 少数民族食俗

少数民族食俗是分别流传在55个少数民族的特殊饮食习惯。民族饮食是中华饮食文化不可分割的一部分。我国是一个多民族汇集的国家，且分布较广，加之历史、政治、宗教、地域等诸多因素的影响，各民族在漫长的历史发展过程中，形成了各自独特的本民族饮食，品类繁多，内涵丰富。这些食俗相当复杂，很难用一个统一的模式进行归纳和总结。另外，已有部分书籍对少数民族的饮食习俗、节庆、礼仪、禁忌等进行了较为全面的总结，在此不再一一赘述。只概括介绍部分少数民族的饮食习俗，藉此说明各兄弟民族之间不断交流，共同发展，创造了光辉灿烂的中国饮食文化。

3.2.1 西南少数民族日常食俗

1. 藏族

藏族主要聚居在西藏，大多从事畜牧业，少数从事农业。藏族每日餐数不定，大部分日食三餐，但在农忙或劳动强度较大时有日食四餐、五餐、六餐的习惯。以青稞、小麦为主食，其次是玉米和豌豆。日常之食为糌粑、牛羊肉及奶制品，喜食酥油茶。饭前须先用手沾酒或茶在桌上点三滴以示供佛，然后开饭。若是佛寺僧众，饭前还须诵经。绝大部分藏族以糌粑为主食，即把青稞炒熟磨成细粉。特别是在牧区，除糌粑外，很少食用其他粮食制品。食用糌粑时，要拌上浓茶或奶茶、酥油、奶渣、糖等一起食用，糌粑既便于储藏又便于携带，食用时很方便。四川一些地区的藏族还经常食用“足玛”、“炸馃子”等。足玛是藏语，为青藏高原野生植物蕨麻的一种，俗称人参果，形色如花生仁，当地春秋可采挖，常用做藏族名菜点的原料。炸馃子即一种面食，和面加糖，捏成圆形或长条状后，放入酥油锅油炸而成。他们还喜食用小麦、青稞去麸和牛肉、牛骨入锅熬成的粥。聚居于青海、甘肃的藏族群众喜爱的食品，是用酥油、红糖和奶渣做成的“推”，形似大奶油蛋糕。河曲地区的藏族有制作大饼之习，作为馈赠亲友和长途旅行时用。云南迪庆的藏族把蒸洋芋、麦面粑粑、蒸馍作为主食。吃饭时讲究食不满口，嚼不出声，喝不作响，拣食不越盘。

藏族过去很少食用蔬菜，副食以牛、羊肉为主，猪肉次之。藏族食用牛、羊肉讲究新鲜，在牛羊宰杀之后，立即将大块带骨肉入锅，用旺火炖煮，开锅后即捞出食用，以鲜嫩可口为最佳。民间吃肉时不用筷子，而是将大块肉盛入盘中，用刀割食。牛、羊血则加碎牛羊肉灌入牛、羊的小肠中制成血肠。四川、云南等地的藏族多将猪肉用来制成猪膘，便于保存。制猪膘时去掉猪的头蹄，剔除猪骨，四川的藏族还要割下瘦肉，然后抹上花椒、香樟籽，撒上盐，缝合成方形，风干即成。云南藏族在将猪肉缝合之后，还要加一块重石板压，称“琵琶肉”。其色蜡黄，香而不腻。食用时一圈圈切下，蒸熟后用刀切食。肉类的储存多用风干法，一般在入冬后宰杀的牛、羊一时食用不了，多切成条块，挂在通风之处，使其风干。冬季制作风干肉既可防腐，又可使肉中的血水冻附，能保持风干肉的新鲜色味，云南藏族称这种风干肉为“牛羊干巴”。奶类及奶制品也是藏族日常生活中不可缺少的食品，最常见的是从牛、羊奶中提取的酥油，除饭菜都用酥油外，还大量用于制作酥油茶。酸奶、奶酪、奶疙瘩和奶渣等也是经常制作的奶制品，作为小吃或其他食品搭配食用。在藏族民间，无论男女老幼，都把酥油茶当做必需的饮料，此外也饮奶茶。茶内含有维生素和茶碱，可以补充由于食蔬菜少而引起的维生素不足，帮助消化。藏族普遍喜欢饮用青稞制成的青稞酒，在节日或喜庆的日子里尤甚。

藏族的炊餐具自成一体。餐具为人手一把小刀和一只木碗，无用筷习惯，取食皆用手抓。在藏族地区，家家都备有酥油茶筒、奶茶壶。大部分地区的藏族都以干牛粪为燃料，以铁三角架为灶。云南藏族茶具、酒具、餐具喜用铜制，其他地区的藏族喜用木碗并且漆上红、黄、橙色的油漆，比较讲究的还要在碗上包银。牧区的藏族都要随身带一把精制的藏刀，主要用来切割食物，还用于宰羊、剥皮、削帐房橛子等劳动，藏刀的制作历史悠久，工艺精湛。

此外，藏族还有食疗的习俗。藏族将饮食作为一门科学，藏医注重食疗。藏族医学古籍《四部医典》中曾注释：人体健康之道，首先是讲究饮食原料和方法。藏族人爱饮的青稞酒、爱吃的糌粑、爱喝的奶茶都是有益于身体的保健膳食。以奶茶为例，由于藏族人多居住在积满白雪的高原，天气寒冷干燥，日常食用肉类、油脂多，所以饮用奶茶是必不可少的。常饮奶茶，不仅可以止渴提神，益胃利尿，而且可以去腻消食，增加人体内的水分。还有一种甜茶，以牛奶、红茶和白糖熬制而成，茶呈浅褐色，味甜醇香，对于初去西藏，不适应高原地带的人，甜茶饮下后，顿觉头脑清醒，浑身舒服，高山反应很快减轻或消失。至于著名的酥油茶中所用的核桃仁、芝麻、牦牛奶、花生米等，均为健脑益智、延年益寿的保健食物。

2. 纳西族

纳西族居住在滇川藏交界地区，主要从事农业，畜牧业和手工业近年也有发展。古代以牛肉、羊肉、牦牛肉、荞麦、圆根 (蔓菁) 为主食。后来，在汉族、白族影响下，农业发展较快，生活习俗也发生变化。丽江坝区以玉米、小麦、大米为主食，也吃大麦和豆类，村民于房前屋后种菜，自己食用。山区则以小麦、青稞、玉米为主食。

纳西族人日食三餐，早餐吃糌粑或馒头，喝酥油茶，中午和晚上是正餐。泸沽湖和盐源一带的纳西人，晨起之后，当喇嘛的男子诵经，主妇做饭，老年男子打酥油茶。他们喜欢饭前先饮茶，一般每人一杯，老人可多饮几杯。饮茶的同时，吃玉米炒面或青稞炒面，稗子或玉米饭煮熟后，全家人围在火塘前就餐。主妇先给年长的老人盛饭，再按辈分每人一碗，把菜盖在饭上或每人一份，由主妇均匀分配。饭量大的成员，可以再添饭菜。但吃好的食品，基本上按人头平均分配，辈分、年龄最小的，可多得一些。喇嘛有自己的坐卧处，有的还单独做饭吃，但饭菜一般和大家一样。早餐后，能劳动的人都出门干活，有些人因劳动的地方远，就带饭出工，中午不回家。主妇在家喂猪、做饭，出工的人中午回家，先喝茶和吃炒面，然后用午餐。正餐常有一两样炒菜或咸菜，喜食牛肉汤锅和干巴。下午收工回家的人，仍先坐在火边喝茶，吃炒面或烧土豆，休息一会儿再进晚餐。主妇做晚餐时，总是多煮些肉或多做点菜，犒劳出工的成员。如有客人，老年人要陪客人先饮三小杯酥油茶，用小米糖、炒瓜干之类的食品招待来客。一般人家根据客人的身份和自家的经济能力，用酒、炖鸡、炒鸡蛋、豆腐等菜，简朴而热情地招待客人。

勤劳节俭的纳西人，喜欢喝酒、饮浓茶，爱吃酸、辣、甜味的食品。肉食以猪为主，主妇在每年杀年猪后，要赶做储存腌肉，腌制的“琵琶猪”非常鲜美。禁食马肉、狗肉等。

20世纪50年代后，随着水稻和小麦的播种面积大大增加，稗子的播种面积相对减少，主食已有所变化。总的情况是细粮增多，粗粮减少，人民生活得到改善。不过即使在今天的丽江，喜食酸辣、爱喝浓茶的传统依然保留。特别是早餐的一顿浓茶，更是纳西男女老少不可缺少的特色饮食。

3. 侗族

侗族主要分布在黔、湘、桂等省区。以农业为主，兼营林业和渔猎。侗族是土著民族，与壮族、仫佬族、毛南族、水族同一语族，历史悠久，而且能歌善舞，具有独特的民族传统文化。

侗族一般日食四餐，即两茶两饭，以大米为主食，平坝地区多吃粳米，山区多吃糯米，喜食酸辣，吸叶烟、饮酒。民族食品有醋鱼肉、侗族油茶、烧鱼等。侗乡鼓楼、风雨桥闻名全国，所产的油茶也久负盛名。“油茶”是侗家最普遍的日常饮料，用油和茶叶作为主要原料制成，“打油茶”是指油茶的整个制作过程。先用油将茶叶炒黄炒香，然后用短木棍在锅中慢慢冲磨，加水煮沸，滤去茶渣，即得茶液，这是油茶的主要成分。然后将其他配料如爆米花、炒黄豆、猪肝等分置小碗中，冲入茶液，制成比较高档的油茶，可甜可咸，一般用于招待贵客。而自家日常喝的油茶只放些常备的米花或炒黄豆，其他配料可有可无。油茶的最大特点是，既有茶的甘醇、爽口，又有油的清香，家人常喝不厌，外人一喝难忘。

侗族喜欢“打油茶”，也喜欢酸食。酸食品是他们日常生活必不可少的，故有“侗不离酸”之称。所谓“侗不离酸”，内容十分广泛，一日三餐不离酸；红、白事饮宴不离酸；走亲送礼不离酸，等等。侗族为何如此喜爱酸食、腌制酸品，大致有以下原因：第一，长期以来，侗族过着自给自足的经济生活。他们生产大量的食品如蔬菜、猪等主要是自己吃用，但这些食品容易腐烂变质，于是用“腌酸”的方法长期保存。第二，自然条件的使然。侗族居住在桂北山区，气温低的日子长，只能种糯稻。这些糯米饭不易消化，于是以酸佐食，可增进消化，有利于身体健康。

4. 佤族

佤族人居住在云南省西盟和沧源一带，主要从事农业，日食二至三餐，平时一日两餐，农忙时一日三餐，以大米为主食，其次是小红米、荞麦、豆类和玉米等。肉食以猪、牛、鸡为主，亦捕食鼠类和昆虫。喜食辣椒，名食有鼠肉干巴、五加皮鸡焖饭等。多用木碗、勺，不用筷子，以手抓饭，爱饮杂谷酿制的“布莱酒”，喝极浓的苦茶，做饭多用竹筒，形成了特异的“竹文化”。那里的人特别爱吃“迈雅“(意为鸡肉烂饭)，这是一种流传百年以上的传统保健食品，鲜香可口，美不可言。同时还有健脾养胃的作用。佤族人喜嚼槟榔，待客以酒为先，酒礼多样。

5. 白族

白族主要聚居在云南，大多从事农业，日食三餐，农忙或节庆时则增加早点或午点。平坝多以稻、麦为主食，山区则以玉米、荞麦等杂粮为主。肉食以猪肉为主，擅制腌菜和酱品。吃饭时长辈坐首席，下辈依次围坐两旁，并添饭夹菜，伺候长辈，礼仪颇严。爱吃酸冷、辣味，尤喜饮茶。

白族注重节庆，喜饮酒、茶，早茶叫“清醒茶”，午茶叫“休息茶”。白族人的“刨花茶”是招待贵客时的一种味道独特的饮料，既有营养价值，又能当做止咳药用。“刨花茶”的主要原料有蜂蜜、核桃仁、花椒。冲茶时，用当地特制的小刨将核桃仁刨成花形，装入杯中，上面盖一层蜂蜜，再冲入开水。待蜂蜜溶化后，放进四五粒花椒，搅拌几次，即成甜、香、辣俱佳的“刨花茶”了。

3. 2. 2 中南少数民族食俗

1. 壮族

壮族是全国55个少数民族中人数最多的一个，主要分布在广西、云南、广东、贵州等地。壮族是具有悠久历史的土著民族，有着灿烂的文化艺术和丰富的饮食文化，是广西最早和主要的开拓者。

壮族以农业为主，日习三至四餐，喜爱甜食，大米和玉米为主食，肉食主要为猪、牛、羊、鸡等，有些地区爱吃狗肉和野味。壮族好客，如有客来，必定热情招待。

五色糯米饭是壮族有名的传统美食。每年“三月三”歌节、清明节、四月八等节日，家家户户都要做五色糯米饭，以作赶歌圩食用，或祭祖祭神之用。他们选好优质糯米，采来紫藩藤、黄花、枫叶、红蓝草，浸泡出液，分别拌着糯米，然后合而蒸之，不仅色彩斑斓，而且味道香醇，象征生活美好。四月初八，早稻已插完返青，人们用五色糯米饭揉成小团，粘附在竹枝上，插于祖宗神龛，又从田中取回一蔸生长旺盛的禾苗，以南瓜叶包根，放在碗里，一并祭祀祖先，祈求祖先保佑五谷丰登。这种风味食品与祭祖娱神活动融在一起，充满着民族和地方情趣。家人、戚友、情人往往共尝五色糯米饭，自然特别鲜香。

过春节，桂南壮族喜做粽粑，桂北壮族喜做糍粑；五月端午，所有壮族都做粽粑。桂南壮族的春节大粽，大者十多斤，粽中包夹猪肉、板栗、绿豆、芝麻、冬菇等。桂北的糍粑，也是用上好的糯米浸泡后先蒸熟，再捣烂，做成或大或小的圆饼，有无馅的素糍，有加上芝麻、糖作馅的甜糍，送亲友的则在中央点染红色印记。

南瓜、红薯糯米饭是山区壮族喜欢食用的风味食品。南瓜成熟后存留一段时间使之糖化，使用时除去硬皮及瓜瓤、瓜子，切成大片，入锅煮熟，然后将优质糯米撒在上面，瓜和糯米之比为3:1，煮至米熟成饭，再将瓜和糯米饭搅拌均匀，即成南瓜糯米饭，其味清甜而香，不需油盐。红薯糯米饭做法亦同。

广西南部壮族最喜欢食用油炸果。做法是先将优质糯米磨浆，滤压成半干状。以花生拌红糖、芝麻或豆蓉拌红糖作馅，捏成鸭蛋型，放进油锅中炸成金黄色，取出一把芝麻，粘于外皮上。

2. 仫佬族

仫佬族主要聚居在广西，其聚居地山清水秀，气候宜人。他们主要从事农业生产，但集市贸易活动历来都很活跃。由于聚居环境优美，人的性格开朗，喜欢交流和进行集市贸易，故有谚云：“罗城四把，好玩好耍”，反映出仫佬族聚居地的人情风貌。

仫佬族喜食酸食和酸品，侗族有“侗不离酸”，仫佬族的饮食也离不开酸。在仫佬山乡，无论哪一家，酸食是少不了的，诸如酸柠檬、酸木瓜、酸萝卜等。每年的八月秋社和中秋节，家家包桐叶粽，此粽扁长，形似狗舌，又称为狗舌糍粑。这种糍粑松软而有弹性，味道鲜美而可口，老幼皆宜，是仫佬族的风味美食。仫佬族习惯日食三餐，主食多为大米和薯、豆、麦等，喜欢冷食，喝生水，擅制腌菜，口味嗜酸辣。鱼类多用油煎，吃牛肉多为单炒，其他肉类则多“白汆”。节庆饮食更为丰盛，仫佬山乡的农历九月，稻子收获后，人们使用最好的糯米酿制浓醇而后劲很大的糯米酒。因是重阳节，故称“重阳酒”。

3. 瑶族

瑶族是一个历史悠久、文化灿烂的古老民族，主要分布在广西，其次是广东、湖南、云南、贵州；以农业为主，兼营狩猎，手工业较发达。

瑶族日食三餐，以大米、玉米为主食，爱吃杂粮，制菜多系腌、焖、煮、烤，肉食喜制“腊肉”和“鲊肉”。一日三餐，一般为两饭一粥或两粥一饭，也有三餐全干。中午则以芭蕉叶包饭到田间地头食用，农忙时，甚至就在田间生火煮食。喜欢清水兑酒，清明时节吃一种染色“花饭”。

3.2.3 东北、华北少数民族食俗

1. 鄂伦春族

鄂伦春族主要居住在内蒙和黑龙江，以狩猎、林业、农业、捕鱼为生。一般日食两餐，主食多为狍子、犴等肉类。鄂伦春族是一个热情好客的民族，待人诚恳、淳朴，不论本民族还是外民族的人，都要把客人请到自己的仙人柱里落座。先向客人敬酒敬烟，然后用酒和手把肉招待。主人敬酒，客人不能拒绝，否则就会被认为是对主人的不尊重。客人喝醉了，他们认为是对主人的高度尊敬。饮酒时，主客同用一个桦树皮碗或酒缸。主人先请客人饮，客人回敬主人，然后再从主人开始向右轮，依次饮酒。

尊敬老人是鄂伦春人普遍的美德，不论谁家捕得猎物，都要将最好部位的兽肉送给亲友邻里或孤独的老人分享。猎人在行猎中饥饿缺粮，到不相识的人家去索取食物，主人都会热情地招待。不相识的猎人在猎场上相遇，获得猎物的一方，不仅主动请空手的猎人饱餐一顿，还要送给一份猎物带走。

鄂伦春人定亲要带些食品馈赠对方，一般是送犴、狍、鹿的肉干，也有送木耳、猴头、金针、白蘑、松子、榛子、柿子、牙格达等，同时商定结婚日期。送彩礼这天，一对新人还要请歌手唱赞歌，祝福新人白头到老，永远幸福。青年男女们唱歌跳舞，以示祝贺，直到深夜，尽欢而散。晚间，新婚夫妇要搬到一个新的仙人柱里先向火堆敬酒、掷肉，双双叩头，祭祀火神。从此，一个新的家庭便诞生了。

2. 朝鲜族

朝鲜族主要居住在东北三省和内蒙古，以农业为主。朝鲜族饮食可分为家常便饭和特制小吃。前者有米饭、肉食、蔬菜、汤品等；后者包括冷面、打糕等。过去日食四餐，以猪、牛、鸡和鱼类为主，喜食狗肉，泡菜则是每餐必食。口味偏好鲜香脆嫩、辛辣酥爽。

朝鲜族宴请宾客，要先在餐桌上放一只煮熟的大公鸡，公鸡还要叼上一只红辣椒，表示红火兴旺。即使家宴，也极讲究，要为老人单摆一桌。餐桌上匙箸、饭汤的摆放都有固定位置，匙箸摆在右侧，饭食摆在左侧，汤碗靠右，带汤菜肴摆在近处，调味品摆在中心。朝鲜族还有食疗的习俗，朝鲜族的“药饭”又叫“药食”，其主要原料有：糯米、大红枣、栗子、蜂蜜、白糖、香油、松仁粉、桂皮粉等。营养丰富，色泽鲜艳，别具风味。朝鲜族人常常用它来招待贵客，每当遇到盛大节日或婚礼，更是少不了药饭。每年正月十五，朝鲜族有吃药饭的习俗。据说，这天吃了药饭可以避邪，能过上平安日子。

3. 满族

满族主要居住在东北三省、河北省、内蒙古及京津等地，现在主要从事农业。过去以高粱、玉米和小米为主食，现在主要食用面粉和稻米，肉食以猪肉为主，禁食狗肉。白肉血肠是满族风味名菜，满族自古喜食猪肉，尤喜食“白煮”。此菜是用新鲜猪血灌制，文火煮熟，将其切成薄片，放在肉汤或鸡汤中，加酸菜丝、精盐等调料即成。冬季寒冷，没有新鲜蔬菜，常以腌渍的大白菜（即酸菜）为主要蔬菜。用酸菜熬白肉、粉条是满族入冬以后常吃的菜肴。食用油多为猪油、豆油和苏子油。满族人有“多畜猪，食其肉”的习惯，制作出的药膳也就少不了猪肉，如野参七星肘子、煸白肉、熘肉片等，近年来备受推崇的“益寿胶冻”(即猪皮冻)，就是满族人发明的。由于满族人喜食猪肉，在长期的饮食生活中，自然在猪肉的烹调方面积累了丰富的经验，形成了独特的食风，这也是情理之中的。

满族日常喜食小米、黄米干饭、豆包。年节则喜吃“哎吉格饽”，即饺子。除夕必吃手把肉，风味食品有白煮猪肉、灸猪肉、萨其玛等。

满族信仰萨满教，祭天、祭神、祭祖先时，以猪和猪头为祭品。宰杀前要往猪耳朵内注酒，如猪耳朵抖动，则认为神已接受，即可宰杀，俗称“领牲”。

4. 蒙古族

蒙古族主要聚居在内蒙古自治区，以畜牧业为主，被称为“马背上的民族”。日食三餐，以牛、羊肉为主食，喜食烤、烧肉、手抓肉和酸奶疙瘩。嗜饮砖茶，能饮酒。农区以米面为主食，爱吃包子、饺子、蒙古馅饼和炒面等，爱喝烈酒和砖茶，每餐离不开奶与肉，即“白食”与“红食”。“白食”指奶面制品，蒙古语称“查干伊得”，意为圣洁、纯净的食品。“红食”指以肉类为原料制成的食品，蒙古语称“乌兰伊得”，如手把肉、烤羊尾等。蒙古族也有食疗的习俗，其传统食疗的发展与蒙古高原的地理环境、气候条件和蒙古民族传统经济、生活习俗等有着密切的联系。在他们的食物结构中，肉类食品和奶类食品占相当大的比重。因此在蒙医传统的食疗中，肉食品和奶制品占主要地位是其主要的特点。

蒙古族人爱吃羊肉，故含有羊肉的保健膳食也特别多，用量也较大。如“马思答吉汤”、“大麦汤”、“沙乞茶儿汤”（沙乞茶儿即蔓菁根）、“苦豆汤”、“木瓜汤”、“松黄汤”、“大麦片粉”等，不胜枚举。蒙古族人喜爱的保健膳食还有羊肉奶茶、米奶茶、葡萄奶油粥、四味汤、奶油拌炒米、奶酪（奶豆腐）、酸奶酪、酸马奶（马奶酒）等。

3.2.4 西北少数民族食俗

1. 回族

回族860多万人口，在少数民族中仅次于壮族。全国各省市均有分布，但却具有大分散、小聚居的特点。宁夏回民比较集中，约120万人口，其他回民大多分布于甘肃、河南、河北、青海、新疆、云南、山东等地。甘肃省临夏回族自治州是著名的回族聚居地，其民族形成可上溯到公元7世纪阿拉伯人、波斯人来中国经商留居中国的一部分及13世纪被迫迁到我国的中亚人、波斯人和阿拉伯人不断与汉族等民族通过通婚、信教等。

由于信仰伊斯兰教，因而有其特有的饮食习俗。回民饮食禁忌比较严格，喜食牛羊肉及偶蹄类食草动物的肉以及鸡、鸭、鹅等家禽。不吃猪、驴、骡等不反刍动物的肉和凶猛禽兽的肉，不吃一切动物的血和自死动物，不吃无鳞鱼，不嗜烟酒等。绝大多数回民不吃马肉，但新疆阿尔泰地区回民吃马肉，有些地方的回民也吃兔肉。

回民虽有共同的宗教信仰和饮食禁忌，但因隶属教派、居住分散、各地自然地理条件不同，受周围各民族的影响及经济发展水平不一诸因素，各地回民饮食风俗也有差异。从主食上来看，南方回民以大米为主食；北方的宁夏贺兰山麓、银川平原、京津地区因产大米较多或大米供应多，也以大米为主食，面食为辅，其他地区大多以面粉为主食，兼食大米、小米、玉米及各种杂粮。

宁夏南部山区的回民，以土豆、荞麦、莜麦、糜子、豌豆为主食；新疆阿尔泰地区回民吃马肉和奶食品，米面食品退居次要地位，这显然是受哈萨克饮食习俗的影响；居住在云南迪庆藏族自治州和西藏一带的回民，主食与藏民一样，吃青稞、豌豆，三餐离不开糌粑和酥油茶。他们吃大饼、馒头和龙眼包子，也是采用当地藏民的做法。北方以面粉为主食的回民，擅长制作各种面食品，或蒸或煮或烙或炸。甘肃回民喜食抻制的面条，擅长做苦豆子馍馍等；风行全国的兰州拉面，就是甘肃回民的创造。宁夏回民喜食干拌面、连锅面、蘑菇面、羊肉臊子面等各种面条；新疆回民喜食拌面、炒面、烩面、凉皮子、馕、炸糕、饺子、馄饨等；北京回民喜食芝麻烧饼、肉饼等各种饼类和焦圈、油香、馓子、麻花、炸糕等各种炸货。

副食上，肉食品以牛羊肉为主，过去西北地区喜食骆驼肉，现因饲养少，吃驼肉的人也随之减少。天津等沿海地区回民多吃鱼虾鸡鸭，蔬菜因地而异。甘肃宁夏一带回民因蔬菜较少，同汉族一样常年制作“浆水”（用煮面条的汤泡芹菜发酵而成）。各地回民都喜欢在牛羊油中加入一定比例的植物油混合做菜用。

回民烹调技艺较高，清炖、红烧、粉蒸、凉拌、煎、炸、煮、烩、炒、酥、焖种类较多。比较有特色的菜品有：夹饭、牛干巴、发子面肠等。另外，涮羊肉、红松羊肉、清蒸羊羔肉、桶子肉、手抓羊肉、羊肉粉汤、煨牛肉也是极有特色的回族菜肴。云南回民还善将晒干的牛肠、牛胃做汤吃。

按伊斯兰教规，回民教徒不能抽烟喝酒，近些年来有些地方已经不太严格，特别是遇到喜庆节日也摆些果酒、啤酒之类。回民极好饮茶，甘肃、青海、宁夏回民好饮盖碗茶、冰糖窝窝茶、八宝茶；宁夏南部山区回民好饮罐罐茶、油茶；滇东回民在早晨饮烤茶。客人进门后，先小净（用“活水”洗手、漱口），随即献上新沏的茶水，再端出油香、馓子等食品。若贵客临门要杀鸡宰鹅，有羊者做全羊席待客，回族妇女不陪客。回民有可贵的互助精神，一家有丧事，除亲朋要帮忙外，邻近的人家均主动登门帮助办理，丧家要炸油香、馓子，宰牛羊招待来客，而且要尽可能地送客人及邻居。

各地回民都过传统的宗教节日，比较重要的有开斋节、尔代节、圣纪节。开斋节，新疆地区称“肉孜节”，每年伊斯兰教历的十月一日过此节日。成年穆斯林在斋戒的一个月里，白天不吃不喝，晚上进食，斋月期满那天便是开斋节。各家备油香、馓子、羊肉粥等。是日清晨要到清真寺参加会礼。尔代节又称古尔邦节、尔德节，含有牺牲献身之意，汉译为宰牲节。这天要宰鸡鸭鹅或牛羊接待亲友，在清真寺举行会礼，宰牲献祭。圣纪节，亦称圣忌节、冒路德节，是穆罕默德的生日与忌日，人们要聚在清真寺聆听阿訇讲述《古兰经》，然后会餐。一般来说，圣纪节的饮食比其他节日都丰盛。其他还有一些节日，部分地区回民过阿舒拉节、法蒂码节等。云南回民过姑太节、登宵节、拜拉特节等。

2. 维吾尔族

维吾尔族大多居住在新疆的南部和北部，饮食以面食为主，喜食牛羊肉，辅之以蔬菜、瓜果和奶制品。常见的主食有馕、包子、羊肉抓饭等。维吾尔族的“羊肉抓饭”是具有民族特色的传统食品，主要原料为大米、羊肉、胡萝卜、植物油及盐、葱、味精等。不仅搭配科学，烹调合理，而且营养丰富，有利健康。从中医性味而论，羊肉抓饭中，大米性凉，羊肉性温，胡萝卜味甘，食盐味咸，可谓温凉适中，甘咸相宜，既有植物性食品——米、油、菜，又有动物性食物——肉，符合当地民族生活习惯。此外，烤羊肉串、烤全羊、马奶酒等也颇具民族特色。

3. 俄罗斯族

俄罗斯族人散居在新疆伊犁、塔城、阿勒泰、乌鲁木齐及内蒙古自治区。以面食为主，主要吃面包及各种馅饼。副食品有各种蔬菜及猪肉、羊肉、牛肉、牛奶，还有腌制的各种蔬菜等。居住在乡村的俄罗斯人，家庭几乎都养有头数不等的奶牛，户户都会精心制作奶油、奶酪、果酱、果丹皮等美味可口的食品。

俄罗斯族人吃饭时用刀、叉、勺，盛饭的工具大多是盘子。一日三餐，早、晚两餐比较简单，先喝汤后吃菜。如果有两样以上的菜，一个菜吃完以后，再吃另一个菜。奶酪、奶茶是日常生活中必不可少的饮料。男人一般喜饮啤酒，几乎每家都会自制啤酒，除了自饮，也作为馈赠亲友的礼品。

俄罗斯族人忌食马肉、驴肉，少数人不食狗肉。因为受哈萨克、维吾尔等兄弟民族的影响，有些俄罗斯人还不吃猪肉。

4. 塔塔尔族

塔塔尔族主要居住在新疆维吾尔自治区，饮食以米、面、肉、奶为主，十分喜爱吃各种糕点。塔塔尔族妇女素以长于烹饪著称，尤其善制各种糕点。她们用鸡蛋和面粉制成的馕十分精致可口，在节日和待客时，除了抓饭外，还有用奶酪、杏干、大米，以及用南瓜、肉、大米焙烘的两种糕饼称为“古拜底埃”和“伊特白里西”，其外皮酥脆、内部松软，是塔塔尔族特有的风味食品。塔塔尔人还十分喜爱饮用一种用蜂蜜发酵制成类似啤酒的饮料“克儿西麻”和用野葡萄酿成的酒“克赛勒”。

塔塔尔族人信奉伊斯兰教，在伊斯兰教历的十月初一要过开斋节。节日那天，人们沐浴更衣，走亲串乡，互赠礼品。家家户户都准备杏仁、杏干、油香、油炸果子、茶、瓜果等食品，有的人家还备有奶茶、五香茶（用茶叶、枸杞、杏仁、冰糖、杏干泡的茶）招待亲友和客人。

塔塔尔族每年在初春还要选择一个风景优美的地方举行一年一度的撒班节。节日里，盛装的男女，带着馕、“古拜底埃”糕点、克儿西麻饮料、克赛勒酒等食品，互祝节日。“赛跳跑”是塔塔尔族一项富有民族特色的活动。这项活动十分有趣，参赛者必须口衔一匙，匙内放一鸡蛋，随着口令一下，迅速前跑，最先到达目的地而鸡蛋不跌落者为胜。

我国其他少数民族，在长期的生产、生活实践中也形成了自己独特的饮食习俗。

本章小结

本章主要介绍了中国的年节食俗和少数民族食俗。饮食文化包含着十分丰富的内容，主食、菜肴制作技术的精良只是一方面，另一方面，它还包括饮食结构、道德礼仪、宗教信仰等风俗习惯。饮食习俗包括居家饮食习俗、节日饮食习俗、待客饮食习俗、饮食礼俗等。居家饮食是一种“常食”，制作和享用都比较简便；它可根据不同地区、不同民族及不同季节，对饮食结构、配餐方式做相应的调整。在这一方面，各民族都有不同的惯例。各民族饮食习俗的形成，既与这一民族所处的自然地理环境、气候、物产及生活方式有关，又和各民族文化的互相影响交流有关。环境、气候和物产的差异，往往导致饮食原始结构和制作技术的不同。各民族饮食习俗的交流促进了饮食文化的发展，少数民族的独特食俗，常因地区和民族的不同而产生差异，从而形成丰富多彩、异彩纷呈的饮食习俗。各民族的饮食习俗，历来都是将实用和审美情趣融为一体，即便是日常生活中普通食品的制作，也把色、香、味作为美的标准。这都表现出各民族对待生活的乐观情绪和对美好未来的刻意追求。

思考题

1. 什么是饮食民俗？
2. 我国的餐制是如何演变的？
3. 中国的年节食俗有哪些文化特征，都是怎样形成的？
4. 我国少数民族食俗的主要内容有哪些？
5. 谈谈你对中国传统饮食习俗的认识。

第4章　中国美食文化

学习目标

◎ 了解我国饮食礼俗的特点。
◎ 了解中国传统的食礼。
◎ 认识美食与美器搭配的重要性并掌握合理搭配的方法。
◎ 正确认识饮食与礼制、饮食与政治等的关系。
◎ 正确理解我国传统的“五味调和”观。

任何一个民族都有自己富有特点的饮食礼俗，发达的程度也各不相同。中国人的饮食礼仪是比较发达、完备的，而且有从上至下贯通的特点。《礼记·礼运》说：“夫礼之初，始诸饮食”。根据文献记载可以得知，至迟在周代时，中国饮食礼仪已经形成一套相当完善的制度。这些食礼在以后的社会实践中不断得到完善，在古代社会发挥着重要作用，对现代社会依然产生着影响，成为文明时代的重要行为规范。中国的饮食文化源远流长，反映中华民族祖先的智慧和文明。各地不同的食风，风格迥异的特色菜点，以及由来已久的岁时食俗、礼仪交织成多姿多彩的饮食文化。

4.1　中国传统食礼

中国是文明古国，也是礼仪之邦，历来崇尚礼仪，包括饮食礼仪。“食礼”系饮食礼仪、饮食礼制、饮食礼义、饮食礼俗、饮食礼貌、饮食礼节等概念的通称。其中，饮食礼义是人们在饮食活动中应当遵循的社会规范与道德规范；饮食礼制是被国家礼法所肯定的饮食典章制度和重要经籍；饮食礼义是筵席时为表示某种敬意而隆重举行的各种仪式；饮食礼俗是与礼仪、礼制、礼义相关，且在民间流传已久的饮食风习；饮食礼貌是餐饮活动中表示敬重与友情的日常行为规范；饮食礼节是饮食礼仪的节度和饮食礼貌的综合评价。总之，作为“礼”的一个重要组成部分，食礼是饮膳宴筵方面的社会规范与典章制度，餐饮活动中的文明教养与交际准则，赴宴人和东道主的仪表、风度、神态、气质的生动体现。

食礼的涵盖面非常广泛，可按多种方法进行分类。若按时代划分，有原始社会食礼、奴隶社会食礼、封建社会食礼、资本主义社会食礼和社会主义社会食礼；按民族划分，有汉族食礼和少数民族食礼；按阶层划分，有宫廷皇家食礼、官府缙绅食礼、军营将士食礼、学院士子食礼、市场商贾食礼、行帮工匠食礼、城镇居民食礼和乡村农夫食礼；按地域划分，有东北地区食礼、华北地区食礼、西北地区食礼、华东地区食礼、中南地区食礼和西南地区食礼；按用途划分，有祭神祀祖食礼、重教尊师食礼、敬贤养老食礼、生寿婚丧食礼、贺年馈节食礼、接风饯行食礼、诗文欢会食礼、社交游乐食礼、百业帮会食礼和民间应酬食礼种种，形式和内容丰富多彩。上自帝王将相，下至黎民百姓，无不与之发生广泛联系，无不倚靠它进行社会交际。

自古以来，中国就是“礼仪之邦”、“食礼之国”。懂礼、习礼、守礼、重礼的历史，源远流长。礼起源于古代的祭神活动，祭祀大地四方诸神及自己的祖先是人们日常生活及国家政治生活中的头等大事之一。祭祀的规模是否隆重，进献的物品是否丰盛，盛牲的器皿是否考究，这一切是否合乎礼的范畴，是当时人们十分重视的事情。祭、祀、礼，无不与饮食有关。据《礼记·礼运》记载：“夫礼之初，始诸饮食。”而最早出现的食礼，又与远古的祭神仪式直接相关。对此，《礼记·礼运》又有一段概括性的描述，其大意是：原始社会的先民，把黍米和猪肉块放在石块上烤炙供神享用，凿地为穴作酒尊，用手掬捧而献饮等，都是饮食礼仪的原始体现。还用茅草扎成长槌敲击土鼓，希望将人的愿望和意志达于神灵，以此来表示对鬼神的敬畏和祭祀。历代饮食之神约有：土地神、五谷神、神农、风伯、雨师、日神、月神、隧人、灶神。从天至地，到掌管烹饪之神，都考虑到了。古人以美味食品供奉神灵以求幸福，是礼的本来含义。到了春秋战国时代，“食不语，寝不言”，即吃饭时不交谈，睡觉时不说话；“虽疏食菜羹，必祭，必斋如也”，吃糙米饭菜汤时也须得先祭，表现出斋戒般的恭敬；“席不正，不坐”，是说坐席不端正就不坐；“乡人饮酒，杖者出，斯出矣”，意思是说，同本地方的人一道饮食，要等老人都离席而去，自己才最后告退。后来食礼由人与神鬼的沟通扩展出人与人的交际，以便调节日益复杂的社会关系，逐步形成吉礼、凶礼、军礼、宾礼、佳礼等“先秦五礼”，奠定了古代饮食礼制的基石。中国饮食礼仪由来已久，在世界饮食文化史上独树一帜。

食礼诞生后，为了使其更好地发挥“经国家、定社稷、序人民、利后嗣”的作用，周公首先对其神学观念加以修正，提出“明德”、“敬德”的主张，通过“制礼作乐”对皇家和诸侯的礼宴作出若干具体的规定。接着，儒家学派的三大宗师——孔子、孟子、荀子，又继续对食礼加以规范，补充进仁、义、礼、法等内涵，将其拓展成人与人的伦理关系，“以礼定分”，消患除灾。他们的学生还对先师的理论加以阐述、充实，最后形成《周礼》、《仪礼》、《礼记》三部经典著作，使之成为数千年封建宗法制度的核心与灵魂。由于强调“人无礼不生、事无礼不成、国无礼则不宁”，食礼与其他的礼，就成为奴隶社会和封建社会贵族等级制度的社会规范及道德规范，维系压迫、剥削制度的思想工具。不过，古代食礼中也有一部分积极健康的内容，这就是人与人之间的行为准则和筵席、餐饮上的礼尚往来。在长期的流传过程中，它被广大劳动人民群众所接受，演变成各种合理的饮食礼仪与礼俗，成为中华民族优秀的文化传统之一。

4.1.1 饮食礼俗的特点

饮食礼俗是随着人类社会的产生而产生的，并随着人类社会的发展而发展，与人类社会生活的联系极为密切。其形成原因是多方面的，其中经济、政治、地域、宗教、语言等因素决定和影响着礼俗的产生和发展。首先，礼俗作为一种文化对象，其产生受到经济基础，即社会生产力发展的制约。在社会生产力十分低下的情况下，人们对自然和社会生活中的种种变化等不可理解。最基础的衣、食、住、行都很难得到满足，或刚刚得到满足，人们不可能对其礼俗方面有更高要求。在社会生产力较高的情况下，则相反，人们会对其饮食礼节、习俗等方面有更高的要求。其次，人类社会进入阶级社会以后，礼俗受到阶级和政治的影响，统治阶级为了达到政治目的，利用手中权力，左右着礼节与民俗活动，封建统治对民俗的形成、发展曾产生巨大的影响。第三，礼俗与宗教信仰的关系密切，有些礼俗就是由原来的宗教仪式演变而来的。

饮食礼俗具有一定特点。首先，具有社会性和集体性。任何一种饮食礼俗都不是个人行为，而是为社会所普遍传承的集体风尚和喜好。饮食礼俗作为社会行为模式，有其地域性、民族性。饮食礼俗产生之后，它的流传是靠集体行为来完成的。有了集体的创造和响应，同时又有集体的一代又一代的相传，才得以延续和发展。创造和流传的集体性，是推动饮食礼俗发展、演变的主要动力。其次，饮食礼俗具有相对的稳定性，并在稳定发展中形成一定的模式，之后就按照这一模式一代一代地相传。礼俗在各地区和各民族中传播时，存在着一种带有支配力量的主流部分，围绕它往往形成同种类型的礼俗。第三，饮食礼俗是广大民众在长期社会生活中所创造、传承和享用的文化，一般具有较大的相对稳定性，特别是在社会不太发达的时代，尤为明显。另一方面，礼俗在时空中的传承和演进，也必然出现形变或质变以及消亡等现象，从而产生与其稳定性相联系的变异性特点。这种变异还受到区域观念、民族心理等因素的影响，且对其发展起着推动作用。此外，礼俗的传承性是其在时间上的延续。这一特点是使其得以延续的重要手段，且在其传承中起承上启下的作用。一定领域的民族的社会礼节、习俗传承，总是受着各种因素的支配。传承者的独特心理决定人们对祖先遗留下来的东西（包括习惯、知识、成见等），不会轻易放弃。它总是主动地、有目的地使原有的礼俗文化一代一代地得以延续，这一特点也会影响其传播性；其横向传播的结果，可以形成一定的文化圈。我们的祖先创造了许多好的饮食礼俗，我们在继承优良传统的基础上，使其不断丰富，不断延续，使我国的饮食礼俗的优良传统得到弘扬。

4.1.2 中国宴饮之礼

宴在古籍中也同燕、筵，本意指铺在地上的坐席，后来延伸为宴。宴饮、燕饮、筵饮，在古人眼中是相同的。筵席在春秋战国已较成熟，经汉唐到明清，筵席在席面编排、肴馔制作、接待礼仪方面都成定式，构成中国饮食文化的重要方面。它不仅是一种饮食活动，把一家老少联系起来，餐桌成为聚会之地，边吃边聊，所以是家庭交流思想、商讨家政不可或缺的环节；而对外宴请更是联络感情、增进友谊必不可少的手段，还具有区别亲疏、尊卑的功用。筵席源于“燕礼”，是一种敬老宴，每年举行多次。其形式是先祭祖，后围坐吃狗肉，喝米酒，较为简单。周代统治者对筵宴十分重视，他们把筵宴看做内睦九族、外尊贤德、上以惠下，下以敬上的重要手段。因而，开办筵席十分频繁，有官宴和私宴之分。筵席间，觥筹交错，鼓乐齐鸣，气氛热烈和谐，周代的筵席和歌舞助兴的习俗基本上为以后历代所继承。隋唐时期，随着经济的空前繁荣，文化的兴盛，人们交往的频繁，筵席也进入一个高度发展时期。讲究场景，注重情感愉悦和心理调适，追求高雅格调。筵席用料从山珍扩大到海味，酒令融入席间，士农工商均以这种佐饮助兴的调令游戏为乐，进一步活跃了筵席气氛。元代筵席富有草原气息和蒙古食风，菜品以羊馔奶食为多，烹调以烧烤为主。明清时期，宴请宾客和家宴时都极注意饮食环境的布局、装饰和宴席地点的选择。席面的布置也很讲究，筵席设计注重套路、气势和命名，各式筵席脱颖而出，最著名的无疑是满汉全席。

中国人好客，常设宴款待客人，设宴之风源远流长，绵延至今。上至天子诸侯，下至贩夫走卒、引车卖浆者，人人都设过宴，赴过宴。设宴、赴宴的名堂繁多，如王室的游猎宴、会盟宴、烧尾宴、千叟宴等；官场的接风宴、洗尘宴、谢恩宴、长亭宴、敬祖宴等；军旅的誓师宴、祝捷宴、凯旋宴、辕门宴等；民间的婚嫁宴、庆丰宴、汤饼宴、开业宴、寿庆宴等；还有豪富绅士家的赏花宴、登高宴、玩月宴等，可谓五花八门，琳琅满目。宴席的名堂虽然这么多，但它的功能却是单一、明确的，即是一种社交活动。除个别特殊情况，如项羽的“鸿门宴”，赵匡胤的“杯酒释兵权”等是出于政治斗争的需要，于觥筹交错中隐藏着杀气外，一般都在祥和的气氛中进行。人们希望通过宴饮，达到融洽关系、增进友谊的目的，这从古代诗文中可以找到许多例子。伴随宴饮活动，产生了许多相应的礼节。

商周时期，人们的饮食不仅是为了饱腹，还是一种庄严的社会活动，有极复杂的礼仪。进食顺序是饮酒、吃饭、吃菜、喝汤。吃饭时有很多规定，如饭前洗手，不狼吞虎咽，不要大口喝汤，不要发出声音，不要拨弄牙齿。与尊长一起吃饭时，先奉尊长食，要等尊长吃完了才停止；与国君进食，则要讲究揖让周旋之礼，要等国君先吃，国君没有吃饱，侍食的臣子不能先饱。国君饱后，臣子还要劝食，但以三度为限。凡陪尊者进食，都不得放肆，不得吃饱。

在座次上也很严格。古时，为保持清洁，常在地面上铺一层竹或草编的席子，称筵；为了防潮，再在筵上铺比其小的席，合称筵席。人们进入室内，坐席上，故曰席地而坐。筵只铺一层，席则因身份不同而有别，一般天子坐席铺五层。筵和席可以根据情况而随便搬动，临时布置。八仙桌出现以后，座次有严格的区分。坐西向东为首席，若有多席，徐珂在《清稗类钞·宴会之筵》中说：“以左席为首席，以次递推”。以一席之坐次言之，即在左之最高一位为首座，相向对者为二座。首座之下为三座，二座之下为四座。或两座相对陈设，则左席之东向者，一二位为首座二座，主人例必坐于其下而向西”。约在清康熙、乾隆年间，圆桌开始在家宴上出现，与长方桌和八仙桌相比，更有合家团圆之意，因而备受欢迎，男女老少不分身份等级围坐桌前在以前是见不到的。

古人设宴，对座次安排十分讲究，主人坐什么位子，客人坐什么位子，都有严格规定，乱坐就有喧宾夺主、以下犯上之嫌。古人席次分上下，如果南北两席相对，西为上，东为末。东西两席相对，南为上，北为末。尊者长者坐上席，卑者少者坐末席。坐席分上下，就可以清楚地分辨出长幼。《史记·项羽本纪》就记载了座次安排的尊卑观念。鸿门宴上，项羽、项伯东向座。项王、项伯一为天下之主，一为主之叔父，所以坐席最尊，坐西向东；亚父范增是项羽的谋士，地位仅次于项王，故坐北朝南；沛公北向坐，张良西向侍。沛公刘邦是来谢罪的，因而坐第三位，即坐南向北；张良地位最低，坐东朝西，此坐一般是陪坐。不能叫坐而叫侍，意思是与今天的侍从差不多。在座次排定以后，还有许多规矩。如“男女不同席”、“父子不同席”、“尊人立莫坐”、“尊人共席饮，不问莫多言”等。

清代学者顾炎武经过考证，得出结论：“古人之坐，以东为尊。”这个结论仅限于室内，如祭祖时，庙室中神主朝向，都取东向。而在堂上，一般都以南向为尊，主要宾客都安排朝南坐，最典型的例子就是北京故宫太和殿的御座，坐北朝南，居高临下。

古代的饮食礼仪涉及粮食耕作、食品加工、烹饪、进食、祭祀等诸多方面，反映饮食养生、社会地位、伦理道德、宗教等种种观念。很多礼仪在现代文明的冲击下荡然无存，但座次的排列仍非常讲究。当然，它已不再是维护上下等级、贵贱尊卑的制度，而是出于一种尊敬、礼貌和关系的需要。饮食礼仪在一定程度上培养了人们恭谦、尊老的良好习惯，如敬酒斟酒、晚辈替长辈盛饭等，具有积极的作用，应予肯定和发扬。

入席后，主人需先给客人斟酒，以示礼貌。斟酒次序是先长后幼。俗话说：“浅茶满酒”，酒可比茶多斟些，但也以八分不溢为敬。给客人一一斟完酒后，主人才给自己斟。有的主人不善饮，甚至滴酒不能沾，可以请一位善饮的亲友代为陪饮，或以茶及其他饮料代酒。无论陪饮或代酒，主人均得主动向客人打招呼，征得客人同意，否则为失礼。

宴饮正式开始，主人必须先恭敬肃立，擎起酒杯向客人敬酒，这叫做“献”，客人也必定站起来擎起酒杯表示回敬。主人口称：“先干为敬”，将杯中酒一口干掉，尔后将酒杯倒转以示一滴不剩诚心待客，客人纷纷响应，也将各自的酒喝干。客人饮毕，需回敬主人，再给主人和自己斟酒，此为“报”（也称“酢”）。然后为劝客人多饮，主人再先饮以倡之，称“酬”。此种礼仪，由来已久，至今仍在沿传。古人习惯席地而坐，今日所见桌椅，南宋时才广泛采用。南宋以前，因坐姿关系，宴饮干杯时，宾主均不起立，各自举杯，邀齐共饮即算干杯。今人干杯，往往要碰杯，且要碰出响声。逢到碰杯，主客都要站起来，正视主人才算礼貌，否则是失礼。

做客之礼，依宴饮顺序有以下内容：宴饮前，要精心做好准备，衣冠整洁，不要迟到，以免让主人和其他客人久等，即使因某种特殊原因而迟到，到达后也应主动向主人和其他客人讲明，并致歉意，以此体现自己的诚意和修养。落座时，应等主人招呼才能落座，切忌大大咧咧目中无人，随意坐下，那是失礼的。碰杯时，客人的酒杯略低于主人酒杯，小辈的酒杯低于长辈的酒杯，以此为敬。干杯时，必须起立正视对方，碰响杯子，并喝干自己杯中的酒，才能落座。有的人不胜酒力，遇到有人敬酒干杯不站起来，这是失礼的。即使不干，也得举杯起立答礼，表示感谢。宴饮时，要注意谦让，特别对老人和妇女，看他们喜欢吃什么，适当予以照顾。“长者举未釂，少者不敢饮。”（《韩非子·有度》）“凡尝远食，必须近食”（《礼记·曲礼上》），注意吃相，不能只顾自己不顾他人，留下恶名。

1. 待客之礼

有主有宾的宴饮是一种社会活动，为使这种社会活动有秩序、有条理地进行，达到预定目的，必须有一定的礼仪规范来指导和约束。每个民族在长期的实践中都有自己的一套规范化的饮食礼仪，作为每个社会成员的行为准则。如何以酒食招待客人，《周礼》、《仪礼》与《礼记》中已有明细的礼仪条文。

首先，安排筵席时，肴馔的摆放位置要按规定进行，要遵循一些固定的法则。带骨肉要放在左边，切的纯肉放在右边。饭食放在用餐者左方，羹汤则放在右方；脍炙等肉食放在稍外处，醯酱调味品则放在靠近面前的位置；葱等佐料放在旁边，酒浆等饮料和羹汤放在同一方向。若有肉脯之类，还要注意摆放的方向，左右不能颠倒。这些规定都是从用餐实际出发的，并不是虚礼，主要还是为了取食方便。

其次，食器饮器的摆放、仆从端菜的姿式、重点菜肴的位置，也都有明文规定。仆从摆放酒壶酒樽，要将壶嘴面向贵客；端菜上席时，不能面向客人和菜肴大口喘气，如果此时客人正巧问话，必须将脸侧向一边，避免呼气和唾液溅到盘中或客人脸上。上整尾鱼肴时，一定要使鱼尾指向客人，因为鲜鱼肉由尾部易与骨刺剥离；上干鱼则正好相反，要将鱼头对着客人，干鱼由头端更易于剥离；冬天的鱼腹部肥美，摆放时鱼腹向右，便于取食；夏天则背鳍部较肥，所以将鱼背朝右。主人的情意，就是由这细微之处体现出来的，仆人若是不知事理，免不了会闹出不愉快来。

再次，待客宴饮，并不是等仆从将酒肴摆满就完事了，主人还有一个很重要的事情要做，要作引导，要作陪伴，主客必须共餐。尤其是老幼尊卑共席，那麻烦就多了。陪伴长者饮酒时，酙酒时须起立，离开座席面向长者拜而受之。长者表示不必如此，少者才返还入座而饮。如果长者举杯一饮未尽，少者不得先干。长者若有酒食赐予少者和僮仆等低贱者，他们不必辞谢，地位差别太大，连道谢的资格都没有。

2. 进食之礼

饮食活动本身，由于参与者是独立的个人，所以表现出较多的个体特征，每个人都可能有自己长期生活中形成的不同习惯。饮食活动又表现出很强的群体意识，它往往是在一定的群体范围内进行的，在家庭中，或在某一社会团体内，所以还得用社会认可的礼仪来约束每一个人，使各个个体的人的行为都纳入正轨之中。

进食礼仪，按《礼记·曲礼》所述，先秦时已经有了非常严格的要求，在此条陈如下。

“虚坐尽后，食坐尽前。”在一般情况下，要坐得比尊者长者靠后一些，以示谦恭；“食坐尽前”，是指进食时要尽量坐得靠前一些，靠近摆放馔品的食案，以免不慎掉落的食物弄脏座席。

“食至起，上客起，让食不唾”。宴饮开始，馔品端上来时，客人要起立；在有贵客到来时，其他客人都要起立，以示恭敬。主人让食，要热情取用，不可置之不理。

“客若降等，执食兴辞。主人兴辞于客，然后客坐”。如果来宾地位低于主人，必须双手端起食物面向主人道谢，等主人寒暄完毕之后，客人方可入席落座。

“主人延客祭，祭食，祭所先进，殽之序，遍祭之”。进食之前，等馔品摆好之后，主人引导客人行祭。食祭于案，酒祭于地，先吃什么就先用什么行祭，按进食的顺序祭祀。

“三饭，主人延客食胾，然后辨殽，主人未辨，客不虚口”。所谓“三饭”，指一般的客人吃三小碗饭后便说饱了，须主人劝让才开始吃肉。宴饮将近结束，主人不能先吃完而撇下客人，要等客人食毕才停止进食。虚口指以酒浆漱口。如果主人尚在进食而客自虚口，便是不恭。

“卒食，客自前跪，彻饭齐以授相者。主人兴辞于客，然后客坐”。宴饮完毕，客人自己须跪立在食案前，整理好自己所用餐具及剩余食物，交给主人的仆从。待主人说不必客人亲自动手，客人才住手，复又坐下。

“共食不饱。”同别人一起进食，不能吃得过饱，要注意谦让。

4.1.3 汉族古代食仪

在中国古代，饭、菜的食用有严格的规定，通过饮食礼仪来体现等级差别。贫民的日常饭食以豆饭藿羹为主，“民之所食，大抵豆饭藿羹”，有菜肴二十余种。《礼记·礼器》曰：“礼有以多为贵者，天子之豆二十有六，诸公十有六，诸侯十有二，上大夫八，下大夫六。”而民间平民的饮食之礼则“乡饮酒之礼，六十者三豆，七十者四豆，八十者五豆，九十者六豆，所以明养老也”。乡饮酒是乡人会聚饮酒之礼，在这种庆祝会上，最受尊敬的是长者。

作为汉族传统的古代宴饮礼仪，一般的程序是，主人折柬相邀，到期迎客于门外；客至，致以问候，请入客厅小坐，敬以茶点；导客入席，以左为上，是为首席。席中座次，以左为首座，相对者为二座，首座之下为三座，二座之下为四座。客人坐定，由主人敬酒让菜，客人以礼相谢。宴毕，导客入客厅小坐，上茶，直至辞别。席间斟酒上菜，也有一定的规程。

礼产生于饮食，同时又严格约束饮食活动。不仅讲求饮食规格，而且对菜肴的摆放也有规则。早在《礼记》中就有着宴会食序的记载，先是饮酒，再吃肉菜而后吃饭的程序和现在大致相同。在有十六种菜肴的宴会上，菜肴分别排成四行，每行四个。带骨菜肴放在主位左边，切肉放在右边。饭食靠在食者左方，羹汤则放在右方。切细的和烧烤的肉类放远些，醋和酱类放近些。葱等佐料放在旁边，酒浆等饮料和羹汤放在同一方向。如果陈设干肉牛脯等，那就弯曲的在左，挺直的在右。上菜时，要用右手握持，而托捧于左手上；上鱼肴时，如果是烧鱼，以鱼尾向着宾客；冬天鱼肚向着宾客的右方，夏天鱼脊向宾客的右方。宴会有献宾之礼。先由主人取酒爵到宾客席前请饮，称为“献”；次由宾客还敬，称为“酢”；再由主人把酒注入觯后，先自饮而后劝宾客随饮，称“酬”，这样合称“一献之礼”。

在用饭过程中，也有一套繁文缛节。《礼记·曲礼》载：“共食不饱，共饭不泽手，毋抟饭，毋放饭，毋流歠，毋咤食，毋啮骨。毋反鱼肉，毋投与狗骨。毋固获，毋扬饭，饭黍毋以箸。毋嚃羹，毋刺齿，毋歠醢，客絮羹，主人辞不能亨，客歠醢，主人辞以窭。濡肉齿决，干肉不齿决，毋嘬炙。卒食，客自前跪，彻饭齐以授相者，主人兴辞于客，然后客坐。”这段话的大意是：同别人一起进食，不能吃得过饱，要注意谦让。如果和别人一起同器食饭，手上不能有汗泽。不要用手搓饭团，不要把多余的饭放进食器中。不要猛饮汤汁像流水发出声响。咀嚼时不要让口中发出难听声音，主人会觉得你是对他的饭食表现不满意。不要专意去啃骨头，这样容易发出不好听的声响，使人有不雅不敬的感觉。不要把咬过的鱼肉又放回盘中，不要把咬过的骨头扔给狗。不要专据食物，也不要簸扬热饭使其变冷。吃黍饭不要用筷子，但也不提倡直接用手抓，食饭必得用匙。不可以大口囫囵地喝汤，也不要调和羹汤。不要当众剔牙齿，也不要喝肉醢汁。如果有客人在调和羹汤，主人就要道歉，说是烹调得不好；如果客人喝酱汁，主人也要道歉，说是备办的食物不够。湿软的肉可以用牙齿咬断，干肉就得用手分食，吃炙肉时不能并在一起吃。吃饭完毕，客人应起身向前收拾桌上的碟子交给旁边伺候的人，主人跟着起身，请客人不要劳动，然后客人再坐下。

4.2 美食文化

4.2.1 美食配美器

中国饮食文化源远流长，其中，餐饮器具一直被视为饮食文化的重要内容。古诗云：“葡萄美酒夜光杯”，足见“美食”与“美器”的唇齿关系。“好马配好鞍”，精美的佳肴以精致的器具相配，相得益彰。清代著名诗人、美食家袁枚在纵观古今美食与美器的发展史后叹道：“古诗云‘美食不如美器’，斯语是也。”并说“煎炒宜盘，汤羹宜碗，参错其间，方觉生色。”这无疑是对美食与美器关系的一个精辟总结。

美食与美器的和谐统一，是中国传统烹饪艺术的一个重要组成部分。中国饮食器具的发展，经过原始陶器阶段、青铜器阶段、漆器阶段，发展至瓷器时代达到鼎盛。此时器物种类繁多，造型千姿百态，图案优美而富有寓意，色泽多变而典雅大方，制作工艺精良而艺术性强；这些方面本身就是给人以审美愉悦的对象。而且，中国人还讲究把美食与美器有机结合，不同的食物配不同的器具，既方便食用，又互相映衬，彼此呼应，在二者的完美结合中，使食物与器具本身的美都得以充分展现。就像杜甫《丽人行》中描绘的那样：“紫驼之峰出翠釜，水精之盘行素鳞”。美食与美器之间若能因食配器，彼此相融，则会锦上添花，达到一种新的境界；如果彼此不配，则相形见绌。

餐具有中外之别，中国餐具品种齐全，款式多样，材质丰富，但以瓷器为主。同时又分官用和民用两大类，其中官用为宫廷等专用，做工考究，档次很高。官用的整套餐具被称为“整堂”，而民间百姓的则称为“散用”。

我国瓷器艺术盛于两宋。据说，宋徽宗特别喜爱瓷器，他在汴京（今河南开封）置官窑烧造，时有官、汝、定、哥、钧五大名窑最享盛名。从那时起，我国的餐具便逐渐由瓷器占统治地位，但由于瓷器破损率高，难以流传久远，故今日宋代瓷器已成为稀世之宝。

古代皇室、贵族逢年过节或举行祭天祭祖等重要活动时，不仅精于美食、美肴，而且精于美器。美食和美器体现着政治上的至尊、至崇、至荣的地位和权力。例如清代，特别在乾隆和慈禧执政时期，其餐具奢华程度已达到极致。只要参观一下故宫博物院的珍宝馆，就可饱览各式珍美餐具。

除此之外，餐饮业老字号也是博物馆，有着深厚的饮食文化积淀。许多老字号早年间所使用的餐具都是由江西景德镇订制的，完全是整堂的餐具，有些是专门供喜寿宴会而特意烧造的，盘碗都绘有“喜”、“寿”字图案，且在餐具底部烧上清皇帝的年款，如“雍正某年制”等。

随着现代科学技术的发展，餐具制造业的发展也很快，不仅一些传统餐具得以恢复，而且还不断有新型餐具出现。因此，选用适当器皿能为菜肴的形式美锦上添花，以烘托筵席气氛。菜品与器皿的巧妙搭配十分复杂，但总的来说应追求和谐、精巧和古朴。

1. 盛器的选用类型

（1）单色盘。单色盘指的是色彩单一，又无明显图饰的瓷盘。如白色盘、蓝色盘、红色盘以及透明或磨砂玻璃盘等。这类盘子在餐桌上烘托菜肴的功能突出，有较强的感染力。若选用的餐盘与菜品色泽构成色彩对比，则更显得艳丽悦目，如蓝色盘中盛装“鸡丝银针”、红色盘中盛装“西柠软煎鸡”。需要注意的是，若只是一味地追求餐具与菜肴的统一或对比，往往会造成色彩单调、呆板。因此，菜肴与盛器之间应当遵循在调和中求对比，在对比中求调和的美学原则。

（2）几何形纹饰盘。这类盘以圆形、椭圆形、多边形为主，盘中饰纹多沿盘器四周均匀、对称地展开，有强烈的稳定感，有一种特殊的曲线美、节奏美和对称美。选用这类器皿关键是要紧扣“环形图案”这一特点，可依菜择盘，也可因盘设菜，使菜肴与盘饰的形式、色彩浑然一体，巧妙自然，在统一中又富于变化。

（3）象形盘。这类盛器是在模仿自然物的基础上设计而成的，以仿植物、动物形为主。一般常有叶片形、花朵形、鱼形、蟹形、牛形、贝壳形、孔雀形等，质地上则除采用瓷器、玻璃外，还采用木质、竹质、藤质，甚至贝壳等天然材料，这些巧夺天工的餐具使筵席妙趣横生，生机盎然。

2. 美食与美器的搭配要求

(1) 菜肴与器皿在色彩纹饰上要和谐。在色彩上，没有对比会使人感到单调，对比过分强烈也会使人感到不和谐。在这里，重要的前提是对各种颜色之间关系的认识。美术家将红、黄、蓝称为原色；红与绿、黄与紫、橙与蓝称为对比色；红、橙、黄、赭是暖色；蓝、绿、青是冷色。因此，一般来说，冷菜和夏令菜宜用冷色食器；热菜、冬令菜和喜庆菜宜用暖色食器，但要切忌"靠色"。例如将绿色炒青蔬盛在绿色盘中，既显不出青蔬的鲜绿，又埋没了盘上的纹饰美。如果改为盛在白花盘中，便会产生清爽悦目的艺术效果。再如，将嫩黄色的蛋羹盛在绿色的莲瓣碗中，色彩格外清丽；盛在水晶碗里的八珍汤，汤色莹澈见底，透过碗腹，各色八珍清晰可辨。

在纹饰上，食物的料形与器的图案要显得相得益彰。如果将炒肉丝放在纹理细密的花盘中，既给人以散乱之感，又显不出肉丝的自身美。反之，将肉丝盛在绿叶盘中，立刻会使人感到清心悦目。

(2) 菜肴与器皿在形态上要和谐。中国菜肴品种繁多，形态各异，食器的形状也是千姿百态。可以说，在中国，有什么样的肴馔，就有什么样的食器相配。例如，平底盘是为爆炒菜而来，汤盘是为熘汁菜而来，椭圆盘是为整鱼菜而来，深斗池是为整只鸡鸭菜而来，莲花瓣海碗是为汤菜而来等。如果用盛汤菜的盘盛装爆炒菜，便收不到美食与美器搭配和谐的效果。

(3) 菜肴与器皿在空间上要和谐。人们常说"量体裁衣"，用这样的方法做出的衣服才合体，食与器的搭配也是这个道理。菜肴的数量要和器皿的大小相称，才能有美的感官效果。汤汁漫至器缘的肴馔，不可能使人感到"秀色可餐"，只能给人以粗糙之感；肴馔量小，又会使人感到食缩于器心，干瘪乏色。一般来说，平底盘、汤盘（包括鱼盘）中的凹凸线，是食与器结合的"最佳线"。用盘盛菜时，以菜不漫过此线为佳。用碗盛汤，则以八成满为宜。

(4) 菜肴掌故与器皿图案要和谐。中国名菜"贵妃鸡"盛在饰有仙女拂袖起舞图案的莲花碗中，会使人很自然地联想到善舞的杨贵妃就醉百花亭的故事。"糖醋鱼"盛在饰有鲤鱼跳龙门图案的鱼盘中，会使人情趣盎然，食欲大增。因此要根据菜肴掌故选用图案与其内容相称的器皿。

(5) 一席菜食器上的搭配要和谐。一席菜的食器如果不是清一色的青花瓷，便是一色白的白花瓷，其本身就失去了中国菜丰富多彩的特色。因此，一席菜不但品种要多样，食器也要色彩缤纷。这样，佳肴耀目，美器生辉，蔚为壮观的席面美景便会呈现在眼前。

4.2.2 古代的饮食避暑

我国古代有"三伏"之说，据《阴阳书》记载："从夏至后第三庚为初伏，第四庚为中伏，立秋后为后伏，谓之三伏”。也就是说，夏至标志着炎热的开始。古时候，进入炎热的伏日，有吃各种消暑清凉食物的习俗，其目的是预防暑热伤身，而且在一定程度上起到食疗保健作用。

饮食避暑最早起源于汉代，但汉代的饮食避暑只是“烹羊炮羔，斗酒自劳”，是一种劳动之余的“斗酒会”，主要目的是消除疲劳。南北朝时，伏日饮食避暑有进一步发展。据《荆楚岁时记》载：“伏日进汤饼，名为避恶”。古人习惯称暑气为恶气，这里所谓“避恶”，实际是指避暑。“汤饼”是一种放在水里煮熟的面食，虽然汤饼本身不是清凉食品，但在夏天吃热气腾腾的汤饼时却能出一身大汗，从而带走体内大量热能。因此，古人盛夏吃汤饼无疑是一种很好的避暑方法。

时至宋代，伏日清热防暑食物就更多了。诸如瓜、李、荷叶、绿豆汤、鳝羹、银苗菜、新莲、避暑汤等。据《东京梦华录》记载：京都开封人最重三伏避暑。六月中往往避暑于“风亭水榭，峻宇高楼”等场所。吃则是“雪槛冰盘，浮瓜沉李……”。《膳夫录》也记载：“汴中节食，伏日绿荷包子”。从文献记载看，宋代已有西瓜。如宋代诗人方回《秋熟》诗有：“西瓜足解渴，割裂青瑶肤”的描述。西瓜，又名寒瓜，中医学认为西瓜性味甘寒，有清热解暑，除烦止渴、利尿等功用。《本草纲目》也指出西瓜能“疗喉痹，宽中下气，利小水，治血痢，解酒毒”。毫无疑问，夏季热盛伤津，食西瓜功效最佳。“绿荷”与“新荷”都是指荷叶，荷叶为睡莲科植物莲的叶子，是很好的祛暑食物，其性味苦、涩平，具有清暑利湿、生津止渴等作用。《饮食指南》认为，荷叶能“升清消暑，化热宽中，散淤，主治暑热、水肿、淤血症”。宋代开封市民，伏日以“浮瓜沉李……”为避暑饮食，说明我国至少在北宋时期，人们就注意到盛夏如何利用清凉饮食防暑了。

古人将西瓜镂空，雕刻成一盏碧绿的、有美丽图案的“西瓜灯”，悬在宴席的上方，令宾客观之，不啻啜食冷饮，心理上可得到一种极大的阴凉感，也就不觉得热了，这委实是古代厨师的一大发明。约至明末清初，已经有了关于“西瓜灯”的文字记载。康熙、雍正年间的著名文人黄之隽就曾写过一首《西瓜灯十八韵》，作者以传神的笔墨歌咏“西瓜灯”的雕刻过程，描绘“灯”上的“小篆”、“回文”及其他图案，还赞美“西瓜灯”像“佛火”一般有八楞的“青琥珀”，有四个面的“碧琉璃”，真是美妙之极。清朝时的浙江著名文人许宗彦也写过一首《镂瓜为灯制甚工巧诗以咏之》的七律，形象地道出了“西瓜灯”的妙用、雕刻的艰巨、花纹的美丽，并认为有此灯之后，不必使用以织袋盛着萤火虫做成的“灯”了。除诗外，《扬州画舫录》中也有关于“西瓜灯”的记载：“……亦间取西瓜镂刻人物、花卉、虫鱼之戏，谓之西瓜灯”。由此可见，在清代的江浙地区，“西瓜灯”确是较为风行。

明清以来，伏日最盛行吃莲子汤。据《帝京岁时记胜》载：“六月盛暑，食饮最喜清新。京师莲食者二；内河者嫩而鲜，宜承露，食之益寿；外河坚而实，宜干用。”《清稗类钞》也说：“京师夏日……鲜莲子之类，杂置小冰块于中”宴客。中医学认为，莲子性味甘平，有补脾涩肠，养心益肾的功用。夏日常饮莲子汤，能补中强志，养神益脾。中老年人食之，轻身益气，令人强健，夏日饮莲子汤益寿是有科学道理的。

清朝北京地区伏日选择中草药避暑，也是一大特点。据《京都风俗志》记载：“伏日，人家有食盛馔异于平日者，谓之‘贴伏膘’。或以此日起，有合冰水者，或有煎苏叶、藿叶、甘草等汤，于市中舍之，谓之暑汤”。这里的“苏叶”，即紫苏叶，中医学认为紫苏性温、味辛，能发表散寒、理气宽中、化痰止咳。《日华子本草》称其为“止咳，润心肺，消痰气。”中老年和儿童夏日饮苏叶汤，则有健脾补中的功效。“甘草”，亦称甜草，豆科，多年生草本植物。中医学以根入药，性平、味甘，能够缓中补虚、泻火解毒、调和诸药，生用可治咽痛、痈疽肿毒。“藿”即藿香，中医学以其茎、叶入药，性微温，味辛甘，能够解暑、化湿、和胃、止呕，主治感冒暑热、头痛胸闷、精神不振、食欲不佳。《本草图经》谓其“治脾胃吐逆，为最要之药。”《医余录》说：“藿香，恒散暑气，避暑气。”可见，苏叶、藿叶、甘草汤是盛夏食疗佳品。

除上述以外，古代伏日消暑食品还有绿荷包子、绿豆汤、鳝羹、银苗菜、杨梅、鲜藕、鲜菱、西瓜、香瓜等近十余种。其中以水果、蔬菜和中草药为多，这些食物大多性味甘、寒、温、平、辛。主治清热消暑、除烦止渴，或泻火解毒、养心宁志、健脾益胃。这些消暑饮食也是十分理想的夏季保健膳食。

4.2.3 龙与中国饮食文化

在中国文化中，龙有着重要的地位和影响。从距今7000多年的新石器时代，先民们对龙的图腾崇拜，到今天人们仍然多以带有“龙”字的成语或典故来形容生活中的美好事物。龙是非常神奇的动物，龙是中华民族的象征。数千年来，龙的影响延伸到中国文化的多个领域，深深融入中国人的生活之中，成为一种文化凝聚和积淀。

龙起源于中国原始社会的新石器时代。目前，我国内蒙、河南、山西、辽宁、陕西等地原始社会晚期遗址中，曾出土一些与龙有关的文物，诸如龙纹彩陶罐、彩绘龙纹陶盘等。不过，当时龙的形象同秦汉以后龙的形象相距甚远。有的身躯粗壮，长吻平鼻，有如猪形；有的昂首弓背，眼眶和鼻端向上突起，取像于鳄；有的身躯弯曲细长，无足无爪，近似蛇形……在龙的发展历程中，这些龙属于“前龙”阶段，也就是说龙的形象正处于起源时期。不同地区之间，甚至同一地区内，龙的形象也有较大差异。

先民从猿转化为人类时，面对的是十分艰苦的自然环境。由于生产力低下和知识落后，原始人类一方面要竭尽全力，从自然界中获取赖以生存的食物和其他资源，一方面又对强大而神秘的自然界产生崇拜与敬畏，这样便逐渐产生了原始宗教和巫术。原始宗教认为自然万物都是有灵的，而且冥冥之中，还有主宰自然界的“神”。这个（或多个）神掌握着宇宙间的一切权力，可以福佑人类，也可以惩罚人类。但人们可以通过巫与神相通，求得神的庇护和帮助。

在原始宗教中，对动物的崇拜是其重要内容之一。人类最初的经济活动是狩猎，因而动物是人类在自然界中最感兴趣的对象。原始人要靠捕捉动物果腹，还要躲避那些对自己生命构成威胁的凶猛动物的袭击。在这个过程中，原始人对某些动物的体态，如鳄、鲵、蛇、鸟及某些昆虫等，以及这些动物奇异的能力，如可以翱翔于天空、潜游于水底，可以无足而行，可以蛰伏而居等，产生了崇拜和幻想。

距今3000多年的商代，龙的形象得到初步规范。甲骨文中的“龙”字，形象地描绘了人们观念中龙的形象，而青铜器、玉器上的龙纹也同甲骨文中的“龙”字相似。像安徽阜南出土的一件商代盛酒器“龙虎铜尊”上龙的形象，已不同于自然界中任何一种动物，而是从鸟兽鱼虫各类动物中选择某一部分重新组合，融成一个有机整体。当时，龙的形象主要包括头、冠饰、角、目、耳、鼻、嘴、眉、足、鳞（羽毛）、尾和躯体等部分，其形象是吸收了许多动物形象中最神奇的部分组合而成的。汉代学者王充曾指出，龙的角像鹿，头如驼，眼睛如兔，颈如蛇，腹似蜃，鳞如鲤，爪似鹰，掌如虎，耳朵像牛。龙的这种形象是经过相当长的时间演变发展而形成的，一般称之为“真龙”。

通过龙的形象变化，去追寻龙起源的原因，可以看出重要的一点，即龙的起源与农业生产有关。中国是世界重要的农业发源地之一。早在一万年前，中国就有了原始农业，湖南道县玉蟾岩曾出土距今一万年的稻粒。水是农业的命脉，原始农业时期没有灌溉工程，必须依赖雨水，更怕河水泛滥，于是，先民渴望有一种控制水的能力。当时，他们实在难以具有这种能力，便将希望寄托于他们所创造的“龙”这种神话形象上。前龙阶段的蛇、鳄、蜥蜴等爬行动物均与水有关，甚至有的就生活在水中。在陆地生活的人看到能潜于水中的鳄、快速在水中游动的水蛇、无脚而能自由运动的蛇，无不产生神秘感，由神秘而敬畏，而神化。进入真龙时期，人们干脆将龙在水中安家。人们让龙生活在水中，为的是使其统领水域，以便农业上需要水时，敬请龙王兴云降雨。

在先民的心目中，龙既然是神物，当然也就在观念上将龙同祥瑞联系到一起。人们用龙比喻美好的事与物，龙的形象深入社会生活的方方面面。在各种艺术作品中，在语言文字中，在各类物品上，都不乏龙的形象，在“食”的领域中更是与龙结下了不解之缘。如食品中有龙虾、龙眼、龙荔、龙须菜、龙虎斗、龙井茶、龙须面等。这些食品名称，有的是取其形似，有的则是寓意吉祥。又如在节令食俗上，早在元代已有“二月二，龙抬头”的记载。为表达对丰收的祈望，这一天很多地方盛行吃面食，这天做的面条叫“龙须面”，烙饼叫“龙鳞”，饺子叫“龙牙”。清代时，人们在“龙抬头”这一天，还要用白灰从门外蜿蜒撒入厨房，并绕水缸一周， 名为引龙回。此外，在元宵节，人们要舞龙灯，端阳节要赛龙舟，这些都属于与龙相关的饮食文化活动。

在人们使用的饮食器皿和一些灶具上，更是常见龙的形象。它或是寄托了人们对美好的向往，或是营造一种庄严尊贵的气氛。这些龙的姿态各具时代特色，有的曲体盘绕，有的穿云腾越，有的信步前行，有的蓄力待发。斗转星移，祖先所创造的“龙”至今仍保持着旺盛的生命力，仍为人们所喜爱，仍能从心底唤起民族的自尊心和自豪感。

4.2.4 陆游与美食

美食文化的创造，首应归功于厨师，但厨师未必是美食家。即使烧得一手好菜，厨师往往也只是一个匠人。能明饮食文化的渊源，融会贯通，知其然且知其所以然，信手拈来，皆成美味，治大国如烹小鲜，轻而易举，可谓大厨师，可为大师，亦可兼称美食家，这自然是食界众生所仰望的。另一方面，文人的贡献，不可忽略。人们都知道陆游是南宋著名的诗人，但很少有人知道他还是一位精通烹饪的美食家，在他的诗词中，咏叹佳肴的足有上百首，还记述了当时吴中（今苏州）和四川等地的佳肴美馔，其中有不少是对于饮食的独到见解。

陆游的烹饪技艺很高，常常亲自下厨掌勺。一次，他就地取材，用竹笋、蕨菜和野鸡等物烹制出一桌丰盛的佳宴，吃得宾客们“扪腹便便”，赞美不已。他对自己做的葱油面也很自负，认为味道可同神仙享用的“苏陀”（油酥）媲美。后有记录他会做饭（面）菜（羹）的诗句“天上苏陀供，悬知未易同”，即是说自己用葱油做成的面条与天上苏陀一样。他还用白菜、萝卜、山芋等家常菜蔬做甜羹，江浙一带居民争相仿效。他在《山居食每不肉戏作》的序言中记下了“甜羹”的做法：“以菘菜、山药、芋、莱菔杂为之，不施醯酱，山庖珍烹也。”并诗曰：“老住湖边一把茆，时沽村酒具山肴。年来传得甜羹法，更为吴酸作解嘲。”“今日山翁自治厨，嘉肴不似出贫居，白鹅炙美加椒后，锦雉羹香下豉初。箭茁脆甘欺雪菌，蕨芽珍嫩压春蔬。平生责望天公浅，扪腹便便已有余”。由此可见，陆游既会烹饪，又爱烹饪。

陆游在《洞庭春色》一诗中有“人间定无可意，怎换得玉脍丝莼”之句，这“玉脍”指的就是隋炀帝誉为“东南佳味”的“金齑玉脍”。“脍”是切薄的鱼片；“齑”就是切碎了的腌菜或酱菜，也引申为“细碎”。“丝莼”则是用莼花丝做成的莼羹，也是吴地名菜。陆游在诗中称赞的这些菜肴，在当时确实都是名菜。正是因为陆游欣赏这些家乡名菜名点，所以当他宦游蜀地之时，不时要通过怀念家乡菜点，来抒发他的恋乡之情，写出了“十年流落忆南烹”的诗句。

陆游不但会烹饪，而且很懂得烹调技术。他长期在四川为官，对川菜兴味浓厚。唐安的薏米、新津的韭黄、彭山的烧鳖、成都的蒸鸡、新都的蔬菜，都给他留下了难忘的印象，离蜀多年后还念念不忘，晚年曾在《蔬食戏书》中咏出“还吴此味那复有”的动情诗句。在《饭罢戏作》一诗中，他说：“东门买彘骨，醯酱点橙薤。蒸鸡最知名，美不数鱼鳖。”“彘”即“猪”，“彘骨”是猪排，排骨用加有橙薤等香料拌和的酸酱烹制。此外在诗中称道了四川的韭黄、粽子、甲鱼羹等食品。

陆游在选用新鲜的优质烹饪原料时写道：“霜余蔬甲淡中甜，春近录苗嫩不蔹。采掇归来便堪煮，半铢盐酪不须添。”他强调蔬菜不要调味，吃起来也很新鲜。但从“半铢盐酪不须添”之句来看，又有点走向另一个极端，他否定了盐（主味）应有的作用，过于强调“本味”也是不足取的。

陆游到了晚年，基本吃素，他认为吃素既节俭，又可养生。他喜爱的素菜有白菜、芥菜、芹菜、香蕈、竹笋、枸杞叶、菰、豆腐、茄子、荠菜等。他还亲自种菜，而且几乎与荤菜绝缘，同时还说，之所以这样节约，“不为休官须惜费”，而是“从来简俭作家风”。何况“邻家稗饭亦常无”，自己这样吃蔬食，也可“使胸中无愧作，一餐美敌紫驼峰”。尤其嗜食荠菜，常常吃得不肯罢休。他对荠菜的做法也很讲究，主张采来便煮，确保新鲜，不加盐酪，突出真味。在评价薏米时，有诗云：“初游唐安饭薏米，炊成不减雕胡美。大如芡实白如玉，滑欲流匙香满屋。”把大如芡实的薏米的白、滑、香的特点都写得非常生动。

陆游又认为吃粥可以强身益气，延年益寿，他在《食粥》诗中写道：“世人个个学长年，不悟长年在目前。我得宛丘平易法，只将食粥致神仙。”他之所以能够活到八十多高龄，恐怕同他吃粥与晚年基本吃素不无关系。陆游还提倡乡土风味，如“鲈肥菰脆调羹美，荞熟油新作饼香。自古达人轻富贵，例缘乡味忆回乡。”可见，陆游是位美食兼诗文的烹饪学者。

4.2.5 五味调和

中国菜有五味调和之说，这是与中国的五行学说有关。五行学说认为，世界是由金、木、水、火、土五种物质所构成，一切事物无不与这五种物质相关联。所以菜肴的色、香、味也与五行联系在一起。其实，“五”字应理解为多样化，并不限于仅此五种。

味是一种感觉，又称味觉。据科学资料证明，人的口腔部位分布着许多味蕾，对各种不同的呈味物质有各种不同的感知能力。因此烹饪中如何刺激和调动这些感知能力，就成为一门专门的学问。中国菜以味取胜，味是中国菜的灵魂。这里还要指出一种现象，那就是中国人对艺术的欣赏都讲究味、韵，无论诗文书画、音乐舞蹈，都可以品味、玩味。了解这种独特的审美习惯，有助于人们理解中国人对菜肴辨味的重视。

人们把甜、酸、苦、辣、咸定为五味（《吕氏春秋·本味篇》），这是就口感、味觉而言；也有把醯（醋）、酒、饴蜜、姜、盐作为五味（《周礼·天官·疾医》），那是就物质而言。当然，这仅仅是大致的划分，现在有人认为鲜味、涩味也应该归入“基本味”，还有人认为苦味不宜列为烹饪中的五味之内。可见，味的种类很多。北魏《齐民要术》中有“五味脯”、“五味腊”的菜名，实际上也含多味的意思，并不是要把甜、酸、苦、辣、咸集于一菜之中。但五味可以调出多种复合味，则在中国饮食文化中有着很丰富的内容。

一般可以将肴馔的味型分为基本型和复合型两类。基本型大约可分为9种，即咸、甜、酸、辣、苦、鲜、香、麻、淡。复合型难以胜计，大体可归纳为50种左右。

酸味型：酸辣味、酸甜味、姜醋味、茄汁味。

甜味型：甜香味、荔枝味、甜咸味。

咸味型：咸香味、咸酸味、咸辣味、咸甜味、酱香味、腐乳味、怪味。

辣味型：胡辣味、香辣味、芥末味、鱼香味、蒜泥味、家常味。

香味型：葱香味、酒香味、糟香味、蒜香味、椒香味、五香味、十香味、麻酱味、花香味、清香味、果香味、奶香味、烟香味、糊香味、腊香味、孜然味、陈皮味、咖喱味、姜汁味、芝麻味、冷香味、臭香味。

鲜味型：咸鲜味、蚝油味、蟹黄味、鲜香味。

麻味型：咸麻味、麻辣味。

苦味型：咸苦味、苦香味。

淡味型：淡香味、本味。

这么说来，所谓“五味调和”中的五味，是一种概略的指称。《黄帝内经》云：“五味之美，不可胜极”；《文子》则说：“五味之美，不可胜尝也”，说的都是五味调和可以给人带来美好的享受。但是，调味是否恰到好处，除了调料品种齐全、质地优良等物质条件以外，关键在于厨师调配得是否恰到好处。对调料的使用比例、下料次序、调料时间（烹前调、烹中调、烹后调），都有严格的要求。只有做到一丝不苟，才能使菜肴美食达到预定要求的风味。

古人说：“物无定味，适口者珍。”又说：“众口难调。”每个人的口味都不一样，有的人喜欢原料的本味，保持原汁原味；有的人却喜欢复合味。有的人主张味要纯，以清炖、清蒸为主；有的人却异想天开，别具一格，烧成“怪味鸡”、“怪味鸭”。有的人偏爱味浓的菜，有的人却偏爱清淡，特别要像吃橄榄一样，回味无穷。同时，由于气候、生活习惯的不同，口味上的差异也很大。据《周礼·天官》记载：“凡和，春多酸，夏多苦，秋多辛，冬多咸，调以滑甘。”这种调味习惯未必十分正确，却也有一定的参考价值。民间也有“南甜北咸，东辣西酸”的俗语，意思是江苏人爱吃甜，河北人食性偏咸；四川、湖南一带的人爱吃辣，山西人爱吃酸，也大致符合实际情况。总之，所谓“五味调和”，应该包含以下几层意思：一是每种菜肴应有自己的独特风味，对一桌筵席来说，各种菜肴的味道应在总体上协调平衡，各尽其美；二是烹饪技术离不开调味品，调味品多多益善，各尽所能，投放量以及加热过程中的先后次序，都可以促使菜肴的滋味发生千变万化，因此，调和滋味是烹饪成败的关键；三是作为一个高明的厨师，应该善于掌握服务对象的口味习惯等特点，在安排菜单和烹饪调味中灵活变化，切忌刻板划一。

4.2.6 饮食器具与古代礼制

中国被称为“礼仪之邦”。所谓的礼，指的就是约束全社会的一套行为规范与准则。其中有的是习惯法，有的则是明载典籍的条文，这便是古代中国的礼制系统。商周和秦汉是中国古代礼制确立和发展的两个重要时期。几千年来，奴隶制与封建王朝迭兴迭废，但礼制的核心内容却代代承继，至今仍在或多或少地影响着人们的生活习惯和价值观念。

作为儒家经典的《礼记》明确指出：“夫礼之初，始诸饮食”，认为饮食活动中的行为规范是礼制的发端，而饮食活动首先要通过饮食具来进行，因此饮食具在礼制系统中的重要性自不待言。这种重要性集中表现为青铜饮食具在夏商周时期同时作为重要的礼器而存在，鼎也由此演变成国家政权的象征。

青铜饮食具作为礼器主要用于祭祀场合，而祭祀在古代一直是国之要政。《左传》说“国之大事，在祀与戎”，认为国之政以祭祀与战争最为重要，所以历代统治者对于祭祀一直是“有谨而不敢怠”，祭祀也因此成为礼制的核心内容之一。古代祭祀的对象大到日月星辰，小到门窗户牖，甚至作为炊具的灶本身也成为灶神。这些神祇在祭祀典章中被按照世人的标准分出高低贵贱，这便是大祀、中祀和小祀。不同等级的神享受不同标准的供奉。而且祭祀者本身身份的不同也必须在祭品和祭仪上体现出来。由此可见，祭祀的过程，实际上就是将现实生活中的等级制度通过一定的仪式来演示一番。

对神灵的祭祀内容不外乎两个方面，一是对神的虔诚和畏惧，主要通过三叩九拜的动作和动听悦耳的语言来表达；二是对神的讨好与祈求，主要通过向神供奉上好的食品和珍宝来显示。这两者结合起来，方可取得与神沟通的渠道。

祭神所用物品叫牺牲玉帛。牺牲就是毛色纯一的牛、羊、豕三种家畜，三牲具全称为大牢或太牢，用于供奉大祀诸神；有羊、豕而无牛称为少牢，供奉中祀、小祀诸神。只有贵为天子者方可使用太牢之礼，诸侯、大夫及其以下人等，只能使用少牢，否则就是越礼。至于平民百姓之祭，以碗、盘盛上自家最好的瓜果配上一碗大肉，足以表示对神的诚意了。

这种神、人的等级主要是通过礼器即饮食器具来具体体现的，先将牺牲洗净陈于俎案，然后用刀匕将牺牲切割放入镬鼎中烹煮，煮熟后取出放入升鼎中调和五味并加温，调好后又取出置于俎上，切割成更加细小的块，最后把可以食用的小块肉食盛放在豆、簋中呈上神位。天子祭祀时，要陈列九鼎八簋九俎二十六豆，诸侯七鼎六簋七俎十六豆，大夫五鼎四簋五俎八或六豆，士三鼎二簋三俎，而一般百姓则严禁用鼎，否则被视为“非礼”。史载孔子少有大志，未成年时就演习摆设鼎、豆类礼器祭祀，却被贵族讥笑；而孔子周游列国时看到有些诸侯使用九鼎之礼，有的大夫使用七鼎之礼时，便哀叹“礼崩乐坏”了。可见，以礼器多寡为标识的祭祀制度在春秋末年已逐渐被冲破了。

新石器时代祭祀即已发生，但当时的祭祀中，饮食具并无等级的意义。以饮食具作为祭祀礼器的现象在夏商周时期最为昌盛，且社会各阶层的日常饮食活动也严格遵从以饮食具的多寡来标示身价的规定，这也是孔子所梦寐以求的“周礼”的核心内容。秦汉以后，青铜礼器的作用渐趋势微，人们再也不用考虑日常饮食、宴请宾客时是否使用或使用多少鼎豆之类的问题了，但对神灵祖先的祭祀中依然保留了太牢、少牢之礼，并一直延续到清代。

4.2.7 饮食与为政

饮食文化与社会政治生活密不可分，一方面它受社会政治发展变化的制约，另一方面它又影响着社会政治的发展变化。

把饮食与为政，为政与饮食相互联系起来，这是中国古代独特的饮食理念。自古以来，烹调饮食与治理国家就有着不可分割的联系。早在商朝，伊尹“负鼎俎，以滋味说汤，至于王道”（《史记·殷本纪》），此后历代传为美谈。《吕氏春秋·本味篇》进一步阐述伊尹以味说汤的故事，曰：“夫三群之虫，水居者腥，肉玃者腥，草食者膻。臭恶犹美，皆有所以。凡味之本，水最为始。五味三材，九沸九变，火为之纪。时疾时徐，灭腥去臊除膻，必以其胜，无失其理。调和之事，必以甘、酸、苦、辛、咸。先后多少，其齐甚微，皆有自起。鼎中之变，精妙微纤，口弗能言，志弗能喻。若射御之微，阴阳之化，四时之数。故久而不弊，熟而不烂，甘而不哝，酸而不酷，咸而不减，辛而不烈，淡而不薄，肥而不腠。”伊尹认为消除腥、臊、膻味，关键在于掌握火候，调味则必须讲究放调料的先后次序和用量的多寡，这样才能使菜还做到久而不败，熟而不烂，甜而不过头，酸而不强烈，咸而不涩嘴，辛而不刺激，淡而不寡味，肥而不腻口。为政之道与烹饪之道是相通的、一致的。

《老子》第六十章谓：“治大国若烹小鲜”也将饮食与治国直接联系在一起。在《周礼》一书中所排列的百官中，“冢宰”被列为天官之首，是百官之长，相当于后代的宰相。“冢，大也；宰者，调和膳羞之名。此冢宰亦能调和众官，故号大宰之官。”在这里调和膳羞与调和众官也是相通的、一致的。他明显带有大厨的形象，而在他下属的官职中，还有“膳夫、庖人、浆人、盐人、醢人”等职。

到了汉唐时期，这种饮食与为政相一致的观念，继续深入地贯穿于人们的社会生活之中。据《汉书·陈平传》记载：“里中社，平为宰，分肉甚均。里父老曰：“善！陈孺子之为宰。”平曰：“嗟乎！使平得宰天下，亦如此肉矣。”汉朝陈平年少时在一次乡里社日中主持宰肉与分配，因公平合理，受到父老们的一致称赞，并认为他将一定会成为一位好宰相，陈平亦雄心勃勃，认为治理天下与“宰此肉”一般毫无二致，后来他果然当上了宰相。

向国家推荐的贤才，必须善于“助和鼎味”，才能胜任“弼佐谟明”的重任（《晋书·裴秀传》）。只有具备良好的味觉和调和能力，才有资格去品评复杂的社会政治生活，因而对于各级官吏，也经常通过饮食加以考察，成为其任用升迁与贬黜罢免的依据之一。《汉书·赵充国传》记载，时推举护羌校尉人选，四府推荐辛汤，赵充国反对，说：“汤使酒，不可典蛮夷。”甚至认为使酒比贪财更易坏事。西晋武帝时，推举益洲监军人选，朝议用武陵太守杨宗及唐彬。而唐彬多财欲，杨宗好酒，武帝认为：“财欲可足，酒者难改。”于是以唐彬为监军《晋书·唐彬传》）。由此可见饮食中的表现，在推举官吏中所占的地位是重要的。与此同时，那些因不善“调和鼎味”而被贬官、免官的亦屡见不鲜。如《世说新语·黜免》载：“桓公坐有参军椅烝薤不时解，共食者又不助，而椅终不放，举坐皆笑。桓公曰：‘同盘尚不相助，况复危难乎？’敕令免官。”进餐中“同盘不相助”，也是不善“调和鼎味”的具体表现，因而没有做官的资格。南朝宋孝武帝时，“世祖率群臣并于中兴寺八关斋，中食竟，（袁）愍孙别与黄门郎张淹更进鱼肉食，尚书令何尚之奉法素谨，密以白世祖，世祖使御史中丞王谦之纠奏，并免官。”（《宋书·袁粲传》）袁愍孙与张淹这两位官员，一则私自第二次进食，二则不遵素食的约束而更进鱼肉食，这也是违反了“调和鼎味”的为官之道，因而遭到免官的下场。

唐太宗李世民对饮食与为政之道的关系有进一步的认识。他说："夫仁义之道当思之在心，常令相继，若斯须懈怠，则去之已远。犹如饮食资身，恒令腹饱，乃可存其性命。"从饮食与维持生命的高度来看待仁义之道在为政之道中的重要性。

饮食与为政关系的另一方面的重要内容是，为政者的贪廉与饮食之道的关系。虽然汉唐封建统治者在饮食与为政之道的关系上推行过一些积极的措施，但是在更多的情况下，却是"一朝权在手，便把百姓吃。"利用职位与手中的权力鱼肉人民，始终是封建政治中的一个孪生怪胎，是封建社会中极其普遍的现象。当然也有少数清廉的官吏抵制这种现象，如萧梁时，何远为武康县令，当时"太守王彬巡属县，诸县皆盛供帐以待焉。至武康，远独设糗水而已。彬去，远送至境，进斗酒只鹅而别。"这些地方官吏制定一些制度，采取一些具体措施以禁止官吏鱼肉人民，是难能可贵的，但毕竟是杯水车薪，无补于大局。

劳动人民对于饮食与为政之道的理解，与统治阶级却有很大的不同。他们从切身的体验中悟出了"肉食者鄙"的深刻道理。先秦时期，《春秋左氏传·庄公十年》载"曹刿论战"曰："肉食者鄙，未能远谋。"

中国的饮食文化是一种艺术，包括食品加工、烹调技艺、食品名称、饮食器具和饮食礼仪、陈设、音乐、环境等。食文化所涵盖的内容相当广泛，除前面所述的烹调文化，还应包括美学文化、器具文化、宴会文化、菜单文化等。菜单上那些含义隽永、形象生动、富有诗情画意的菜肴名称总令人"未见其物，先醉其味"，给人无穷的遐想和回味，使得人们在品尝美味佳肴的同时，也品尝了菜单上的文化美味，以至各餐馆十分注重构思和推敲独具文化品味的菜名，使菜单文化成为饮食文化中独具特色的一道风景线。平常的原料走进菜单后，也被赋予诗情画意，从而令人回味。菜单文化中自然也少不了对名人追忆和时政的感念，品尝这些佳肴美味，会勾起对历史文化名人的怀念和重大历史事件的评说，又是另一番情趣。

中国烹饪是一种文化艺术，菜肴的命名，也是其中的一部分。这些珍馐佳肴，不仅色、香、味、形、器五美俱备，而且取名典雅得体，文采飞扬，富有诗意。与其他艺术作品一样，具有"真、善、美"的属性。中国菜的命名，归纳起来大体可以分为写实和寓意两大类。一类是写实命名，即菜名如实反映原料构成、烹调方法和地方特色。另一类是寓意命名，针对顾客猎奇心理，突出菜肴某一特色加以渲染，并赋予诗情画意、富丽典雅的美名，从而起到引人入胜的效果。

本章小结

本章主要介绍了中国的饮食礼俗和美食文化。中国饮食讲究求真，突出原料长处，保持原料的自然美，给人以饮食审美的真趣。中国的美味佳肴，代表中华民族五千年的文明史，其最大的特征就是中国的烹饪艺术闻名遐迩，为世人所称道。如今，随着人们生活水平的不断提高，人们对中国饮食文化的追求也朝着更深层次发展，人们已不能满足目前的为吃而吃、为吃而烹饪的生活需求，而是向往一种在饮食活动中吃出品味、吃出文化的饮食情趣。

历史表明一个国家和民族的饮食文化发展的水平如何，与该国家和民族的物质文明、精神文明的程度密切相关。包括技艺超群的中国烹饪在内的中国饮食文化，不仅是中华民族历史文明的产物，而且是我国各民族人民对人类文明的一个杰出贡献。中国饮食文化的发展与繁荣，是与整个中国史的发展相和谐统一的。在食文化的影响下，中国人无所不吃，无事不吃，注重吃态，并赋予吃许多新功能。不仅把吃作为维持生存的基本需求，而且将吃视为一种乐趣、一种享受、一门学问、一种文化。

思考题

1. 中国饮食礼俗的主要特点是什么？
2. 我国的传统食礼包括哪些内容？
3. 饮食器具与古代礼制有何关系？
4. 你对文人对饮食发展所起到的作用是怎样看待的？
5. 如何正确理解我国传统的“五味调和”观？
6. 结合实际，谈谈应如何发展中国的饮食文化。

第2篇　酒文化

中国酒已有五千年以上的悠久历史，在漫长的发展过程中，形成了独特的风格。从酿造技术上来看，中国用曲造酒在世界酿酒史上独树一帜。中国酒主要是以粮食原料酿制而成的，并有少量果酒。近代以来，啤酒在中国的发展很快，目前年产量已居世界第二位。按最新的中华人民共和国国家标准，我国饮料酒可分为发酵酒（Fermented alcoholic beverages），蒸馏酒（Distilled spirits）和配制酒（integrated alcoholic beverages）三大类。发酵酒又细分为啤酒（Beer）、葡萄酒（Wines）、果酒（Fruit wine）、黄酒（Chinese rice wine）和其他发酵酒五种；蒸馏酒细分为白酒（Chinese Spirits）和其他蒸馏酒（如白兰地、威士忌、俄得克、朗姆酒）。酒并不是生活必需品，但在社会生活中，却具有其他物品所无法替代的功能。从酒中可以了解中国社会的各个方面，中国的政治、经济、农业生产、商业、历史文化等，都可以在酒文化中找到可贵的资料。

酒文化作为一种特殊的文化形式，在传统的中国文化中有着特殊地位。在几千年的文明史中，酒几乎渗透到社会生活中的各个领域。中国是一个以农立国的国家，因此一切政治、经济活动都以农业发展为立足点。中国的酒绝大多数是以粮食酿造的，酒紧紧依附于农业，成为农业经济的一部分，而酒曲的发明正是农业发展的反映。若再把饮酒习俗与农历中的节日结合起来看，中国酒文化所反映的诸多农业文明的特征就更加突出。粮食生产的丰歉是酒业兴衰的晴雨表，各朝代统治者根据粮食的收成情况，通过发布酒禁或开禁，调节酒的生产，从而确保民食。反过来，酒业的兴衰也反映了农业生产的状况，也是了解历史上天灾人祸的线索之一。在局部地区，酒业的繁荣对当地社会生活水平的提高起到了积极作用，酒与社会经济活动密切相关。自汉武帝时期实行国家对酒的专卖政策以来，从酿酒业收取的专卖费或酒的专税就成为国家财政收入的主要来源之一。酒税收入在历史上还与军费、战争有关，直接关系到国家的生死存亡。有的朝代，酒税（或酒的专卖收入）还与徭役及其他税赋形式有关，不同酒政的更换交替，反映了各阶层力量的对比变化。酒的赐酺令的发布，往往又与朝代变化、帝王更替及一些重大的皇室活动有关。酒作为一种特殊的商品，给人民生活增添了丰富的色彩。中国古人将酒的作用归纳为三类：酒以治病、酒以养老、酒以成礼。几千年来，酒的作用并不限于此，还包括：酒以成欢、酒以忘忧、酒以壮胆，酒也使人沉湎、坠落，伤身败体。历史上有不少国君因沉湎于酒，引来亡国之祸。

总之，酒是社会文明的标志，研究社会的文明史，不能不研究酒文化史。中国酒文化中的丰富内涵，会给人们带来乐趣和启示。中国酒文化源远流长，蔚为大观，它深深地植根于民族文化的沃土中，在世界酒文化的长河里，显现着自己独特的芬芳。

第5章　酒的历史与发展

学习目标

◎ 了解我国酿酒的起源。

◎ 熟悉我国酿酒发展的历史。

我国是一个文明古国，酿酒工艺的历史较长。据李日华所著《蓬栊夜话》记载：“黄山多猿猱，春夏采花于石洼中，酝酿成汤，闻数百步。”这就是最原始的酒，是经野生花果堆积于高温季节自然发酵而成花蜜果酒，或称“猿酒”。人们根据古代的传说，燧人氏钻木取火，燧生而熟，令人腹无疾。当时农业逐渐发展，随着烹调技术的不断进步，于是就出现了汤液，随之人工酿酒术也就发明了。及至夏桀王，生活奢侈淫逸，给后人留下了“酒池肉林”的罪恶史实。

据近代考古发现的山东大汶口文化遗址，出土了大量的陶制专用酒具，表明当时已能制酒，时间约在公元前三世纪，与帝（指舜）女令仪狄做酒的传说，即大禹时代大致相吻合。各个时期出土文物中有酒器的珍贵文物相当多，譬如商朝的青铜酒器，其中就有装酒用的壶，贮酒用的樽，以及盛酒的卣，对酒加温用的斝、盉、角、爵，饮酒用的觚、觯，斟酒用的斗等，体现了我国古代人民的聪明智慧。仅从这些历史文物酒器的运用中，不难说明当时饮酒风俗已经形成。

在商代甲骨文中，已经出现了“酒”字，于河南安阳殷墟中还发现了酿酒作坊的遗址。因此说明在当时酿酒业相当发达。公元前十世纪，酿酒业已发展成为一个相当大的手工业，同时还设有专门掌管酿酒的官职。《素问汤液醪醴论》记载：“上古圣人作汤液醪醴，为而不用。中古之世，服之万全。”醪醴是一种谷物经过配制而成酒渣混合的饮料，古当药用。另外又一证明是“醫”字从酒，也表明医学与酒的关系。古代战国策上已有“仪狄作酒而美，禹饮而甘之。”另有“古者仪狄作酒醪，禹尝之而美”，“遂疏仪狄，杜康作秫酒”的记载，这些历史叙述都充分说明了制酒与饮酒不仅中国发明最早，而且对丰富人类生活做出了巨大贡献。

及至《礼记·月令仲夏》中提到的“秫稻必齐，曲蘖必时，湛炽必洁，水泉必香，陶器必良，火齐必得。”这就是后来所说的“古遗六法”。以现在的观点看，我国用霉菌糖化谷物酿酒，大约可以溯源到五千多年前的龙山文化时期，当时我国的劳动人民就已经掌握了酿酒技术。古代为了获得特殊的酒香，曾采用“百花酒，郁香合酿”。不过上述的配制方法多属分次投米的发酵酒类，即黄酒类的酒，并非是蒸馏酒类。至今浙江绍兴名酒加饭酒，仍采用这种工艺酿造而成，堪称制酒历史的“国粹古法”。晋代江统所著的《酒诰》中说：“酒之所兴，肇自上皇；或云仪狄，一曰杜康。有饭不尽，委馀空桑，郁积成味，久蓄气芳”。烧酒非古法也，自元时始创。其法用浓酒和糟入甑，蒸令气上，用器承滴露，即现在所使用的甑桶蒸馏设备。这是我国明代的伟大医学家李时珍在《本草纲目》中讲述的历史，也是我国古代劳动人民的不朽业绩。

《尚书·说命篇》记载：“若作酒醴，尔惟曲蘖”，即属发芽后的谷物。这段内容说明运用微生物发酵的效果更好一些，这是因为酿酒工艺都离不开“糖化”和“发酵”两大主要微生物化学的过程。由于酿造工艺的不断发展，及至今日，我们沿用的曲丸、曲饼等各式各样的酒曲，就是在继承古人经验的基础上，取得的成果。在《汉书·食货志》中记载：“用粗米二斛，曲一斛，得成酒六斛六升”。及至北魏时期贾思勰所著《齐民要术》中论述，“用此曲一斗，杀米三石；笨曲一斗，杀米六斗”。稽含著《南方草木状》指出：“杵米粉杂以众草叶，治葛汁滫溲之大如卵，置蓬蒿中阴蔽，经月而成，用此合糯为酒”。由此可见古人在实践中于各类曲中又加入了草叶或草药等，无非是改善制曲的质量，同时也改进了方法而获得较好的成品。至于谈到制酒的曲料或原料中加用中草药成分，则是种类繁多，其制品层出不穷。从古至今这种工艺方式不仅保留了古人的精华遗风，而且青出于蓝而胜于蓝，花样翻新，使酿酒这门科学更放光彩。例如南方各地制造小曲加辣蓼草，熏酒小曲加各种名贵中草药；我国山西汾阳酿造的名酒竹叶青，也是加入了十多种中药而成。又如传统桑酒的酒曲中也加入了桑叶、艾叶等草药。及至现代仍沿用的曲种，主要有大曲、小曲与红曲三个品种。我国的酒曲是糖化和发酵同时进行的，这是中国古代自然学史中光辉灿烂的一页。

我国传统的酿酒工艺除对于采用何种曲，酿哪种酒要求十分严格外，对酿酒用水也颇为讲究，同时对酿酒气候季节的掌握也非常重视。这种对地点、气候、用水等季节的要求，并不是毫无意义的，而是利用自然界的温度、湿度，使微生物繁殖既快又好的宝贵经验。《齐民要术》中特别指出：“河水第一好，远河者，取极甘井水，水咸则不佳”；季节性要求“初冻后，尽年暮，水胍既定，收取则用”。选择秋末冬初季节酿酒，主要是为了采用新收获的粮食为原料，这是酿酒质量非常关键的总结之一。例如山西沂东地区一带习惯于落桑季节酿酒，故而得名为“落桑酒”。溯源我国的流传佳酿，汉武帝于建元初年（公元前19年）派张骞出使西域，带回来葡萄和葡萄酿酒技术，于是我国开始了葡萄酒的酿造。至于啤酒在我国酿造的历史，是在20世纪初由外国传入我国，于1904年在哈尔滨自建了东北三省啤酒厂。

5.1 酿酒起源的传说

在中华民族悠久历史的长河中，很多事物都走在世界的前列，酒也不例外，有其自身的光辉篇章。我国酒的历史可以上溯到上古时期，其中《史记·殷本纪》关于纣王“以酒为池，悬肉为林”、“为长夜之饮”的记载，以及《诗经》中“十月获稻，为此春酒”和“为此春酒，以介眉寿”的诗句等，都表明我国酒之兴起，已有五千年的历史了。据考古学家证明，在近现代出土的新石器时代的陶器制品中，已有专用酒器，说明在原始社会，我国酿酒已很盛行，以后经过夏、商两代，饮酒器具也越来越多。在出土的商殷文物中，青铜酒器占相当大的比重，说明当时饮酒的风气确实很盛。自此之后的文字记载中，关于酒起源的记载虽然不多，但关于酒的记述却不胜枚举。中国是世界上最早酿酒的国家之一，对世界酿酒技术的发展作出了巨大贡献。但酿酒起于何时，酿酒的始作人又是何人，则众说纷纭。中国现存的先秦古书中，不涉及酒的书很少。中国最古老的文字甲骨文和金文都有“酒”字。我国作为世界三大酒的王国之一，从古至今人们爱饮酒，对酒的发明人也有着种种传说。从先秦编年史《春秋》起，每个朝代都有正史，记载着政治、经济、文化、风俗的变化沿革，也记载天文地理、礼乐制度、科学技术的重大事件。在这些史籍中，记载着数不清的关于酒的故事，但都没有记载酒是怎么发明的，对于酒的发明人传说甚多。

5.1.1 仪狄酿酒

酒的起源由来已久，相传夏禹时期的仪狄发明了酿酒。仪狄造酒说始载于《世本》，“仪狄始作酒醪，变五味；少康作秫酒。”认为仪狄是酒的始作人，后来又衍生出西汉刘向编订的《战国策·魏策》中记载有“昔者，帝女令仪狄作酒而美，进之禹，禹饮而甘之，遂疏仪狄而绝旨酒。”根据这一说法，夏禹时代不仅有酒，而且相当多，仪狄只是技艺略胜一筹而已，并不能说明仪狄乃制酒之始祖。一种说法叫“仪狄作酒醪，杜康作秫酒”。这里并无时代先后之分，似乎是讲他们制作了不同的酒。“醪”，是一种糯米经过发酵而成的“醪糟儿”。性温软，其味甜，多产于江浙一带。醪糟儿洁白细腻，稠状的糟糊可当主食，上面的清亮汁液颇近于酒。“秫”是高粱的别称。杜康作秫酒，是指杜康造酒所用原料为高粱。若将仪狄或杜康确定为酒的创始人，只能说仪狄是黄酒的创始人，而杜康则是高粱酒的创始人。

一种说法叫“酒之所兴，肇自上皇，成于仪狄”。意思是说，自上古三皇五帝时，就有各种各样的造酒方法流行于民间，是仪狄将这些造酒的方法归纳总结出来，使之流传于后世。能进行这种总结推广工作的，当然不是一般平民，所以有的书中认定仪狄是司掌造酒的官员，这也不无道理。有书载仪狄作酒后，禹曾经“绝旨酒而疏仪狄”，也证明仪狄是很接近禹的“官员”。

仪狄是哪个时代的人，比起杜康来，古籍中的记载要一致些。例如《世本》、《吕氏春秋》、《战国策》中都认为他是夏禹时代的人。《战国策》中说：“昔者，帝女令仪狄作酒而美，进之禹，禹饮而甘之，遂疏仪狄，绝旨酒，曰：‘后世必有以酒亡其国者’。”这段记载，比其他古籍中关于杜康造酒的记载较为详细。那么，仪狄是不是酒的始作者呢？有的古籍中有与《世本》相矛盾的说法。例如孔子八世孙孔鲋，说帝尧、帝舜都是饮酒量很大的君王，黄帝、尧、舜，都早于夏禹，早于夏禹的尧舜都善饮酒，他们饮的酒是谁制造的？可见说夏禹的臣属仪狄“始作酒醪”是不大确切的。事实上用粮食酿酒是件程序、工艺都很复杂的事，单凭个人力量是难以完成的。仪狄再有能力，首先发明造酒，似乎不大可能。如果说他是位善酿美酒的匠人、大师，或是监督酿酒的官员，总结了前人经验，完善了酿造方法，终于酿出了质地优良的酒醪，这还是可能的。

5.1.2 杜康酿酒

另一则传说认为酿酒始于杜康（亦为夏朝时代的人）。先秦典籍中载有“杜康作秫酒”。一种说法是杜康“有饭不尽，委馀空桑，郁积成味，久蓄气芳，本出于此，不由奇方。”是说杜康将未吃完的剩饭，放置在桑园的树洞里，剩饭在洞中发酵后，有芳香气味传出。这就是酒的做法，并无什么奇异的方法。由生活中偶尔的机会作契机，启发创造发明之灵感，合乎一些发明创造的规律。这段记载在后世流传，杜康便成了酒的发明家。

魏武帝乐府曰：“何以解忧，惟有杜康”。自此之后，认为酒就是杜康所创的说法似乎更多。历史上杜康确有其人，古籍中如《世本》、《吕氏春秋》、《战国策》、《说文解字》等书，对杜康都有过记载。清乾隆十九年重修的《白水县志》中，对杜康也有过较详细的记载。白水县系“古雍州之城，周末为彭戏，春秋为彭衙”，“汉景帝建粟邑衙县”，“唐建白水县于今治”，可谓历史悠久。白水因有所谓“四大贤人”遗址而名蜚中外：一是相传为黄帝的史官、创造文字的仓颉，出生于本县阳武村；一是死后被封为彭衙土神的雷祥，生前善制瓷器；一是我国“四大发明”之一的造纸发明者东汉人蔡伦，不知缘何因由也在此地留有坟墓；此外就是相传为酿酒鼻祖杜康的遗址了。

“杜康，字仲宁，相传为县康家卫人，善造酒。”康家卫是一个至今还有的小村庄，西距县城七八公里。村边有一道大沟，长约十公里，最宽处一百多米，最深处也近百米，人们称它“杜康沟”。沟的起源处有一眼泉，四周绿树环绕，草木丛生，名“杜康泉”。县志上说“俗传杜康取此水造酒”，“乡民谓此水至今有酒味”。有酒味固然不确，但此泉水质清冽甘爽却是事实。清流从泉眼中汩汩涌出，沿着沟底流淌，最后汇入白水河，人们称它为“杜康河”。杜康泉旁边的土坡上，有个直径五六米的大土包，以砖墙围护，传说是杜康埋骸之所。杜康庙就在坟墓左侧，凿壁为室，供奉杜康像，可惜庙与像均已毁。据县志记载，往日，乡民每逢正月二十一日，都要带上供品，到这里来祭祀。如今，杜康墓和杜康庙均在修整，杜康泉上已建好一座凉亭。亭呈六角形，红柱绿瓦，五彩飞檐，楣上绘着“杜康醉刘伶”、

“青梅煮酒论英雄”故事图画。尽管杜康的出生地等均系“相传”，但据考古工作者在此一带发现的残砖断瓦考证，商时此地确有建筑物，这里产酒的历史也颇为悠久。

史籍中还有少康造酒的记载。少康即杜康，是不同年代的称谓。那么，酒之源究竟在哪里呢？“予谓智者作之，天下后世循之而莫能废。”这是很有道理的。劳动人民在经年累月的劳动实践中，积累了制造酒的经验，经过有知识、有远见的“智者”归纳总结，后人按照先祖传下来的方法一代一代地相袭相循，流传至今，这种说法是比较接近实际的。

5.1.3 黄帝造酒说

另一种传说则表明在黄帝时代人们就已开始酿酒。古代医典《黄帝内经·素问》中记载了黄帝与歧伯讨论“为五谷汤液及醴醪”之事。《黄帝内经》中还提到一种古老的酒——醴酪，即用动物乳汁酿成的甜酒。黄帝是中华民族的共同祖先，很多发明创造都出现在黄帝时期。在远古时代，人们可能先接触到某些天然发酵的酒，然后加以仿制，这个过程可能需要一个相当长的时期。从考古得到的有关资料都证实了古代传说中的黄帝时期、夏禹时代确实存在着酿酒这一行业。

5.1.4 上天造酒说

更带有神话色彩的说法是“天有酒星，酒之作也，其与天地并矣”。素有“诗仙”之称的李白，在《月下独酌·其二》一诗中有“天若不爱酒，酒星不在天”的诗句；东汉末年以“座上客常满，樽中酒不空”自诩的孔融，在《与曹操论酒禁书》中有“天垂酒星之耀，地列酒泉之郡”之说；经常喝得大醉，被誉为“鬼才”的诗人李贺，在《秦王饮酒》一诗中也有“龙头泻酒邀酒星”的诗句。此外如“吾爱李太白，身是酒星魂”、“酒泉不照九泉下”、“仰酒旗之景曜”、“拟酒旗于元象”、“囚酒星于天岳”等，都经常有“酒星”或“酒旗”这样的词句。窦苹所撰《酒谱》中，也有酒乃“酒星之作也”之语，意思是自古以来，我国祖先就有酒是天上“酒星”所造的说法。《晋书》中也有关于酒旗星座的记载：“轩辕右角南三星曰酒旗，酒官之旗也，主宴飨饮食。”轩辕是我国古星名，共十七颗星，其中十二颗属狮子星座。酒旗三星，即狮子座的三颗星，因亮度太小或太遥远，则肉眼很难辨认。

酒旗星的发现，最早见于《周礼》，距今已有近三千年的历史。二十八宿的说法，始于殷代而确立于周代，是我国古代天文学的伟大创造之一。在当时科学仪器极其简陋的情况下，我们的祖先能在浩瀚的星河中观察到这几颗并不明亮的“酒旗星”，并留下关于酒旗星的种种记载，这不能不说是一种奇迹。至于因何而命名为“酒旗星”，多认为它“主宴飨饮食”，这不仅说明我们的祖先有丰富的想像力，而且也证明酒在当时的社会活动与日常生活中，确实占有相当重要的地位。然而，酒自“上天造”之说，既无立论之理，又无科学论据，此乃附会之说。

5.1.5 猿猴造酒说

唐人李肇所撰《国史补》一书，对人类如何捕捉聪明伶俐的猿猴，有一段极为精彩的记载。猿猴是十分机敏的动物，它们居于深山野林中，在巉岩林木间跳跃攀缘，出没无常，很难活捉到它们。经过细致观察，人们发现并掌握了猿猴的一个致命弱点，那就是“嗜酒”。于是，人们在猿猴出没的地方，摆几缸香甜浓郁的美酒。猿猴闻香而至，先是在酒缸前踌躇不前，接着便小心翼翼地用指蘸酒吮尝，时间一久，没有发现可疑之处，终于经受不住香甜美酒的诱惑，开怀畅饮起来，直到酩酊大醉，乖乖地被人捉住。这种捕捉猿猴的方法并非我国独有，东南亚一带和非洲的土著民族捕捉猿猴或大猩猩，也都采用类似方法，说明猿猴经常和酒联系在一起。

猿猴不仅嗜酒，而且还会“造酒”，这在我国的许多典籍中都有记载。清代文人李调元在他的著作中记述：“琼州多猿……。尝于石岩深处得猿酒，盖猿以稻米杂百花所造，一石六辄有五六升许，味最辣，然极难得。”清代的另一种笔记小说中也说：“粤西平乐等府，山中多猿，善采百花酿酒。樵子入山，得其巢穴者，其酒多至数石。饮之，香美异常，名曰猿酒。”看来人们在广东和广西都曾发现过猿猴“造”的酒。无独有偶，早在明朝时期，这类猿猴“造”酒的传说也有过记载，明代文人李日华在他的著述中记载：“黄山多猿猱，春夏采杂花果于石洼中，酝酿成酒，香气溢发，闻数百步。野樵深入者或得偷饮之，不可多，多即减酒痕，觉之，众猱伺得人，必嬲死之。”可见，这种猿酒偷饮不得。当然，这里的“酝酿”是指自然变化而成，猿猴久居深山老林中，完全有可能遇到成熟后坠落发酵而带有酒味的果子，从而使猿猴采花果，“酝酿成酒”。不过，猿猴造的这种酒，与人类酿的酒有质的区别，充其量也只能是带有酒味的野果。

这些不同时代的记载，至少可以证明这样的事实，即在猿猴的聚居处，多有类似“酒”的东西发现。至于这种类似“酒”的东西，是怎样产生的，是纯属生物学适应的本能性活动，还是猿猴有意识、有计划的生产活动，那倒是值得研究的。要解释这种现象，还得从酒的生成原理说起。

酒是一种发酵食品，是由一种叫酵母菌的微生物分解糖类产生的。酵母菌是一种分布极其广泛的菌类，在广袤的大自然中，尤其在一些含糖分较高的水果中，这种酵母菌更容易繁衍滋长。含糖水果是猿猴的重要食物。当成熟野果坠落下来后，由于受到果皮上或空气中酵母菌的作用而生成酒，是一种自然现象。猿猴在水果成熟季节，收贮大量水果于“石洼中”，堆积的水果受自然界中酵母菌的作用而发酵，在石洼中将“酒”的液体析出，这样的结果，一是并未影响水果的食用，而且析出了液体“酒”，还有一种特别的香味可供享用。猿猴能在不自觉中“造”出酒来，这是既合乎逻辑又合乎情理的事情。当然，猿猴从最初尝到发酵的野果到“酝酿成酒”，是一个漫长的过程。

这些传说尽管各不相同，但说明酿酒早在夏朝或夏朝以前就已存在，这是可信的，这一点也被考古学家所证实。夏朝距今约四千多年，而目前已经出土了距今五千多年的酿酒器具。这一发现表明，我国的酿酒至少在五千年前已经开始，而酿酒的起源当然还在此之前。在远古时代，人们可能先接触到某些天然发酵的酒，然后加以仿制，这个过程可能需要一个相当长的时期。酒的自然形成至少距今已有几十万年之久，而人工酿酒的最早活动，应该发生在人类祖先能够找到足以维持基本生活的食物之后，又要定居，能短期贮存食物。当然，最早的酿酒水平是极低的，随着社会经济的发展，农业产生了，陶器也广泛使用，加上人类在长期劳动中积累了比较丰富的酿造经验，使得大规模酿酒生产成为可能，并逐步掌握了比较完善的酿造技术。

5.2 酿酒的起源与发展

在原始社会里，我们的祖先巢栖穴居，主要以野果果腹。野果中含有能够发酵的糖类，在酵母菌的作用下，可以产生一种具有香甜味的液体，这就是最早出现的天然果酒，古代“猿猴造酒”的传说正是建立在这种天然果酒的基础之上的。人类社会进入旧石器时代后期，虽然当时人类基本上还过着采集和渔猎的生活，但已能打制许多获取自然物的石头工具。在此时，人类已具有野果自然发酵酿酒的知识了。随着社会的发展，人类社会进入新石器时代，畜牧业逐渐产生并且发展起来，当猎获到哺乳幼兽的母兽时，人们可能尝到兽乳，含糖的兽乳也可能受到自然界酵母菌等微生物作用发酵成酒。自然发酵而成的果酒和用兽乳酿制的酒，可以说是最原始、最古老的酒。

随着农业文明的出现，谷物酿酒取代了天然果酒。这标志着酒已开始作为一种人类创造的物质出现在社会生活中，人类已经有了自觉的饮酒需求。农业的发展，生产出来的谷物由于保管等原因而发霉发芽成酒的事必定会多起来。人们尝到了谷物变成的酒后，模仿着制作，谷物酿酒就问世了。从考古发掘的许多酿酒和饮酒器具中可以推知，大约在5000年前的龙山文化早期，我们的祖先就已经开始谷物酿酒。到商代，酿酒技术有了长足的进步，曲糵开始出现。“糵”是用发芽的谷物制成的酿酒发酵剂，用这种糖化剂所酿成的酒叫“醴”，醴是一种甜酒。曲主要是以含淀粉的谷物为原料培养的微生物载体，在其中培养着丰富的菌类——曲霉菌、根霉菌、毛霉菌及酵母菌等。以曲酿酒能同时起到糖化和发酵的作用，从而把谷物酿酒的两个步骤——糖化和发酵结合到一起，为我国后来独特的酿酒方法——曲酒法和固态发酵法奠定了基础。

5.2.1 夏商周

氏族社会末期，由于生产工具的改进和生产力的提高，农业产品有了剩余，酒自然也就产生了。晋人江统在其《酒诰》中说：“有饭不尽，委馀空桑，郁积成味，久蓄气芳，本出于此，不由奇方。”这说明，人们的生活相对提高了，食物有了剩余，有饭不尽，放之野外，发酵生津，尝之芳香，酒便应运而生。许慎在《说文解字》中说：“古者仪狄作酒醪，禹尝之而美，遂疏仪狄，杜康造秫酒。”禹是氏族社会末期的代表人物，正是这一时期出现了酒。

酒的产生，丰富了人们的生活，也影响着人们的身体；随着历史的发展，它的影响也在向纵深发展。酒的产生和发展，除与经济发展有关外，同文化发展也有极为密切的联系。中国文化十分悠久，酒在文化中的反映也是如此。《尚书·夏书·五子之歌》对酒有所载述：“其二曰，训有之，内作色荒，外作禽荒，甘酒嗜音，峻宇雕墙，有一于此，未或不亡。”夏启的儿子太康失掉王位，《五子之歌》的主要内容是反思太康失败的原因，总结其经验教训，共五条，上为第二条。意思是说内近女色，外好游猎，沉醉甘酒，三者有其一，其国必亡。《尚书·夏书·胤征》中还记载与酒有关的故事：“惟仲康肇位四海，胤侯命掌六师，羲和废厥职，酒荒于厥邑，胤后承王命徂征。”大意是说仲康即位，发现羲氏与和氏，因酒荒而昏庸失职，命胤侯前往征讨。

到了商代，饮酒更加普遍，酒的制造经验已很丰富。《尚书·商书·说命下》中说：“若作酒醴，尔惟麴蘖；若作和羹，尔为盐梅。”酒的广泛饮用也引起商统治者的高度重视。伊尹是商汤王的右相，助汤王掌政有功，德高望重。汤王逝世，太甲继位，为商朝长治久安而作《伊训》，力劝太甲认真继承祖业，不忘夏桀荒淫无度导致灭亡的教训。教育太甲，常舞则荒淫，乐酒则废德，因此，卿士有一于身则丧家，邦君有一于身则亡国。但是，奴隶制国家的统治者并不能都接受其教训，到了商纣王时，还是荒淫无度，酒色失常，暴虐无道，结果被周所灭。周武王讨伐商纣，师渡孟津，而作《泰誓》三篇，列举了商纣的罪状，决心动员将士，万众一心，消灭纣王，推翻商王朝。在《泰誓》中篇中说：“今商王受，力行无度，播弃犁老，昵比罪人，淫酗肆虐，臣下化之。”军至牧野，又作《牧誓》，一举将商纣灭掉，建立了周王朝。随着政治、经济、文化的发展，作为经济和文化组成部分的酒，也在不断发展。

5.2.2 春秋战国

公元前 770 年至公元前 221 年为我国历史上的春秋战国时期。由于铁制工具的使用，生产技术有了很大改进。加上“宗庙之牺，为畎田之勤”，把用做祭祀的牛放去耕地；西门豹治漳水开十二渠以灌邺田；蜀太守李冰主持修建都江堰等水利的兴修；农民生产积极性的提高，“早出暮归，强乎耕稼树艺”，使生产力有了很大发展，物质财富大为增加。这就为酒的进一步发展提供了物质基础。所以，春秋战国时期的文献，对酒的记载很多。

5.2.3 秦汉三国两晋南北朝

公元前 221 年，秦王嬴政统一中国，结束了春秋战国以来几百年的分裂局面。秦始皇接受丞相李斯的建议，除秦记、医药、人筮、种植之书外皆烧之。酒的制造与使用属于医药书类，自然也就保存下来。

由于秦王朝的苛暴，只统治短短的十五年，就被农民起义军推翻。公元前202年，刘邦建立汉朝。汉王朝吸取秦失败的教训，采取与民休养生息的政策，农业、手工业得到迅速发展。由于经济的繁荣，酿酒业自然也就兴旺起来。所以，汉代的典籍中对酒的记载很多。《史记·孝文帝本纪》记述说："朕初即位，其赦天下，赐民爵一级……酒酺五日。"酒酺五日，就是会聚饮食五天，这说明孝文帝此时万分高兴。汉文帝是位节俭皇帝，当时汉律规定，三人以上无故群饮，罚金四两。后来，汉文帝看到农业连年遭灾而歉收，农民遍存疾疫之苦，号召大家生活要节俭，提倡戒酒，以减少五谷消耗。据《汉书·景帝本纪》载："景帝中三年，夏旱，禁酤酒。"汉景帝也是有名的节俭皇帝，因夏遭大旱，因此禁止酿卖酒。《本纪》又载："后元年夏，大酺五日，民得酤酒。"因为后来连获丰收，大酺五日以示庆祝。又开酒禁，民间又可以酿卖酒了。

汉代除史书记载酒外，尚有其他典籍对酒的记述。东汉许慎在其所著《说文解字》中，不仅对酒字作了解释，而且对与酒有关的文字，也作了大量的简述。在《说文解字》中，与酉有关的字，共解释了75个。说明汉代时对酒的认识加宽了，运用广泛了，制作复杂了，分类具体了，事实也证明了酒的应用更广泛了。

东晋、南朝时，南方比北方相对安定，加之北方人民带着先进生产技术南迁，生产力发展较快。粮食产量大大提高，养蚕一年四五熟，手工业发展也较为迅速。北朝时，由于实行"屯田"、"均田"，生产力也有很大提高。反映在科学文化上，北魏贾思勰所著《齐民要术》10卷92篇，为我国最早的完整的农学著作，水平很高，影响甚大。该著除对种植、饲养作了大量论述外，还对酒的酿造作了详细记载。西晋哲学家、医药学家葛洪，一生著书甚多，谈酒者有《抱朴子·酒戒》、《肘后备急方》。葛洪所著各种药方，不少是配酒而服。葛洪主张戒酒，而治病又多用酒，主张用酒要适量，以度为宜。晋朝的文人借酒以作诗文的不少，刘伶的《酒德颂》就是典型的代表作。

5.2.4 隋唐五代

公元581年，杨坚建立隋朝，结束了二百七十余年南北分裂的局面。隋继行北魏均田制，经济发展极快。但到隋炀帝，因统治苛暴，激起农民反抗。618年，李渊建立了唐朝。唐朝封建统治者，吸取隋短期就遭灭亡的教训，采取缓和与被统治阶级的矛盾，减轻赋税，实行均田和租、庸、调制度，调动了广大农民的生产积极性，再加上兴修水利，改革生产工具，使农业、手工业发展非常迅速。唐郑启在其所著的《开天传信记》中描写："左右藏库，财物山积，不可胜较。"由于物质财富的增加，粮食的储积，自然为酿酒业的发展提供了前提条件。

唐太宗贞观年间，政通人和，物资丰富，民心欢快。可从太宗赐酺，充分体现出来。赐酺即王德布于天下而合聚饮酒，唐朝赐酺的名目很多。贞观四年大赦，赐酺五日；贞观七年赐京城酺三日；贞观八年赐民酺三日；贞观十七年立皇太子，大赦，赐酺三日；高宗永徽六年，皇太子加元服，赐酺三日；天宝十年有事于南郊，大赦，赐民酺三日；等等。

上述内容，在各帝本纪中记载甚多，各大臣名人传记中尚有不少记载，其他与酒有关的著作也很多。《醉乡日异》的撰者为皇甫松，该著记述了“霹雳酒”。“霹雳酒，暑月雷霆时，收雨水淘米炊饭酿酒，名曰“霹雳酒”。唐代刘恂所著《岭表录异记》，记载博瞻，文字古雅。该著中记有“南中酒”。《投荒杂录》，唐代房千里所撰。在该著中记载一种新州酒。他说：“新州多美酒，南方不用曲蘖，杵米为粉，以众草叶胡蔓草汁溲，大如卵，置蓬蒿中阴蔽经月而成，用此合濡为酒。故剧饮之后，既醒犹头热涔涔。有毒草故也。”上述三篇，均系唐官员任职外地将，所见所闻撰辑而成，可见唐代的酒业遍及全国，而且种类繁多。

5.2.5 宋辽金元

由于五代十国分裂局面的结束，社会较为安定，北宋经济有了较快发展。出现了种无虚日，收无虚月，一岁所资，绵绵相继的繁荣局面。南宋时期，由于兴修水利，改良农田，也出现了“苏杭熟，天下足”的景象。文化和科学发展较快，为酿酒业的发展提供了条件。酒对宋人来说，是不可缺少的物资，因而，在两宋的文献和各种文学作品中，反映酒的甚多。例如：《酒经》、《东坡志林》、《北山酒经》、《续北山酒经》、《桂海酒志》、《酒名记》、《山家清供》、《新丰酒法》、《酒尔雅》、《酒谱》、《酒小史》、《酒边词》等。

辽代持续200余年，但经济发展不快。金代的农业、手工业有一些缓慢的发展。元代，虽经济、文化落后，但由于疆域扩大，经济发展较好。由于三个王朝先后统治时间较长，也有不少历史文献，如《真腊风土记》、《文献通考·论宋酒坊》、《饮膳正要·饮酒避记》、《安雅堂觥律》等。

5.2.6 明清两代

明朝建立后，对发展农业生产十分重视，采取了与民休养的政策。由于采取调动农民生产积极性的政策，明初至中期，农业、手工业发展十分迅速。经济发展促进了商业繁荣，与此同时，科学文化也有较大发展。上述条件，为酒的酿造业提供了雄厚的物质基础。因此，明代典籍中，对酒的记载很多。

谢肇淛在其所著《五杂俎》中，对酒作了大量论述。“酒以淡为上，苦冽次上，甘者最下。……京师有薏酒，用薏苡实酿之，淡而有风致，然不足快酒人之吸也。易州酒胜之，而淡愈甚。闽中酒无佳品”。

李时珍在其所著的《本草纲目》中对酒作了大量记述。他对烧酒另立一项，专作论述。烧酒，又称火酒、阿剌吉酒。“烧酒非古法也。自元时始创其法，用浓酒和糟入甑，蒸令气上，用器承取滴露。凡酸坏之酒，皆可蒸烧……”李时珍又在“附诸药酒方”中，详细记述了69种药酒方。如：女贞皮酒、天门冬酒、地黄酒、当归酒、菖蒲酒、人参酒、菊花酒、麻仁酒、虎骨酒、鹿茸酒、蝮蛇酒、五加皮酒、屠苏酒等。对上述各种药酒的功能、治法，记述颇详，可见酒在药物中的重要地位。

至清代，在农业方面，不但粮食产量有较大提高，而且桑茶、棉花、烟草等经济作物也有很大发展。手工业规模日渐扩大，商业在各省及大城市处处相通，粮食之运行不舍昼夜，酒业当然也是如此。

本章小结

本章主要介绍了中国酿酒的起源与发展过程。我国有着十分古老悠久的酿酒历史，但由于古人缺乏科学知识，所以运用天才的想像力，把酒的发明归功于神明，并编写了许多美丽动人的传说。但是，这些传说毕竟缺乏有力的证据和科学的论证，不足以作为酒起源的结论。应该说，酒是自然界的一种天然产物，人类仅仅是发现了酒；随着社会经济的发展，人类开始有意识地酿酒，在漫长的发展过程中，形成了独特的风格，孕育了光辉灿烂的中华酒文化。酒作为一种独特的物质，其产生和发展与生产力的发展有着密切的关系。

思考题

1. 酒是怎样起源与发展的？
2. 酿酒的不同发展阶段各有何特点？
3. 中国酒可分为哪些种类？
4. 酒的出现，对我国饮食文化的发展有何影响？

第 6 章　酒之文化

学习目标

◎ 了解酒的社会功能。
◎ 了解我国古代酒具的发展状况及分类。
◎ 熟悉我国古代酒政的内容。
◎ 了解我国的酒礼与酒俗。
◎ 正确认识酒与文学的关系。

中国酒的历史极为悠久，最早的酒应是落地野果自然发酵而成的。人工酿酒的先决条件，是陶器的出现。在仰韶文化遗址中，既有陶罐，也有陶杯。由此可以推知，约在六千年前，人工酿酒就开始了。“尧舜千钟”说明在尧时，酒已流行于社会。“千钟”二字，则说明这是初级的果酒，与水差近。《史记》记载，仪狄造“旨酒”以献大禹，这是以粮酿酒的发端。自夏之后，经商周，历秦汉，以至于唐宋，皆是以果粮蒸煮，加曲发酵，压榨而后酒出。酒工艺的进一步突破，是在金元时期。李时珍在《本草纲目》中又说：“烧酒非古法也，自元时始创其法。用浓酒和糟入甑，蒸令气上，用器承取滴露。凡酸坏之酒，皆可蒸烧。近时，唯恐以糯米或粳米或黍或大麦蒸熟，和曲酿瓮中七日，以甑蒸取。其清如水，味极浓烈，盖酒露也。”这段话的核心之意是说酿酒的程序，由原来的蒸煮、曲酵、压榨，改而为蒸煮、曲酵、蒸馏。所谓突破，其本质就是酒精提纯。这一生产模式，已和现代基本相同。但从金元明的戏曲、小说中考察，当时的蒸馏酒尚未普及于社会。清代乾隆年间，直隶宣化对酿酒户征收烧锅税，标志着白酒业的兴旺发达。自古及今，酒一直伴随着历史兴亡的脚步前进。兴也有酒，亡也有酒，确可谓经盛衰而无废，历百代而作珍。

所谓文化，就广义而言，是指人类社会历史实践过程中所创造的物质财富和精神财富的总和。如果用这一定义来观察中国数千年来，以酒为中心而辐射出的物质和精神的方方面面，就可以发现，在中国文化的总范畴里，确实存在着一个相对独立、蕴涵丰富、完整而系统的酒文化体系。诸如：几千年不断改进和提高的酿酒技术和工艺；酒对人类社会调谐和破坏的历史；历代政府为酒的酿造和销售所制定的法律制度；不同地域和民族多姿多彩的酒礼酒俗；古今已有的形形色色的酿酒工具和饮酒器皿；墨客骚人所写的关于酒的诗文词曲；载于各种典籍的关于饮酒的轶闻典故；还有花样百出的酒令、诗意浓郁的酒名等，构成一个博大宏富的中国酒文化宝库。

6.1 酒的社会功能

概括地讲，酒可以提神、御寒、治病、交友、解忧……但是，酒的品种很多，不同的酒品又有其不同的功用，酒以其特有功能和风格存在于社会并渗透到社会生活的各个方面。那一滴滴晶莹醇香的美酒，折射出一个五彩缤纷的世界。酒的出现很早，在旧石器时代就发现了野果自行发酵的果子酒。商周之际，酒已盛行，之后便与政治、军事、医药、文学、艺术、礼仪结下了不解之缘。早在《左传庄公二十年》中已将酒的作用归纳为“酒以盛礼”；汉人鲁匡曾说：“百礼之会，非酒不行”。汉代孔融写过一篇《与曹相论酒禁书》，从政治、军事、外交方面揭示了酒的系列社会功能。日常生活中的贺喜、祝捷、感恩、谢师、遣忧、浇愁、解闷、压惊、赠别、团聚、访友、待客、迎宾等，都离不开它，生活也因酒的点缀而更加丰富多彩。

6.1.1 酒的交际礼仪功能

酒在人际交往方面有着重要作用。人只要在社会上生活，就离不开交往，而酒就成了交际的媒介。它是沟通思想、蕴成友谊的桥梁，是密切关系、联络感情的纽带。

战国时“鲁酒薄而邯郸围”的故事，显示了酒在交际中（包括国家关系）的特殊作用。1954年7月，周总理代表中国出席印支问题的日内瓦会议时，中国外交取得巨大成功。事后，周总理总结说：“在日内瓦期间，帮助我成功的有“两台”，一是贵州茅台（酒），二是梁山伯与祝英台（电影）”，饮酒活动形成了国际交往中的重要环节。

6.1.2 酒的医药保健功能

“医源于酒”，这从汉字“医”字可以证实。医本作“醫”，“医”示外部创作，“殳”示按摩热敷、针刺以治病，“酉”本为酒器，与酒意通，表示酒是内服药。故《说文》云：“医之性然得酒而使”，“酒所以治病也”。据《汉书·食货志》载：“酒，百药之长”。早在《神农本草经》中就已明确记载用酒制药以治病。酒最早用做麻醉剂，华佗用的“麻沸散”，即用酒冲服。在现代外科医学中，酒也占有重要地位，如碘酒等。适量饮酒对健康长寿有益，古代和现代医学均主张老年人适量饮酒，中外大量的记载证明了此论有理。据《百岁老人》记载：高寿老人都爱喝点酒。中国历史上唐朝的“九老会”、宋代的“五老图”，与会者无一不是酒仙，历史名人孔子76岁，荀子82岁，贺知章86岁，刘禹锡71岁，白居易74岁，陆游86岁，考其生平，都喜饮酒。

6.1.3 酒的激发功能

酒能刺激神经中枢，扩张血管，加快心率，促进血液循环。这种刺激功能在一定条件下，作用于有某种才能的人，会产生意想不到的神奇作用。它成了才智和胆略的催化剂，造就了无数英雄豪杰和文学家、艺术家，使他们的功绩和作品名垂青史。“李白斗酒诗百篇”形象地说明了酒与诗的关系，唐代文学家中王维、孟浩然、李白、杜甫、贺知章、韩愈、柳宗元、刘禹锡、白居易、元稹、皮日休、杜牧、李商隐等没有一人不饮酒，也没有一人诗中不写酒。我国古代名著《红楼梦》、《三国演义》、《儒林外史》、《水浒》，特别是明代的《金瓶梅》，全书百回，有 98 回写酒，酒对促进中国文学创作发展起到了推动作用。

6.2 酒器、酒政与酒楼

6.2.1 酒器

酒器是指历代人们饮酒、盛酒的用具。在不同的历史时期，由于社会经济的不断发展，酒器的制作技术、材料、造型等，自然而然会产生相应变化，故产生了种类繁多，令人目不暇接的酒器。

1. 中国古代酒具的发展

1）陶制酒器（图 6-1）

原始农业的兴起，人们不仅有了赖以生存的粮食，随时还可以用谷物作酿酒原料酿酒。陶器的出现，人们开始有了炊具；从炊具开始，又分化出了专门的饮酒器具。究竟最早的专用酒具起源于何时，还很难定论。因为在古代，一器多用应是很普遍的。远古时期的酒，是未经过滤的酒醪，呈糊状和半流质，对于这种酒，就不适于饮用，而是食用。故食用的酒具应是一般的食具，如碗、钵等大口器皿。

早在公元六千多年前的新石器文化时期，出现了形状类似于后世酒器的陶器，如裴李岗文化时期的陶器。南方的河姆渡文化时期的陶器也能使人联想到在商代时期的酒具应有相当久远的历史渊源。酿酒业的发展，饮酒者身份的高贵等原因，使酒具从一般的饮食器具中分化出来成为可能。酒具质量的好坏，往往成为饮酒者身份高低的象征之一。专职的酒具制作者也就应运而生。在现今山东的大汶口文化时期的一个墓穴中，曾出土了大量的酒器（酿酒和饮酒器具），据考古人员的分析，死者生前可能是一个专职的酒具制作者。在新石器时期晚期，尤以龙山文化时期为代表，酒器的类型增加，用途明确，与后世的酒器有较大的相似性。这些酒器有：罐、瓮、盂、碗、杯等。酒杯的种类繁多，有平底杯、圈足杯、高圈足杯、高柄杯、斜壁杯、曲腹杯、觚形杯等。

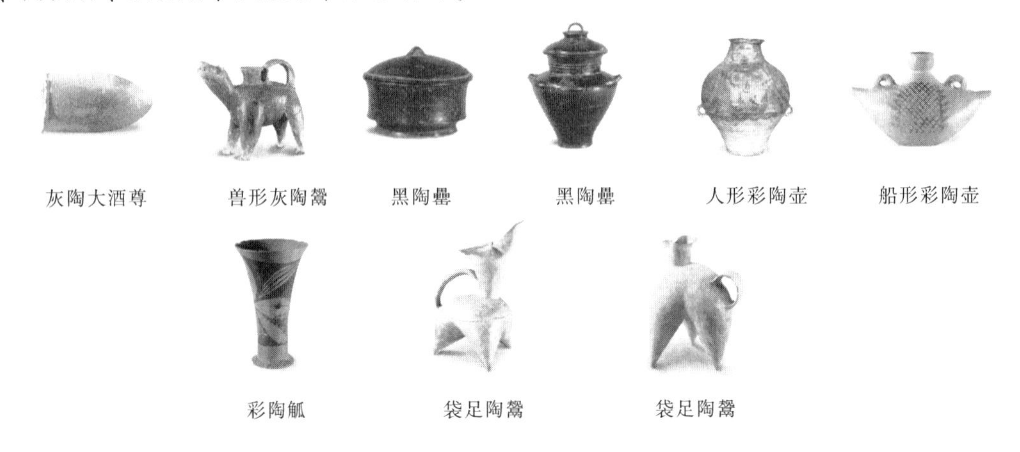

图 6-1　陶制酒器

2）青铜酒器（图 6-2）

在商代，由于酿酒业的发达，青铜器制作技术提高，中国的酒器达到前所未有的繁荣。当时的职业中还出现了“长勺氏”和“尾勺氏”这种专门以制作酒具为生的氏族。周代饮酒风气虽然不如商代，但酒器基本上还沿袭了商代的风格。在周代，也有专门制作酒具的“梓人”。

青铜器起于夏，现已发现的最早的铜制酒器为夏二里头文化时期的爵。青铜器在商周达到鼎盛，春秋没落，商周的酒器的用途基本上是专一的。据《殷周青铜器通论》，商周的青铜器共分为食器、酒器、水器和乐器四大部分，共五十类，其中酒器占二十四类。按用途分为煮酒器、盛酒器、饮酒器、贮酒器。此外还有礼器。形制丰富，变化多样。

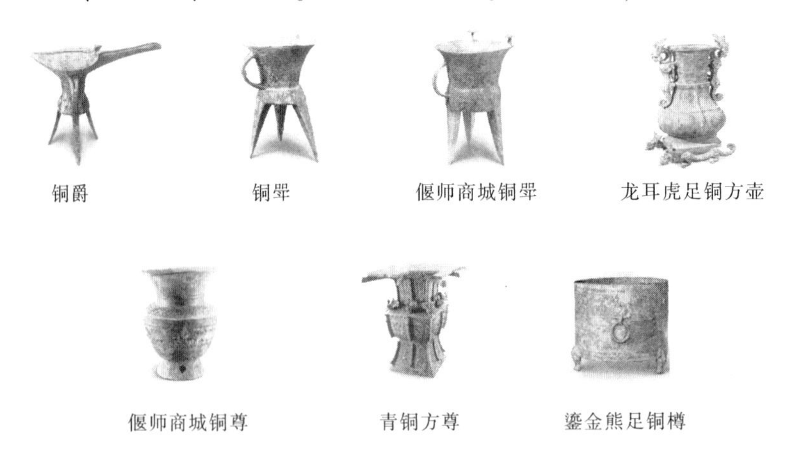

图 6-2　青铜酒器

3）漆制酒器（图6-3）

商周以后，青铜酒器逐渐衰落，秦汉之际，在中国的南方，漆制酒具流行。漆器成为两汉、魏晋时期的主要类型。其形制基本上继承了青铜酒器的形制，有盛酒器具、饮酒器具。饮酒器具中，漆制耳杯是常见的。在湖北省云梦睡虎地11座秦墓中，出土了漆耳杯114件，在长沙马王堆一号墓中也出土了耳杯90件。汉代，人们饮酒一般是席地而坐，酒樽放在中间，里面放着挹酒的勺，饮酒器具也置于地上，故形体较矮胖。

双联漆杯

彩漆鸟形杯

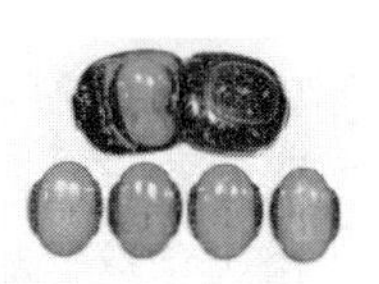
君幸酒漆耳杯

图6-3　漆制酒器

4）瓷制酒器（图6-4）

瓷器大致出现于东汉前后。与陶器相比，不管酿造酒具还是盛酒或饮酒器具，瓷器的性能都超越陶器。唐代的酒杯形体比过去的要小得多，故有人认为唐代出现了蒸馏酒。唐代出现了桌子，也出现了一些适于在桌上使用的酒具，如注子，唐人称为“偏提”，其形状似今日之酒壶，有喙，有柄，既能盛酒，又可注酒于酒杯中。因而取代了以前的樽、勺。宋代是陶瓷生产鼎盛时期，有不少精美的酒器。宋代人喜欢将黄酒温热后饮用，故发明了注子和注碗配套组合。使用时，将盛有酒的注子置于注碗中，往注碗中注入热水，可以温酒。瓷制酒器一直沿用至今。明代的瓷制酒器以青花、斗彩、祭红酒器最有特色，清代瓷制酒器具有清代特色的有珐琅彩、素三彩、青花玲珑瓷及各种仿古瓷。

瓜棱纹黑釉瓷执壶

双身龙耳白瓷瓶

白瓷执壶

春字诗执壶

白釉金釦瓜形注子

越窑鸟形杯

仿哥窑高足杯

青花海兽高足杯

青花梅瓶

青花松竹梅三羊杯

图6-4　瓷制酒器

5）其他酒器（图 6–5）

在我国历史上还有一些独特材料或独特造型的酒器，虽然不很普及，但具有很高的欣赏价值，如金、银、象牙、玉石、景泰蓝等材料制成的酒器。明清时期以至解放后，锡制酒器被广为使用。

夜光杯：唐代诗人王翰有一句名诗曰：“葡萄美酒夜光杯”，夜光杯为玉石所制的酒杯，现代已仿制成功。

倒流壶：在陕西省博物馆有一件北宋耀州窑出品的倒流瓷壶。壶高 19cm，腹径 14.3cm，它的壶盖是虚设的，不能打开。在壶底中央有一小孔，壶底向上，酒从小孔注入。小孔与中心隔水管相通，而中心隔水管上孔高于最高酒面，当正置酒壶时，下孔不漏酒。壶嘴下也是隔水管，入酒时酒可不溢出。设计颇为巧妙。

鸳鸯转香壶：宋朝皇宫中所使用的壶。它能在一壶中倒出两种酒来。

九龙公道杯：产于宋代，上面是一只杯，杯中有一条雕刻而成的昂首向上的龙，酒具上绘有八条龙，故称九龙杯。下面是一块圆盘和空心的底座，斟酒时，如适度，滴酒不漏，如超过一定的限量，酒就会通过“龙身”的虹吸作用，将酒全部吸入底座，故称公道杯。

渎山大玉海:专门用于贮存酒的玉瓮，用整块杂色墨玉琢成，周长 5 米，四周雕有出没于波涛之中的海龙、海兽，形象生动，气势磅礴，重达 3500 公斤，可贮酒 30 石。据传这口大玉瓮是元世祖忽必烈在至元二年（公元 1256 年）从外地运来，置于琼华岛上，用来盛酒，宴赏功臣，现保存在北京北海公园团城。

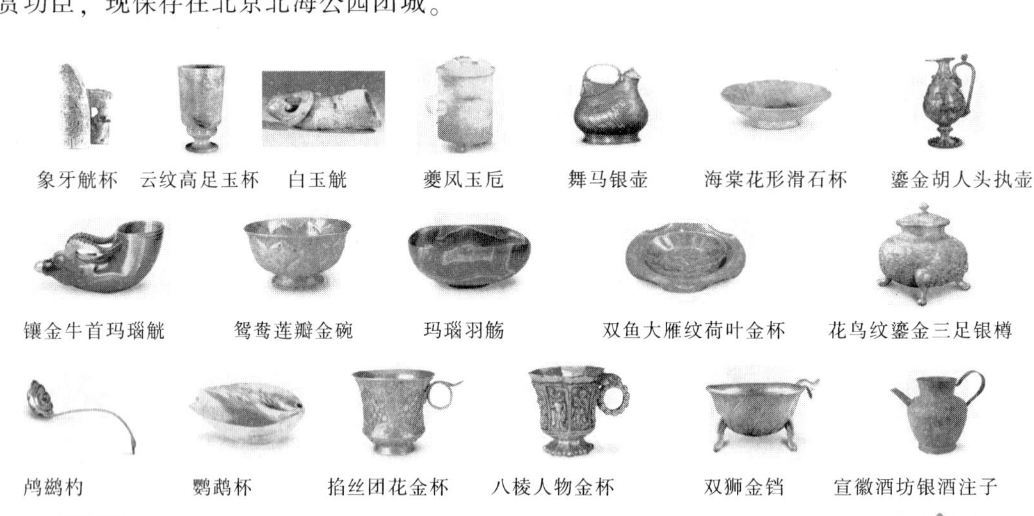

图 6–5　其他酒器

2. 酒器的分类

按酒器的材料可分为：天然材料酒器（木、竹制品、兽角、海螺）、陶制酒器、青铜制酒器、漆制酒器、瓷制酒器、玉器、水晶制品、金银酒器、锡制酒器、玻璃酒器等。按用途可分为：盛酒器、温酒器和饮酒器三大类。

1）盛酒器

盛酒器具是一种盛酒备饮的容器。其类型很多，主要有樽、壶、卣、罍、觥、瓿、彝等。每种酒器又有许多式样，有普通型，也有取动物造型等。以樽为例，有象樽、犀樽、牛樽、羊樽、虎樽等。

2）饮酒器

饮酒器的种类主要有觚、觯、角、爵、杯。不同身份的人使用不同的饮酒器，如《礼记·礼器》篇明文规定："宗庙之祭，尊者举觯，卑者举角"。

3）温酒器

温酒器也称煮酒器，用于饮酒前将酒加热，配以杓，便于取酒，主要有爵、角、斝、盉等。

樽（亦为尊，见图6-6）是一种大口盛酒器，高体，大型或中型容器，大多颈微缩、凸肚、平底，宴会和通常待客都用。古人说"决胜于樽（尊）俎之间"，就是与谈判对方在饮酒食肉的酒宴上取胜。俎是盛肉器，由于使用普遍，后人将"尊"作为酒杯的代称。按其形体可分为有肩大口尊、觚形尊、鸟兽尊三类。

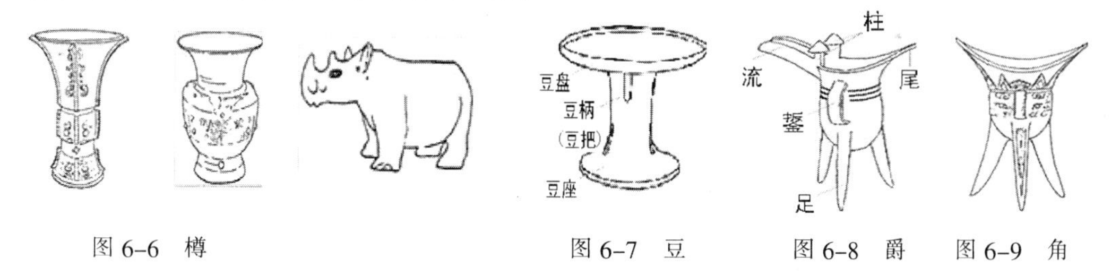

图6-6 樽　　图6-7 豆　　图6-8 爵　　图6-9 角

豆（见图6-7）是一种高脚木制器。原本是古代盛肉、盛菜的器皿，但也用来盛酒。《考工记》有"食一豆肉，饮一豆酒"的记载，有人说豆和斗字通，斗也是盛酒器。

爵（见图6-8）是一种状似鸟雀（爵、雀字同）或饰有鸟雀图形的敞口酒器，腹下有三脚，可作饮酒器和温酒器。爵是一种典礼时用的酒器，君王赐酒给臣下用，所以与"爵禄"、"爵位"联系起来。爵的一般形制为：前有流，即倾酒的流槽，后有尖锐状尾，中部为杯形，腹侧有鋬，下配以三足。流同杯口之间有柱（过滤之用）。

觚是一种饮酒器。觚字古与"瓠"通，即是葫芦，古人常用葫芦壳当做瓢盛水浆，当然也可以盛酒，其名大概由此而来。觚是大口、底部缩入的酒器，其容量据《仪礼》郑玄注："爵，一升；觚，二升；觯（也是大口酒器），三升；角，四升。"

角（见图 6-9）是一种圆形的温酒及饮酒器，同时也是量器。无柱、流，两端皆是尾。角同爵的容量比为四比一。“石、升、角、皆量器也”。依次序排列，角在升之后，显然比升要小，后世酒肆里卖酒，用来从坛里舀酒的长柄酒提子就是角。《水浒传》里的梁山泊好汉到酒店里常喊酒家打几角酒，可见宋元明时代已经如此。

壶（见图 6-10）是盛酒器。使用时间从商至汉代或更晚。铺首为衔门环的底座，多为虎头、螭、龟、蛇等，起装饰壶身的作用。

卣（见图 6-11）是盛酒器。盛行于商晚期及西周。

觥（见图 6-12）属盛酒器，容量为七升，出现于殷商，沿用至西周早期。

彝（见图 6-13）乃盛酒器。一般呈方型，出现于商代晚期。

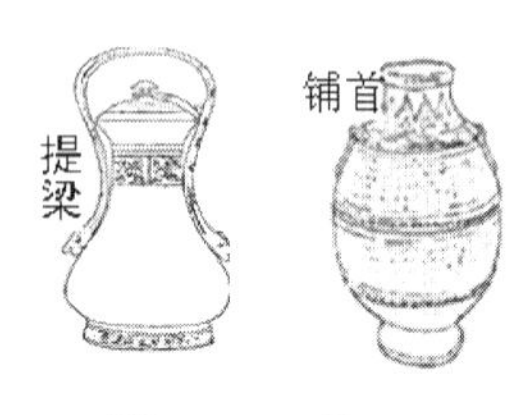

图 6-10 壶

图 6-11 卣

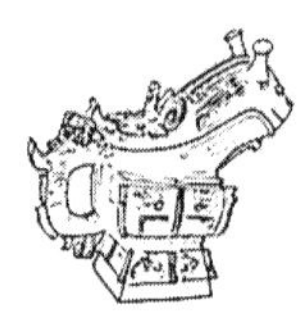

图 6-12 觥

图 6-13 彝

究竟最早的专用酒具起源于何时，还很难定论。因为在远古时代，没有专门的酒器，随着陶器的出现，专用酒器才开始产生。到商代，由于酿酒业的发达，青铜器制作技术提高，中国酒器达到前所未有的繁荣。商周以降，青铜酒器逐渐衰落，秦汉之际，在中国南方，漆制酒具流行，成为两汉、魏晋时期的主要类型。瓷器大致出现于东汉前后，与陶器相比，无论酿造酒具还是盛酒或饮酒器具，瓷器的性能都超越了陶器。宋代是陶瓷生产的鼎盛时期，有不少精美的酒器，瓷制酒器一直沿用至今。明代的瓷制品酒器以青花、斗彩、祭红酒器最有特色；清代瓷制酒器具有清代特色的有珐琅彩、素三彩、青花玲珑瓷及各种仿古瓷。

6.2.2 酒政

酒的制度即酒政，是国家对酒的生产、流通、销售和使用而制定实施的制度政策的总和。在众多的生活用品中，酒是一种非常特殊的用品。一方面，中国酿酒的原料主要是粮食，它是关系到国计民生的重要物质，国家必须实施强有力的行政手段加以干预。酿酒及饮酒是一项非常普遍的社会活动，只要粮食富裕，随时都可以酿酒，酒的消费面也非常广。另一方面，酒也是一种高附加值的商品，酿酒业往往获利甚厚。同时，酒作为一种特殊的食品，虽然不是生活必需品，但却具有一些特殊功能，如同古人所说的“酒以成礼，酒以治病，酒以成欢”，在这些特定的场合下，酒是不可缺少的。但是，酒又被人们看做一种奢侈品，没有它也不会影响人们的正常生活。而且，酒能使人上瘾，多饮使人致醉，惹是生非，伤身败体，人们又将其作为引起祸乱的根源。所以必须根据实际情况进行酒业管理，使酒的生产、流通和消费走上正轨。

在远古时代，由于粮食生产并不稳定，酒的生产和消费一般来说是一种自发行为，主要受粮食产量的影响。同时要明确的是，在奴隶社会，有资格酿酒和饮酒的都是有身份、有地位的上层人物。酒在一定的历史时期内并不是商品，而只是一般的物品。人们还未认识到酒的经济价值，这种情况一直延续到汉朝前期。

酒政的具体实施形式和程度随各朝而有所不同，但历代统治者对酒类的政策，概括起来主要有三种，即禁酒、榷酒和税酒。

1. 禁酒政策

禁酒就是由政府下令禁止酒的生产、流通和消费。

夏商时代，酒除用于祭祀外，贵族饮酒的风气十分盛行。其两代末君都因酒而引来杀身之祸而导致亡国。夏桀“作瑶台，罢民力，殚民财，为酒池糟丘，纵靡靡之乐，一鼓而牛饮者三千人”。由于酗酒不理朝政，夏桀最后被商汤放逐。商代贵族的饮酒风气并未收敛，反而愈演愈烈。商纣“以酒为池，悬肉为林”，作长夜饮，朝纲不整，终为西周取代。酗酒成风被普遍认为是商代灭亡的重要原因。鉴于沉痛的历史教训，西周统治者在推翻商代统治之后，充分认识到酒是大乱丧德，乃至亡国的根源，发布了我国最早的禁酒令《酒诰》，开始推行限制酒类消费的政策。其禁酒政策对后世影响很大，成为后世人们引经据典的典范。

禁酒的目的一方面是为减少粮食消耗，备战备荒。另一方面是为了防止沉湎于酒，伤德败性，引来杀身之祸，禁止百官酒后狂言，议论朝政。同时还有禁群饮，以防止民众聚众闹事。禁酒时，由朝廷发布禁酒令。禁酒也分为数种，一种是绝对禁酒，即官私皆禁，整个社会都不允许酒的生产和流通；另一种是局部地区禁酒，这在有些朝代如元代较为普遍，主要原因是不同地区，粮食丰歉程度不一。还有一种是禁酒曲而不禁酒，这是一种特殊方式，即酒曲是官府专卖品，不允许私人制造，属于禁止之列。没有酒曲，酿酒自然就无法进行。还有一种禁酒是在国家实行专卖时， 禁止私人酿酒、运酒和卖酒。

总之，禁酒政策在许多朝代都不同程度地实行过。禁酒时会有严格的惩罚措施，发现私酒，轻则罚没酒曲或酿酒工具，重则处以极刑。

2. 榷酒政策

榷酒为古代酒类专卖的术语，即国家垄断酒的生产和销售，不允许私人从事与酒有关的行业。由于实行垄断生产和销售，酒价或者利润可以定得较高，一方面可获取高额收入，另一方面，实行榷酒后，国家可以根据粮食生产的丰歉来调节酒的生产和消费，其内涵极为丰富。在历史上，专卖的形式很多，有由官府负责全部过程，可以获得丰厚的利润，收入全归官府的完全专卖；有官府只承担酒业的某一环节，其余环节则由民间负责的间接专卖；还有由特许的商人或酒户，在交纳一定款项并接受管理的条件下，自酿自销或经营购销事宜的特许制，以及酒曲专卖等。

榷酒政策始于汉朝，虽然历代王朝并未连续实施，但是对后世的酒业政策产生了深刻影响，在中国酒政史上具有重大意义。榷酒为国家扩大了财政收入来源，为当时频繁的边关战争和浩繁的宫廷开支等提供了财政来源，而且要比直接向人民征税更高明、更合情理。

3. 税酒政策

税酒是对酒征收的专税。在汉代以前，酒税并未从普通的市税中分离出来。汉始元六年(公元前81年)始征酒税，唐代中叶至宋末以专卖为主，征税为辅。元初实行专卖，后改为征税，明代沿袭。在清代后期和民国时，对卖酒还有特许卖酒的牌照税等杂税。实行税酒政策时，酒户只要按章纳税，就可以自由从事酒业经营活动。

从周公发布《酒诰》到汉武帝初榷酒之前，统治者并未把管理酒业看做聚敛财富的重要手段。商鞅辅政时的秦国，实行了重农抑商的基本国策，酒作为消费品，自然在限制之中，实行高价重税，“令十倍其补”。其目的是用经济手段和严厉的法律，抑制酒的生产和消费，鼓励百姓多种粮食。同时通过重税高价，国家也可以获得巨额收入。

在国家实行专卖政策、税酒政策或禁酒政策时，都对私酿酒实行一定程度的处罚，以保证官府的酒业政策得到顺利实施。轻者没收酿酒器具、酿酒收入，或罚款处理，重者处以极刑。

6.2.3 酒楼

作为一种消费品，酒在中国古代及至现今，都是重要商品。卖酒和提供饮用器具、场所及各种服务的店肆，古往今来有各种名称，如酒肆、酒舍、酒垆、酒家、酒楼、酒馆、酒店等。在中国，这种卖酒兼提供饮食服务的店肆的出现，与商品交换发展，城市、市场的建立有关，至于其在历史上的发展变迁，也与社会经济发展和人们的生活变化有很大关系。

中国谷物酒的酿造大约在新石器时代晚期已经出现，至商代，由于出现曲分离技术，不仅使酒的质量有所提高，也使酒的酿造得到进一步的普及。从古史中可知当时上层贵族的饮酒风气已经很盛，很多人甚至认为这是造成商朝灭亡的主要原因。《冠子·世兵》说：“伊尹酒保，太公屠牛。”“伊尹酒保”的意思是说伊尹曾经在卖酒的人家或店肆中做过雇工，后来成为商初的执政大臣。按照这一说法，似乎夏末商初就已经有卖酒的店肆了。虽然不一定可信，但在商代末年的一些古墓中，陶制酒器已成为不可或缺的随葬品，说明饮酒在当时的贵族甚至平民中也很普遍。当时已经有了一定的商品交换，这时候有酒在市肆中买卖应该是可能的。

《周礼·天官·冢宰》记述周朝“设官分职”，已有专门的机构和官员管理王室的酿酒事务：“酒正，中士四人，下士八人，府二人，吏八人，青八人，徒八十人。”投入如此多的人力，说明当时王室酿酒规模之大，再加上贵族的家酿，可以想见当时全国酒的产量一定相当可观；包括“酒肆”在内的“市肆”已经普遍出现，为酒的交换提供了条件。

《周礼·天官·内宰》说：“凡建国，佐后立市，设其次，置其叙，正其肆，陈其货贿。”所谓“建国”，就是筑城。周人筑城后即划出一块地方设“市”，“市”里设“次”和“叙”(市场管理官员处理事务的处所)，“肆”则指陈列出卖货物的场地或店铺（亦包括制造商品的作坊)。市场中的“肆”，按惯例以所出卖的物品划分，所以卖酒的区域、场所、店肆自然被称为“酒肆”。西周至春秋战国，乃至唐代，手工业者都是在市场上列“肆”而居、以“肆”经营的，故《论语·子张》说：“百工居肆，以成其事。”《淮南子·真训》说：“贾便其肆，农乐其业。”但是卖酒的店肆作为一种饮食服务业，实际上不断突破“市肆”的限制，以至逐渐遍布城乡。不过，“酒肆”作为卖酒店肆的称呼却被沿袭下来。如晋代张华作《博物志》云：“刘元石于山中酒肆沽酒。”山中自然没有“市肆”，故这里的“酒肆”实指的是山中的酒店。再如孟元老《东京梦华录》序云：“新声巧笑于柳陌花衡，按管调弦于茶坊酒肆。”这里的“酒肆”则指的是北宋汴京城里的酒馆酒楼。诗文中写到卖酒兼提供各种服务的酒店也常用“酒肆”一词。古代“市”、“肆”相通。《后汉书·五行志》注引《古今注》：“(永和)六年十二月，锥阳酒市失火，烧肆，杀人。”所以古代也用“酒市”来称酒店。如唐代沈彬《结客少年场行》诗：“片心惆怅清平世，酒市无人问布衣。”唐代姚合《赠刘叉》诗：“何处相期宿，咸阳酒市春。”元代张可久《醉太平·登卧龙山》曲：“半天虹雨残云载，几家渔网斜阳晒，孤村酒市野花开。”

西周时，王室酿酒，贵族一般也有条件酿酒，但平民则主要到市场上买酒。西周初，鉴于商朝统治者沉溺于饮酒而亡，曾经由周公旦以王命发布《酒诰》。其中规定王公诸侯不准非礼饮酒，对民众则规定不准群饮：“群饮，汝勿佚。尽执拘以归于周，予其杀!”意思说，民众群饮，不能轻易放过，统统抓到京城处以死刑。民众聚饮之酒，当购自酒肆，也很有可能当时民众聚饮的地方就在市场上的酒肆。《诗经·小雅》的作者主要是西周的大小贵族，其中很流行的一首宴亲友的诗《伐木》篇写道：“有酒湑我，无酒酤我。”，意思说，有酒就把酒过滤了斟上来，没有酒就去买来。从诗意看，似乎西周时，酒随时都可买到，人们也习惯于到市场上的酒肆买酒。

随着商业的发展和流动人口的增加，战国时饮食服务业发展得很快。司马迁《史记·刺客列传》记述以刺秦王闻名的荆轲：“嗜酒，日与狗屠及高渐离饮于燕市。酒酣以往，高渐离击筑，荆轲和而歌于市中，相乐也。”战国末年，燕国都市的酒店，为客人提供酒具，客人不仅可以在买酒后当场饮用，而且可以留连作歌于其中，基本与后世的酒馆没有什么差别。

由于春秋经济的发展，经战国到秦，不仅都市里有酒肆、酒店，而且一般的乡镇也有酒店。《史记·高祖本纪》曾记载刘邦常到酒店去赊酒，有时还当场喝醉，睡倒不起。汉兴以后，工商业发展很快，酒店业遂成为一个重要的行业。汉末建安年间，曹操为励精图治曾下过禁酒令，当时的名士孔融为此写了一篇《与曹相论酒禁书》与之论辩。刘备建立蜀汉之初，也曾下令禁酒，不许私酿，后被简雍劝止。所以汉末三国时可以说基本上没有酒禁，自然不能禁止酒店酿酒卖酒。到魏晋时，由于种种原因，饮酒在当时的士大夫中形成风气。特别是入晋以后，饮酒几乎成为当时名士的标志，其中突出的代表自然是“竹林七贤”。据说阮籍曾因步兵署中有酒，而愿做步兵校尉，还曾在家中大醉六十余天，以逃避司马氏的提亲。刘伶则出游时车中载酒，走到哪里喝到哪里。如果认为阮籍等饮酒除了在家里，就是饮于郊野林泉，则不尽然，其实他们也会到酒店饮酒。《晋书》阮籍本传中提到“邻家少妇有美色，当垆沽酒，籍尝诣饮，醉便卧其侧。籍即不自嫌，其夫察之，亦不疑也。”

因为魏晋时不禁私酿，所以当时的私家酒店很多，各家所酿之酒其味必然不同。晋代的名士阮籍，家境贫寒，四十岁还没有娶亲，以至大将军王敦为他捐钱娶亲。可是他虽穷却嗜酒，酒钱常常储备不乏。据说，他往往步行出游，将百钱挂于杖头，走到哪个酒店，便取下杖头钱买酒独酌。后世因此称酒钱为“杖头钱”。（《世说新语》）文学家陶潜好饮，曾亲取头上的葛巾漉酒。家酿不够，陶潜也到酒店买酒。《宋书》记载颜延之曾送给他二万钱，“潜悉送酒家，稍就取酒”。大概陶渊明主要是将酒买到家里喝，而送钱给他买酒的颜延之则喜欢到酒店饮酒。《南史》颜延之本传记其逸事云：“文帝尝召延之传诏，频不见，常日到酒肆裸袒挽歌，了不应对。”颜延之当时官至国子祭酒，地位很高，像他这样的人还经常跑到酒店去光着膀子饮酒高歌，大概是因为当时的酒店可以尽情尽性不拘礼法。喜欢到酒店喝酒的士大夫在东晋六朝时还为数不少。

南朝经济比北朝发达，但由于北朝没有实行榷酤，民间可以自由酿酒，所以当时北朝市场上酒的买卖也很活跃。特别是其中有几个地方所酿之酒遐迩闻名，成为远销他方的畅销商品。这样就促进了私人酒坊、酒店的发展。“酒坊”，本指酿酒的作坊，因其也兼卖酒，故人们也用之来称酒店。

唐初无酒禁，加之政治稳定，经济发展，酿酒业及相关行业都得到较快发展，大小酒肆、酒店遍布城乡。乾元元年（750年）以后，虽然由于缺粮或遇灾荒，有几次在局部地区禁酒，甚至“建中三年，复禁民酤”，不许民间私人开酒店卖酒，但却官司“置肆酿酒，斛收值三千”、“以佐军费”。所以在唐代，无论是否有酒禁，人们都可以在一般的城乡随时找到酒店。唐制三十里设一驿，全国陆驿1291所，水驿1330所，水陆相兼之驿86所，沿途随处都有酒店等服务设施。“东至宋汴，西至岐州，夹路列店肆待客，酒馔丰溢，南诸荆襄，北至太原范阳，西至蜀川、凉府，皆有店肆，以供商旅。”特别是“京都王者师，特免其榷”（《旧唐书·食货志》），临安、东都洛阳及其附近的酒肆、酒店得到较快发展。据《开元遗事》记载：“自昭应县（今陕西临潼）至都门，官道左右，当路市酒，亦有施者，与行人解乏，故路人号为歇马杯。”

唐代长安虽有东西两大市，但酒店早已突破两市，发展到里巷郊外。从春江门到曲江一带游兴之地，沿途酒家密集，所以杜甫诗中说“朝回日日典春衣，每日江头尽醉归。”（《曲江二首》）城厢内外热闹的地带则盖起豪华酒楼，当时长安的酒楼，楼高百尺，酒旗高扬，丝竹之音嘹亮。这种酒楼的出现相对于酒店的历史来说，是比较晚的事，至少在唐以前的文献中没有明确记载。酒楼因酒店之房舍建筑而得名，也意味着酒店规模的扩大、服务项目的增多与饮食供应品位的提高，无疑是与城市的繁荣、饮食服务业的发展有直接关系。所以后来人们将规模较小、条件比较简陋的酒店称为“酒馆”、“酒铺”，而将档次高、带楼座并有各种相应服务的酒店称之为“酒楼”。

宋王朝重视对酒务的管理，为此制定了一系列的制度和政策，其中有继承前代的，也有自行制定的。除官榷之外还有“扑买”制度，即酒税承包制度。如果某人“扑买”到某一地区的酒税以后，就可以独占这一地区的酒利，于是其他小酒店就成为其附庸，只能到它那里买酒贩卖。南宋除官榷、扑买制度外，还创立了“赡军酒库”。到绍兴十年（1140年），户部所辖的赡军酒库已有十多处，这年十月又改为点检赡军酒库。赡军酒库虽然是由户部主办的，但主要由军队掌握。此外，各地豪绅及达官贵人或酿私酒，或私设酒坊，与国家争利。

在宋代，国家将酒的生产和买卖作为重要的财政来源加以鼓励，另一方面酿酒技术也有了较大进步，在一定程度上促进了酒的生产、销售和饮食服务业的发展。这种发展在大中城市，特别是北宋的首都汴京（今河南开封）和南宋的“行在”临安（今浙江杭州）表现得十分明显。《东京梦华录》、《梦粱录》、《武林纪事》等书对此有十分详细的记载。

元朝对酿酒基本听任私人制造，而榷以“酒课”。另外，元朝城市商业发达，首都大都（今北京）和杭州、扬州等城市都可以称得上是当时最繁华的商业城市。所以中国南北方原来已经发达的酒店、酒楼等饮食服务业并没有受到太大的冲击。据记载，元朝时，“京师列肆百数，日酿有多至三百石者，月已耗谷万石，百肆计之，不可胜数”（《牧庵集》）。可见当时首都及各地酒店、酒楼卖酒数量之巨。

明朝建国之初，朱元璋曾下令禁酒，后又改变主张，自云“以海内太平，思与民同乐”，于是“乃命工部作十楼于江东诸门外，令民设酒肆其间，以接四方宾旅”（《皇明大政记》）。这十座楼分别取名为鹤鸣、醉仙、讴歌、鼓腹、来宾等，但他觉得十楼还不够，于是又命工部增造五楼，洪武二十七年（1390年）八月新楼建成，他还“诏赐文武百官，命宴于醉仙楼。”由于明王朝政策的允许，南京、北京和各地的酒店、酒楼随着战后经济恢复发展而恢复和发展。特别是明中期以后，社会经济生活发生了较大的变化。商业，尤其是贩运性商业的发展，促进了城市发展，大中城市数量增加，不少乡村也因商业的繁荣变成繁华的小市镇，从而引起消费生活的更新、人情风尚的改观。明中晚期追求奢华享乐成为普遍的社会风气，从官绅商贾到读书士子、厮隶走卒，几乎无不被这种社会风气所濡染。当时不仅经济发达的南方城镇到处有酒楼酒馆，而且北方的小县城，社会风气也发生了巨大变化。如明万历修《博平县志》所记：“由嘉靖中叶以抵于今，流风愈趋愈下，惯习骄奢，互尚荒佚，以欢宴放饮为豁达，以珍味艳色为盛礼……酒庐茶肆，异调新声，汩汩浸淫，靡焉勿振。”

清末至民国初期，北京的繁华区域有许多大饭庄。这些饭庄有着共同的特点，一般都有宽阔的庭院，幽静的房间，陈设着高档家具，悬挂名人字画。使用的餐具成桌成套，贵重精致，极其考究。这类饭庄可以同时开出几十桌宴席，也有单间雅座，接待零星客人便酌。甚至各饭庄内还搭有戏台，可以在大摆宴席的同时唱大戏、演曲艺。这些大饭庄在京城餐饮业中的地位，较之两宋汴京、临安的豪华酒楼有过之而无不及。比饭庄规模小一些的饮食店当时叫饭馆，其名则不拘一格，这类饭馆讲口味胜于讲排场，酒当然同样不可少。其雅座之内也悬挂匾联书画，同以往酒店、酒楼没有什么差别。当时的一些风味饭馆，也同时卖酒。

6.3 酒与民俗

在我国古代，酒被视为神圣之物，酒的使用，更是庄严之事，非祀天地、祭宗庙、奉嘉宾而不用，形成远古酒事活动的习俗和风格。随着酿酒业的普遍兴起，酒逐渐成为人们日常生活用品，酒事活动也随之广泛，并经人们思想文化意识使之程式化，形成较为系统的饮酒风俗习惯。这些风俗习惯内容涉及人们生产、生活的许多方面，其形式生动活泼、姿态万千。酒与民俗密不可分，诸如农事节庆、婚丧嫁娶、生期满日、庆功祭奠、奉迎宾客等民俗活动，酒都成为核心物质。农事节庆时的祭拜庆典若无酒，缅怀先祖、追求丰收富裕的情感就无以寄托；婚嫁之无酒，白头偕老、忠贞不二的爱情无以明誓；丧葬之无酒，后人忠孝之心无以表述；生宴之无酒，人生礼趣无以显示；饯行洗尘若无酒，壮士一去不复返的悲壮情怀无以倾述。总之，无酒不成礼，无酒不成俗，离开酒，民俗活动便无所依托。

早在夏、商、周三代，酒与人们的生活习俗、礼仪风尚就已紧密相连。当时曲蘖的使用，使酿酒业空前发展，社会重酒现象日甚，反映在风俗民情、农事生产中的用酒活动非常广泛。

夏代，乡人于十月在地方学堂行饮酒礼："九月肃霜，十月涤场，朋友斯飨，曰杀羔羊，跻彼公堂，称彼兕觥，万寿无疆。"（《诗经·七月》）此诗描绘的是一幅先秦时期农村乡饮风俗的场景。在开镰收割、清理禾场、农事既毕以后，辛苦了一年的人们屠宰羔羊，来到乡间学堂，每人设酒两樽，请朋友共饮，并把牛角杯高高举起，相互祝愿大寿无穷，当然也预祝来年丰收大吉，生活富裕。

周代风俗礼仪中，有冠、昏（婚）、丧、祭、乡、射、聘、朝八种，大多又酒冠其中，有声有色。例如：男子年满二十要行冠礼，表示已成为成年人，在冠礼活动中，"嫡子醮用醴，庶子则用酒"，庆贺自己走向成熟。

周代的婚姻习俗，已经走向规范化、程式化，由提亲到完婚，已形成系统，各个环节都有讲究。男子若相中某一女子，必请媒提亲，女应允后，仍有纳采、问名、纳吉等过程。婚期至，"父醮而命之迎，子承命以迎，婿执雁入……先俟于门外，妇至，婿揖妇以入，共牢而食，合卺而酳。"新婚夫妇共同食用祭祀后的肉食，共饮新婚水酒，以酒寄托白头偕老的愿望。周代的乡饮习俗，以乡大夫为主人，处士贤者为宾。活动过程中，"凡宾，六十者坐，五十者立"。饮酒，尤以年长者为优厚。"六十者三豆，七十者四豆，八十者五豆，九十者六豆"。其尊老敬老的民风在以酒为主体的民俗活动中有生动显现。

三代风俗礼制作为中国传统文化，它"集前古之大成，开后来之改政"，传承沿袭，不少风俗现象仍保留至今。近现代民间习尚的婚礼酒、丧葬酒、月米酒、生期酒、节日酒、祭祀酒等，都可在周代风俗文化的"八礼"中寻到源头。

6.3.1 酒德

历史上，儒家学说被奉为治国安邦的正统观点，酒的习俗同样也受儒家酒文化观点的影响。儒家讲究“酒德”两字。酒德最早见于《尚书》和《诗经》，其含义是说饮酒者要有德行，不能像商纣王那样，“颠覆厥德，荒湛于酒”。《尚书·酒诰》中集中体现了儒家的酒德，这就是：“饮惟祀”（只有在祭祀时才能饮酒）；“无彝酒”（不要经常饮酒，平常少饮酒，以节约粮食，只有在有病时才宜饮酒）；“执群饮”（禁止民人聚众饮酒）；“禁沉湎”（禁止饮酒过度）。儒家并不反对饮酒，用酒祭祀敬神，养老奉宾，都是德行。饮酒作为一种饮食文化，在远古时代就形成了一种大家必须遵守的礼节，有时这种礼节还非常烦琐。如果在一些重要场合不遵守，就有犯上作乱之嫌。又因为饮酒过量，便不能自制，容易生乱，制定饮酒礼节就很重要。明代的袁宏道，看到酒徒在饮酒时不遵守酒礼，深感长辈有责，于是从古代书籍中采集了大量资料，专门写了一篇《觞政》。这虽然是为饮酒行令者所写，但对于一般饮酒者也有一定意义。

酒德即酒行为的道德，它是与酒礼互为表里的。古人认为，酒德有凶和吉两种。《孔氏传》云：“以酒为凶谓之酗，言讨心迷政乱，以酗酒为德，戒嗣王无如之。”首先提出“酒德”概念的周公所反对的是酗酒的酒德，所提倡的是“无彝酒”的酒德。所谓“无彝酒”，就是不要滥饮酒。《礼记》中作了具体说明：“君子之饮酒也，一爵而色酒如也，二爵而言言斯，三爵而冲然以退。”被后世尊为“圣人”的孔子曾提出“唯酒无量，不及乱”，就是说各人饮酒的多少没有什么具体数量限制，以饮酒后神志清晰、形体稳健、气血安宁、皆如其常为限度。“不及乱”即为孔子鉴往古、察当时、戒来世提出的酒德标准。先秦时符坚的黄门侍郎赵整目睹符坚与大臣们泡在酒中，就写了一首劝诫的《酒德歌》，使之反省而接受了劝谏。酒德更涉及文明礼貌，吴彬在《酒政》中提出饮酒要禁忌“华诞、连宵、苦劝、争执、避酒、恶谑、喷秽、佯醉。”程洪毅在《酒警》中指出饮酒要“警苛令、警趋附”、“警喧谈”、“警煞风景”。古今医学从保健角度也极为提倡酒德。战国时期的名医扁鹊认为：“久饮酒者溃髓蒸筋，伤神损寿。”唐朝孙思邈曰：“空腹饮酒多患呕逆。”明代李明珍也说：“过饮不节，杀人顷刻。”现代医家还总结了许多饮酒的科学方法。

总之，制止滥饮，提倡节饮，文明饮酒，科学饮酒，这就是中国酒文化所提倡的饮酒之德。除此之外，酒德还反映在酒的酿造和经营行为上。用现在的话说，就是酒的酿造要严格按工艺流程和质量标准去做，不能偷工减料，以次充好；酤酒必须货真价实，不缺斤少两。我国许多传统名酒之所以千百年盛誉不衰，一个根本的原因，就是始终保持重质量、重信誉的高尚酒德。

中国酒史如此之长且尚酒之风又如此普遍，但酗酒之害却并不严重，与西方国家大不相同。原因之一就是中国从周代就大力倡导“酒礼”与“酒德”，并设有酒官，强制限酒，把禁止滥饮、防止酒祸法律化，从而保证了中国酒文化始终沿着正确方向发展。原因之二就是中国历代的“禁酒”主要是从“节粮”这个角度提出来的。当年大禹之所以“疏仪狄，绝旨酒”，正是因为这种酒都是用粮食酿造的，如果都用粮食来造酒喝，势必会使天下因为缺粮而祸乱丛生，危及社稷。此后历史上真正大规模的禁酒，绝非仅仅因为酗酒造成社会问题，而主要是为了备战积聚粮草，或因天灾人祸，“年荒谷贵”所使然。所以每次禁酒基本上令行禁止，收效显著。相比之下，西方社会的大规模禁酒运动，只是从试图改善社会矛盾和保护人身健康的角度提出来的，所以屡禁不止。这说明了西方酒文化从概念上来说，也缺乏中国酒文化所具备的博大精深的内涵和特征。

6. 3. 2 酒礼

这里所说的“礼”，即指人们的行为规范、规矩、仪节等。中国素有“礼仪之邦”的美誉。自三代以来，礼就成为人们社会生活的准则和规范。古代的礼渗透到政治制度、伦理道德、婚丧嫁娶、风俗习惯等各个方面，酒行为自然也纳入其中，这就产生了酒行为的礼节——酒礼，用以体现酒行为中的贵贱、尊卑、长幼乃至各种不同场合的礼仪规范。到了西周，酒礼成为最严格的礼节。周公颁布的《酒诰》，明确指出天帝造酒的目的并非供人享用，而是为了祭祀天地神灵和列祖列宗，严格禁止“群饮”、“崇饮”，违者处以死刑。秦汉以后，随着礼乐文化的确立与巩固，酒文化中“礼”的色彩也愈来愈浓，《酒戒》、《酒警》、《酒觞》、《酒诰》、《酒箴》、《酒德》、《酒政》之类的文章比比皆是，完全把酒纳入了礼仪的范畴。为了保证酒礼的执行，历代都设有酒官。周有酒正、汉有酒士、晋有酒丞、齐有酒吏、梁有酒库丞等。

如果说典籍文化中所定之礼，集中代表了统治阶级维护统治、保护特权的利益，那么文人雅士所言之礼则集中体现了士大夫阶级的审美情趣和文化心理。比如，有人认为理想的饮酒对象是“高雅、豪侠、直率、忘机、知己、故交、玉人、可儿”；饮酒地点是“花下、竹林、高阁、画舫、幽馆、曲涧、平畴、荷亭”；饮酒季节是“春郊、花时、清秋、新绿、雨霁、积雪、新月、晚凉”（《酒政》）。有人认为理想的酒友是“款于词而不佞者，柔于气而不靡者，无物为令而不涉重者，闻令即解而不再问者，善雅谑者，持屈爵而不诉者，当杯不议酒者，飞斝腾觚而仪无愆者，宁酣沉而不倾泼者”；理想的醉地是“醉花宜昼，袭其光也；醉雪宜夜，乐其洁也；醉文人宜谨节奏慎章程，畏其侮也；醉俊人宜益觥盂旗帜，助其烈也；醉楼宜暑，资其清也，醉水宜秋，泛其爽也。”凡此种种，都可看出士大夫阶层对超俗拔尘境界的推崇，对温文尔雅风度的追求。当然，对于一般百姓而言，可能没有统治阶级和文人雅士那么多的酒礼，但从他们对于长者和尊者的遵从，对某种仪式的默契，对饮酒对象的选择中，都不难发现“礼”的影响。

酒，其形如水，而性情暴烈，饮之无节、无制，则内可伤人之脏腑，外可乱人之肢体，使人神昏智迷。因而必须对饮酒加以限制，治酒万胜于治水，是历代国君都明白无虞的基本道理。而导引之策，莫过于以礼。在有关酒礼的规范性上，我国早在《周礼·乡饮酒》中就已经对酒宴礼节和活动规范做出了完整的记载，详细到主客的推让办法、饮酒时的致词和礼让动作以及饮宴时必需的伴奏音乐等。后世儒家，特别是到了孔子时代，认为人们对“礼”的修习实践是通达“仁”的有效门径，因此提出“非礼勿言、非礼勿行”的人生准则。孔子说“克己复礼为仁”，希望回复到周礼时代的那些礼节规范。然而，由于周礼的某些规定太过铺张繁缛，难于实现，民间便对此进行变通，删除了特别繁杂无意义的，而保留那些简便易行、具有某种纪念意义或者富有情调的礼俗。

1. 我国古代饮酒礼节

主人和宾客一起饮酒时，要相互跪拜。晚辈在长辈面前饮酒，叫侍饮，通常要先行跪拜礼，然后坐入次席。长辈命晚辈饮酒，晚辈才可举杯；长辈酒杯中的酒尚未饮完，晚辈也不能先饮尽。

古代饮酒礼仪约有四步：拜、祭、啐、卒爵。就是先作出拜的动作，表示敬意，接着把酒倒出一点在地上，祭谢大地生养之德；然后品尝酒味，并加以赞扬令主人高兴；最后仰杯而尽。

在酒宴上，主人要向客人敬酒（叫酬），客人要回敬主人（叫酢），敬酒时还要说敬酒辞。客人之间相互也可敬酒（叫旅酬）。有时还要依次向人敬酒（叫行酒）。敬酒时，敬酒人和被敬酒人都要“避席”，起立，普通敬酒以三杯为度。

2. 少数民族酒礼

在中国少数民族中，除部分信奉伊斯兰教的穆斯林外，一般都有“无酒不成礼”的传统待客习俗。

(1) 少数民族在饮酒时很讲究敬老的礼节。锡伯族的年轻人不许和长辈同桌饮酒，其中原因大致有二：一是长幼有别；二是酒喝多了容易失礼，对长辈不敬被视为最丢脸的事。朝鲜族晚辈也不得在长辈面前喝酒，若长辈坚持让小辈喝，小辈也得双手接过酒杯来转身饮下，并表示谢意。

蒙古族家中来客后，不分主客，谁的辈分最高，谁坐在上座主位上。客人不走，年轻媳妇不能休息，哪怕彻夜畅饮长谈，也得在客厅旁听候家长召唤，以便随时斟酒、添菜、续茶。壮族请客时，只有与客人同辈的长者才能与老年客人同坐正席，年轻人须站在客人身旁，给客人斟酒之后才能入座。

彝族家中酿好酒后，第一杯敬神，第二杯敬给家中老人，晚辈不得先喝。凉山彝族群聚饮酒时，要按年龄大小、辈分高低分先后次序，摆杯斟酒，并由在场的英俊聪明的小伙子先给老人敬酒。敬酒者双手捧杯，右脚向前跨一大步，弯腰躬身，头稍向左偏，不得直视被敬者。被敬酒的老者则谦和地说：“年轻人啊，对不起了，老朽站不起来了”，或者说“借给你这一杯”，表示回敬，小伙子便立身饮尽，否则为不敬。民间谚语说：“酒是老年人的，肉是年轻人的”，所以敬酒献客时，必须从老人或长辈开始，如此才合乎“耕地由下（低）

而上（高），端酒从上而下”的传统规矩。

少数民族饮酒中的敬老习俗，从信仰的角度看，也反映在对祖先的崇敬上。例如广西毛南族，请客人吃饭时，要请客人坐上席，先给客人斟酒夹菜；而客人在端杯饮酒时，须先用手指尖或筷子头蘸点酒，弹酒几滴于地上，表示首先敬献主家的祖先，然后主客碰杯，说互相祝福的吉祥话。

（2）少数民族在欢聚待客饮酒时，特别重视和谐热烈的气氛。凉山彝族喜欢喝寡酒，即不用下酒菜，因此可以随时随地喝。相识者邂逅相遇，买酒后，几个人围圈而蹲，仅用一两只酒杯，或干脆不用酒杯，一人一口轮流喝，称之为喝“转转酒”。若用酒杯，便先从最年长者开始，从右至左，一人一杯，轮流饮酒，不得轮空，众人用一个酒杯，称为“杯杯酒”，互不嫌弃，同乐同喜。凉山甘洛县的彝族还常饮“杆杆酒”，即酒酿好后，将一根打通节的竹管插入坛中，众人围坛轮流吸饮，酒液吸完，再掺冷开水入坛直至味淡。土家族也有插竹管于酒坛咂饮的传统，传说起源于明代土家族士兵赴东南沿海抗倭时，百姓送行，置酒于道旁，经过酒坛的士兵，咂一口，即可前行，不误行军。羌族把这种喝酒法叫做喝“咂酒”，但不是众人一个吸管，而是一人一根长而细的吸管，围坛咂酒，在喝酒的过程中还穿插有歌舞。壮族喝咂酒的记载，最早见于《岭外代答》，距今已有一千多年的历史。书中说：单州钦州壮族村寨，客人至，主人铺席于地，置酒坛于席中，注清水于坛内，插一根竹管于坛中，依先宾后主的次序吸饮。饮前由主妇致欢迎词，男女同坛同管，水尽可添，酒乃甜酒。黎族和布依族也喝咂酒，其形式与羌族相似。

广西大新县壮族人家，当客人光临时，在饭桌上主人先给客人和自己斟酒，主客共饮交臂酒之后，客人才能随意饮用。一喝交臂酒，气氛马上就显得轻松融洽。云南傈僳族和怒族在待客饮酒时，主客共捧一碗酒，相互搂着对方的肩膀，脸贴脸把嘴凑在酒碗边，同时仰饮之。至亲好友及贵客光临，或要结为兄弟之谊，皆须如此饮酒，谓之喝“同心酒”。傣族又称之为“合杯酒”和“双边酒”。侗族的“团圆酒”气氛更为热烈和谐。大家围桌而坐，每人将自己的酒杯用左手递到右邻的唇边，右手搂着他的肩膀，依次形成一个圆圈，主人一声“干杯”，大家同时欢呼一声并饮尽，如此三轮，方可自由饮酒。至此，大家已觉得亲密无间，不仅谈笑风生，而且还有酒歌阵阵。

侗族还有一种交臂酒，是两人并肩或坐或立，一手搂对方肩，一手举杯递到对方唇边，同时尽饮。有些饮酒活动，比一般待客更显得情谊深厚。例如黔西南布依族的“打老庚”，可理解为“结拜兄弟”或结交同年好友。异姓小伙子，不论生辰年月是否相同，只要年龄相差无几，征得父母同意便可约定日子聚饮，结拜为“老庚”。此仪式之后，双方父母即把打老庚者都当做自己的儿子对待。又如四川黑水县的羌族，同辈同年的年轻人，不论男女皆可“打老庚”，只是男女分别举行活动而已。一般在农历正月择日，同龄人相约，携带酒肉到村寨野外聚餐，大家把鞋带放在一起，轮流去抽，哪两人抽到了同一双鞋的两根鞋带，他们就相互结为“老庚”，在今后的生活中不仅他俩要同甘苦、共命运，两家人也要同心同德，团结互助。旧时蒙古族民间在结交推心置腹的朋友时，双方要共饮“结盟杯”酒，杯乃饰有彩绸的牛角嵌银杯，非常精美，交臂把盏，一饮而尽，永结友好。我国台湾的高山族排湾人，不仅新婚夫妇要喝“连杯酒”（也叫连欢酒），亲朋好友也要共饮“连杯酒”。连杯酒并非指连饮数杯，而是两个酒杯连在一起。这种酒具像一副担子，木雕彩绘，“担子”两头各雕有一个酒杯。斟满酒后，两人比肩而立，各以外侧之手执酒具一端之把手，只能同时举杯同时饮，否则酒就会洒掉，极有象征意义，既表示必须平等（端平），又表示必须同甘共苦(不论生活的酒是甜是苦，我们都得同干)。高山族在喜庆节日里常聚饮狂欢，男女杂坐同乐。最亲近友好者，饮酒时并肩并唇，高举酒具，倾酒下泻，如仰饮山泉，流入口中，洒到地上，尽情尽兴，大为快乐。

(3) 少数民族在待客敬酒中，普遍表现出礼仪隆重和坦诚真挚。贵州苗族人家待客，在酒席上每次给客人敬酒都是双杯，表示主人祝福客人好事成双、福禄双至，也寓有“客人是双脚走来的，仍能双脚走回去”，健康平安。若客人推辞，女主人就会捧杯唱起敬酒歌，直至客人领受他们的祝愿。

青海土族在招待贵客时，讲究“三杯酒”，即客人进门饮三杯酒洗尘，客人上炕就坐入席，饮“吉祥如意三杯酒”，客人告辞时饮“上马三杯酒”，有酒量的一饮而尽，表现出豪爽真诚，主人很高兴；若不胜酒力，只需以左手无名指蘸酒向空中弹三次，表示敬神、领情和致歉，主人绝不勉强，因为不能饮者强饮之则无快乐，可谓体察入微。

布依族在客人进门入座后，马上捧出一碗“茶”献客，有经验者不会贸然饮用，因为这是以酒当茶，客人只须慢慢吸饮，歇脚缓气即可。

高山族某些支系，当贵客来访时，部落头人带领青年人在路旁吹奏民间乐器，夹道欢迎，直至主人家中。贵客在屋中高凳上就座，青年男女围着贵客歌舞，同时依客人数指派同样数量的年轻人敬酒。他们手捧斟满酒的小葫芦瓢，弓身弯腰，将酒由下向上慢慢递到贵客胸前，动作谨慎，态度谦恭，对客人显得十分敬重礼貌。

在四川凉山彝家做客，进门入座后，主人先捧上一碗或一杯酒献客。客人若不是彝族，主人会说：“汉人贵在茶，彝胞贵在酒”。客人可依自己的酒量随意饮用，哪怕仅仅喝一小口，主人也很高兴，马上会打羊或杀小猪来待客。谓之“打”羊，是因为以牛羊待客皆不用刀宰杀，而是徒手捏死或以木棒捶死。打牲前要把牲口牵到客人面前请客人过目，以示敬重。若客人谢绝接酒，则有不敬之嫌，主人会感到失望。

佤族民间俗话说“无酒不成礼，说话不算数”。解放后生活水平提高，农民几乎家家酿酒，饮酒自然成为日常生活中的要事，喝酒时喜邀亲友欢聚同乐。主人给客人敬酒，必须给在座客人一一敬到，若有疏漏，便有违阿佤礼仪。敬酒时，双手捧竹节酒筒，走到客人面前，恭身将酒筒由自己胸前沉下，再向上送到客人嘴边。客人双手把住酒筒，将它推向主人嘴边，主人喝一口，再敬给客人，客人一饮而尽。第一个被敬酒的人是在场客人中最被敬重者或最年长者，他接过酒后，以右手无名指沾出几滴酒于地，口诵祝词，表示对主人祖先的敬献。拒绝阿佤人的饮酒邀请是不礼貌的表现，喝多少可以量力而行，主人是为了友谊和高兴，绝不会勉强。

到藏族家做客，讲究“三口一杯”，即客人接过酒杯（碗）后，先喝一点，主人斟满后，再喝一点，主人又斟满，至第三口时干杯。若客人确实不能饮酒，可按藏族习惯，以右手无名指蘸酒向右上方弹洒三次，表示敬天地神灵、父母长辈和兄弟朋友。主人再不勉强，并会表示欢迎。一般喝完三口一杯之后，客人便可随意饮用。客人起身告辞时，最后得干一杯方合礼节。在喜庆节日里，藏族同胞往往以歌舞劝酒，客人若能唱，要在接过酒杯唱完答谢酒歌后再饮尽，主人会继续歌舞敬酒，客人若不能再喝，就装出醉态狂歌乱舞一通，表示酒好，忍不住喝多了。众人及主人都会开怀大笑，再不强劝，因为尽兴尽欢的目的已经达到。

广西红水河两岸的瑶族，在客人光临前，即把一只灌满酒的酒葫芦挂在堂屋门背后，待客人将近大门时，即刻斟酒一碗，迎上前去，一手搭在客人肩上，一手递到客人面前说：“请饮进门酒”。客人忙说：“我喝干，我喝干”。若逢节日或喜庆，客人喝完酒后，主人还要朝天鸣放鸟枪，向全寨人通报有贵客光临。“进门酒”之后，主家全体成员出来迎客进屋。客人若无酒量，可浅尝辄止，表示谢意。广西巴马瑶族在迎接村寨的集体客人或十分重要的单个客人时，要设“三关酒”迎接，即主家派人在屋外必经之路上设三道酒关，每经一关须饮两杯，三关之后，方进屋饮宴。传说此俗起源于巴马瑶族的祖先“卡罗”，卡罗生下三个月后父母相继过世，善良的汉人盘尧收养了他。卡罗成家后为报答养父母的恩情，率家人采药酿酒宴请二老；在迎接养父母的当天，卡罗带族人到寨外十五里处设酒关，每五里设一关，每至一关，卡罗敬二老甘醇的美酒两碗，以表隆重和真诚。此传说不仅反映了汉瑶人民的团结友谊，而且寓意瑶家敬贵客如敬再生父母，其情真挚感人。

西藏门巴族当客人到家时，主人便用铜瓢或竹节筒盛满酒，先倒点酒在自己手掌心，当众吸啜，表示酒中无毒，自己待客以诚。尔后，依次向客人每人敬酒一瓢或一竹筒，客人须一饮而尽。旧时无专门酒具，门巴人以芭蕉树皮卷成小酒槽给客人敬酒，贵客四槽，一般客人两槽。

云南傈僳族在待客时，主人用精致的竹筒斟满酒后，先往地上倒一点，表示敬祖，接着自己先喝一口，表示酒是好的，请客人放心，然后再斟满其他竹筒，双手捧到客人面前请客人畅饮。

滇西北高原中的普米族对待客人，不论生熟亲疏，都热情接待，因为他们认为客人临门是一种荣耀和吉兆。当主人听到狗叫，发现有客人光临时，家人都会出来帮客人牵马拿东西，请客人进屋。当客人在火塘旁坐定后，主妇便端上水果、食品和一碗酥里玛酒。普米族以火塘上方的一块长方形石柱代表家族祖先神灵，称之为“锅庄”。主人先敬家神，在锅庄上滴几滴酒，若是燃起火焰，则为最吉，主人会很高兴。一般度数较高的醇酒都能接火而燃，主人看到酒燃，便说道：“客人到，福气到，贵客犹如金太阳照，给我家暗淡的房子里，带来了光明和吉兆。客人到，福气到，贵客好像吉星照，木楞房里充满了喜庆与欢笑，彩色的祥云在我头上飘。”祝颂毕，主妇捧酒献客。客人先抿一口，不得有吸饮响声，随即说“真醉人”，以表赞美和感谢。此后客人便根据自己的需要随便饮酒。若有主家的长辈在场，客人要主动请长辈坐上席，并请其先品尝酒。客人用饭，主人家人均在旁侍候，绝无不周之处。客人吃完，主人家才围坐在一起吃饭，若客人第二天就要登程，主人还为他准备路上的食品。受到如此礼遇，客人往往会感到自己不是客人，而是主人家的至亲好友。

(4) 少数民族尤其是南方的少数民族，在请客饮酒时，特别重视同乡邻里的友好关系。在贵州水族村寨，往往是一家来客，全寨各家轮流宴请。若客人逗留时间短，无法安排到某些人家去赴宴，就得去赴“见面席”，即到各家的席上露面致谢，尝几口菜就告辞，再到下一家去。有时一天得走遍全寨，满载各家的盛情而归。

过去到广西壮族村寨做客，往往会得到各家的轮流宴请，特别是贵宾，有时一顿饭吃四五家是常有的事。按壮族习俗，客人是不能推辞的，所以有经验的客人绝不会在第一家就吃得酒足饭饱。谢绝邀请是失礼，喝醉了失态会丢脸。

(5) 少数民族在待客中对客人体贴入微，礼貌周到。海南黎族将远道而来的客人待为上宾，有客光临，乃家中之喜事，必以佳肴款待。若是男客，先酒后饭；若是女宾，先饭后酒。饮酒分三段进行：第一段是相互敬酒，属一般的感情交流；第二段是开怀畅饮，以酒酣微醉为度；第三段是主客对歌饮酒，感情融洽，烂醉亦无妨。向客人敬酒，主人感到自己的礼数已到；让客人喝醉，则表示亲密到了不拘礼的程度。主人向客人敬酒时，先双手捧起酒碗向众人致敬，尔后一饮而尽，把空碗亮给大家看，表示自己的诚意。接着向客人敬酒，客人饮尽之后，主人马上夹一块肉送到客人嘴里，客人不得拒绝，只能笑纳方合礼数。

东北满族的待客礼仪向来十分周到。旧时客人进餐，都由族中长辈陪同，晚辈不能同席，年轻媳妇手脚麻利，要在一旁侍候。进餐时，由主人给客人斟第一杯酒，喝酒用小盅，没有碰杯干杯的习惯，古代用大碗喝酒的遗风荡然无存。客人喝酒要在杯底剩一点儿，俗称“福底”，预祝主客都常有富足的生活。

甘肃裕固族待客时，先敬茶，后敬酒。敬酒讲究敬双杯，其说法与黔东南的苗族一样：“你是双脚进来的，必须喝两杯”。男主人敬过后，女主人接着敬，如果客人不喝，女主人会说：“你瞧不起女人”。接着是孩子敬酒，如果谢绝，小孩也会说：“你看不起小孩”。有时还唱敬酒歌敬酒，唱一支歌敬一杯酒。之所以如此，主要怕客人客气拘礼，不能尽兴。因此，若客人实在不能喝，主人也觉得自己的心意完全尽到，便不再勉强。

西藏珞巴族当客人到家时，主妇赶快洒水扫地，在临窗处铺熊皮或棕编坐垫，摆上长方形矮餐桌，摆上常备的应急炒玉米。接着女主人把储存在葫芦里的鸡爪谷酒倒进一个吊着的竹筒中，再加入温水，稍停片刻，拔掉筒底活塞，让过滤了的酒注入筒下的石锅中（珞巴族有使用石锅做饭的原始石烹遗风）。女主人右手执瓢，左手端木碗或竹碗，双膝跪在客人面前，将碗放到桌上，再将瓢中酒先倒一点在左手心，用嘴尝一下，尔后给客人碗中斟满。陪客的男主人双手捧酒碗递给客人，女主人同时说：“酒不好，别见怪”，夫妇配合十分默契。客人喝口酒，说“酒味很好”，以表示谢意。客人每喝一口酒之后，主妇都立即将酒碗斟满，当地习俗以始终保持酒满为待客实诚。

6.3.3 中国婚嫁酒俗

我国悠久的历史，灿烂的文化，分布各地的众多民族，酝酿了丰富多彩的民间酒俗。婚嫁是人生中的一件大事，洞房花烛夜，金榜题名时，是古代文人一生中的两大喜事。金榜题名对许多人仅是一种奢望，于是对洞房花烛就特别重视。反映在酒俗上，喜堂上的仪式完毕之后，众亲友纷纷入座尽兴喝喜酒，婚礼进入高潮。酒席上，众人必定要缠住两位新人喝交杯酒。交杯酒古称“合卺”，即用瓠分两半，当做酒杯，婚礼时用彩线连接卺的柄端，两人饮酒后，合成一体，象征夫妻相亲相爱，风雨同舟。这个习俗到宋代才改用两只杯子，但仍用红绿线连接，新人各饮一杯，以示合欢，“合卺”也从此改称交杯酒了。有的地方对交杯酒的杯子处置非常有趣，要把杯子掷于床下，验其俯仰，如杯子一俯一仰，就意味着天覆地载，阴阳和谐，是大吉大利之兆，亲友们会热烈祝贺。但这一俯一仰不可能每次都是，后来干脆将杯子一俯一仰预先安于床下，取大吉大利之兆，亲友们当然照样祝贺，掀起婚礼的最后高潮。

浙江绍兴的婚嫁风俗极有特色。绍兴自古以酒乡闻名，可谓无处不酿酒，处处闻酒香。酒在绍兴人的生活中占据了极为重要的地位。在婚嫁这种人生大事中，理所当然要显露一番风光，于是“女儿酒”应运而生。“女儿酒”就是生女儿的人家，在女儿出生当年酿制几坛酒，密藏于地窖或夹墙内，一直到女儿出嫁时才取出，或作陪嫁，或在婚宴上款待客人。因为“女儿酒”的酿制寄托了父母希望，所以酿制时不仅选料、技艺十分精心，而且酒坛也刻意装扮，请画匠粉绘各种吉祥图案并题上吉祥祝辞，如“花好月圆”、“万事如意”、“白首偕老”等，将父母心愿表达出来，这种酒坛后来被称为“花雕”。生女儿人家如此，生儿子家也不甘落后，于是绍兴人也就有生子酿酒，并在酒坛上涂上朱红色，着意彩绘，这种酒被命名为“状元红”，表示儿子有状元之相。“女儿酒”、“状元红”，从酿造到饮用，要等十七八年以后，往往会浓缩成半坛，甚至更少些，其质量肯定更佳。在女儿成亲或儿子大喜的日子里，父母用这种酒来款待亲朋好友，受赞扬自然不在话下，于是更是喜上加喜。

满族人结婚时的“交杯酒”：入夜，洞房花烛齐亮，新郎给新娘揭下盖头后，要坐在新娘左边，娶亲太太捧着酒杯，先请新郎抿一口；送亲太太捧着酒杯，先请新娘抿一口；然后两位太太将酒杯交换，请新郎新娘再各抿一口。

达斡尔族的“接风酒”和“出门酒”：送亲的人一到男家，新郎父母要斟满两盅酒，向送亲人敬“接风酒”，这也叫“进门盅”，来宾要全部饮尽，以示已是一家人。尔后，男家要摆三道席宴请来宾。婚礼后，女方家远者多在新郎家住一夜，次日才走。在送亲人返程时，新郎父母都恭候门旁内侧，向贵宾一一敬“出门酒”。

“会亲酒”是订婚仪式时摆的酒席，喝了“会亲酒”，表示婚事已成定局，婚姻契约已经生效，此后男女双方不得随意退婚、赖婚。

“回门酒”：结婚的第二天，新婚夫妇要“回门”，即回到娘家探望长辈，娘家要置宴款待，俗称“回门酒”。回门酒只设午餐一顿，酒后夫妻双双回家。

6.3.4 少数民族酒俗

中华民族大家庭中的56个民族中，除信奉伊斯兰教的回族一般不饮酒外，其他民族都饮酒，饮酒的习俗各民族都有独特的风格。

1. 蒙古族

“是百灵鸟就要唱出最美的歌调；是文明人就要讲究礼貌。”“没有羽毛，有多大的翅膀也不能飞翔；没有礼貌，再好看的容貌也被人耻笑。”这两句蒙古谚语，生动地说明了蒙古民族不仅剽悍豪爽淳朴，而且是一个热情好客、讲究礼仪的民族。

牧民对来客，不论熟人还是陌生人，一见面总是热情问候：“塔赛百努！”（您好）。随后，主人把右手放在胸前，微微躬身，彬彬有礼地请客人进蒙古包，全家人围着客人坐下，问长问短，好像自家人一样。接着，主妇会把香甜的奶食品、炒米、炸果子，手扒肉等一一摆在客人面前，然后斟上一碗滚烫飘香的奶茶请客人品尝。主人若对客人表示特别的敬意，便会把酒壶托在“哈达”上给客人敬酒。于是，顷刻之间，那真诚无邪的感情，隆重高雅的礼节，和谐而热烈的场面，便会使人沉浸在浓郁的民族习俗气氛中，让你领略到草原牧人以酒寄情、以歌结友的酒宴文化。

蒙古族认为酒是粮食的精华，是表达对客人敬重和爱戴的佳品。因此，酒便成为牧民们常年必备之物。几乎家家户户都有在夏秋产奶旺季制奶子酒，然后贮酒到冬季饮用的习惯，有的人家还把相当数量的酒装入密封瓷器中，埋在羊圈里，制成更加醇厚芳香的陈酒，款待远道而来的宾客，以博得赞誉，引以自豪。

敬酒礼仪是热烈而庄重的。主人将酒斟在银碗或盅里，托举在圣洁的哈达上，恭敬虔诚地给客人连敬三巡。三巡各有说法：第一巡是感谢上苍恩赐我们光明；第二巡是感谢大地赋予我们福禄；第三巡是祈祷人间吉祥永存。因此，当客人接过酒后，不能马上一饮而尽，应首先以右手中指蘸酒“三弹”，以表示敬天敬地敬神灵，然后才可以饮用。这三巡酒理应由客人全部喝完，以表示对主人的感激和以诚相见的真情。如果客人确实不能喝，将三巡酒各饮少许，归还主人也便作罢。假若对敬酒一再推让，就会被视为见外或是看不起主人，尤其不能把酒泼在地上，因为这样会被认为是对主人的不尊敬。

内蒙古草原是歌海之乡，美酒和歌声在一起，就像是蓝天和白云在一起，红花和绿叶在一起。所以，在蒙古族民间素有无歌不成酒宴之说。有多少酒，就有多少歌。牧民们无论男女老少，人人都会唱歌。在敬酒仪式中，代替美味佳肴的就是悠扬动听的酒歌。酒歌或歌唱民族历史，歌颂民族英雄；或抒发青年男女的爱情，高歌幸福美满的生活。无论哪一支歌，都有意味深长的哲理，有华丽的词句和优美动听的曲调。而且，聪明伶俐的歌手不论在什么样的场合，都能巧妙地结合宴会气氛，触景生情，即兴编词，声情并茂地歌唱，就像磁石一样吸引着每一位宾客，使酒宴欢快热烈的气氛出现一个又一个高潮。

敬酒后，热情好客的主人必将献上本民族特有的别具风味的肉食品款待客人。如果遇到宴请特别尊贵的客人时，牧民们会摆整羊席来款待。这种场面较大的宴席蒙语称之为“乌查”，也有称之为“秀斯”或“布乎利”。在内蒙牧区，茫茫草原，人烟稀少，居住分散，远行人的饮食，住宿都需要得到帮助。于是从很早的时候起，关心他人、帮助他人、礼貌待人，成为每个牧民都自觉遵循的礼俗，世代沿袭至今。

2. 仫佬族

重阳酒是仫佬山乡农家最喜欢的传统饮料，重阳酒醇香扑鼻，越喝越想喝，往往哪时醉了都不晓得，醒来头不晕。每年农历九月初九重阳节，仫佬山乡家家户户选出一部分上好的糯米熬酒。重阳酒的制作方法与汉、壮族地区的甜酒制法相似，密封窖藏一段时间后才开坛饮用。

重阳酒的来历反映出仫佬人民淳朴善良的心地：不晓得是哪朝哪代了，仫佬山乡被一些有钱人霸占了，广大的仫佬人贫穷困苦，日艰月难。重阳节到来了，一对在山窝里开荒种地，相依为命的穷苦夫妻，没鸡没鸭，没肉没酒，只有半缸米，只好熬了三碗稀粥过节。他们夫妻俩各自吃了一碗后，正在你推我让，谁也舍不得吃的时候，传来了敲门声。他俩开门一看，门外站着一个白发苍苍、衣衫破烂的老人。夫妻俩问道：“老人家，你有什么事呀”，老人说：“主人家，我走远路经过这里，身无分文，已经三天都没有吃东西了。好心的人呀，能给我一点儿东西充充饥吗？”夫妻俩赶忙把老人请进屋里坐下，把那碗舍不得吃的稀粥端给老人吃。“老人家呀，真对不起你了，今天是重阳节，我们家穷，只有这碗粥了，你不嫌弃，将就吃吧！”。那老人也不客气，一口气把粥喝光。老人暖和过来后，对夫妻俩说：“谢谢你们，我教给你们一种酿酒的方法吧！”。于是，他把重阳酒的酿制方法教给了夫妻俩，然后告诫说：“这种酒千万千万不能卖啊！”。说完，就不见了。第二年重阳节到了，夫妻俩按照老人说的方法酿制出一种酒。这种酒真奇怪，留久了不但没有像别的酒那样变酸，反而越陈越香甜。打开酒坛，满屋飘香。喝上一口，隔几夜嘴里还留香。夫妻俩高兴极了，把这种酿酒方法告诉了乡亲们。这样，仫佬山乡家家都喝上了神仙美酒。因为神仙交代过这种酒不能卖，因而市面上没有卖的。

3. 傣族

傣族的嗜好品有酒、烟、槟榔、茶等。几乎各地傣族都有这些嗜好，只是程度稍有差异。嗜酒是傣族的一种古老风俗，在明代就有咂酒之俗，酒已成为宴客必备之物。近现代以来，饮酒更是普遍嗜好，男子早晚两餐多喜饮酒少许，遇有节庆宴会，必痛饮尽醉而后快，且饮酒不限于吃饭时，凡跳舞、唱歌、游乐，必皆以酒随身，边饮边歌舞。所饮之酒系家庭自酿，傣族男子皆善酿酒，都用谷米酿制，一般度数不高，味香甜。

4. 布依族

布依族成年男子爱饮米酒，妇女们爱饮糯米甜酒。逢年过节要饮年节酒，婚姻娶嫁要饮欢喜酒，送往迎来要饮迎客酒和送客酒。因此，每年秋收以后,家家户户都要自酿几缸米酒和糯米甜酒，米酒既供自家平时饮用，又以之待客，特别是请客时，若席上无米酒，再丰盛的席面，客人的兴味也不浓，主人的脸上也觉得无光。布依族人以豪爽好客而著称，因此，他们饮米酒时，有三大特点：其一是酒用坛子装，将葫芦（地方土语叫“革当”）伸进坛里汲取；饮酒一般不用酒杯，而多用碗，这样才显得豪爽；其二是要行令猜拳，除助兴外，更主要的是与客人互考智慧与机敏，看谁能摸透对方心理，当然，这也是互相敬酒的一种手段；其三是要唱酒歌，这也是三大特点中最主要而且最有趣的一个。酒歌的内容无所不包，诸如开天辟地，日月星辰，民族历史，山川草木，乃至对村寨及主人的称赞，等等。你唱一首，我答一曲，对答不了的“罚”酒。这样一来二往，既对了歌，又传播了知识，真是别具民族风韵，兴味盎然。

唱酒歌的方式是先由主人端起一碗酒，向客人们边敬边唱。开场歌的内容大都是些客气词句，比如主人家的酒肉明明是摆了满桌，主人却谦逊地唱道“昨晚灯花爆，今早喜鹊叫，都说要有客，贵客真来到……本想杀头猪，猪崽瘦壳壳，田里去捉鸭，鸭被鹰叼啄；棚里去捉鸡，鸡被野猫拖，塘里去捞鱼，鱼被水獭捉……孔雀落刺林，麒麟落荒坡，贵客到我家，实在简慢多。”唱完，敬每个客人喝一口酒。客人们也一一举起斟满米酒的碗来唱歌答谢，内容是感谢主人家的殷勤，祝贺寨邻平安，庄稼丰收，牛马成群等。如“喝酒唱酒歌，你唱我来和；祝愿主人家，岁岁好生活……祝愿寨邻里，和睦享安乐；祝愿牛马壮，祝愿羊满坡……主人真殷勤，让我坐上座，敬我猪腰肝，敬我鸡脑壳……多谢呀多谢，主人麻烦多，我们转回去，定把美名说。”一人唱一首，唱完，大家各饮一口酒，要是谁不会唱，就“罚”饮三杯。

布依族人生活中，还有一种饶有风趣的“迎客酒”。就是娶嫁迎亲或逢年过节，客人来到时，主人要在大门口摆上一张桌子，桌上放酒壶和碗，客人一到，主人急忙往碗里斟酒，双手端着，唱起一首“迎客歌”：“凤凰飞落刺笆林，鲤鱼游到浅水滩，今天贵客到我家，不成招待太简慢，献上一碗淡淡水，只望客人多包涵”。客人若是能歌者，就以歌答道。“画眉飞上梧桐树，小虾游到大海里，今天来到富贵府，主人殷勤真好客，只因我的口福薄，这碗仙酒不敢诀。”如此对答几个回合后，双方不分胜负，最后客人饮一口酒，就进到堂屋里。若是客人不会唱歌，主人每唱一首，客人只好喝一口酒，一直要唱七首或九首。客人也就要喝七口或九口酒以后才能罢休。所以，不会唱酒歌，既要被“罚”酒，又要逗得所有围观者哄堂大笑。

进屋以后，在酒席间，主人要请善歌的姑娘或中年妇女来向客人敬酒。她们有的拎着酒壶，有的端着放碗的方盘，来到客人身旁，先斟上一碗酒，再唱起“敬酒歌”：“客人远道来，实在是辛苦，没有鸡鸭鱼招待，喝碗淡水当鱼肉。”若客人能歌，就以歌回答道：“八仙桌子四角方，鸡鸭鱼肉摆中央，山珍海味样样有，多谢主家热心肠。”就这样主人一首，客人一首，从古至今，天南地北，内容无所不包，有问必答。当然，要是唱的时间久了，回答时不一定对题，只要能对出一首就行，这样就免罚喝酒。要是不会唱敬酒歌，姑娘们每唱一首，就被“罚”喝一口酒。真是妙趣横生，给整个酒席增添了欢乐气氛。

布依族人不仅喜爱饮酒，而且也善于酿酒。米是自己种的，酒曲是自己上山采来百草根做成的。所以，原料方便，酿制容易。酿制出的米酒在十八度左右，醇香甘美，都是大坛子盛好密封的，每当打开坛子盖取酒时，香飘满屋。

平常时候，只要客人来到家里，主人就递上一杯“茶”，客气地说：“走累罗，请喝杯凉水解渴。”若是曾经到过布依族地区的客人，有过经验，就欠起身子，双手接过“茶”来，慢慢品尝，细细享用。若是没有经验的客人，由于口干，一口喝下，那就要闹笑话了，自己也只好暗暗叫苦上当。原来，这不是茶，是米酒！但一定要注意，只要是把酒误为茶喝了，无论如何也得吞下肚去。绝不能吐出，这样才是对主人的尊重，反之就是不礼貌了。这不是坏心，恰恰相反，这是布依族对客人的真诚敬意，客人喝下的酒越多，就象征着常吃常有，主人越是高兴。

布依族人还用自产的糯米和自制的酒曲（当地叫“土酒药”）制作出可口的糯米甜酒，基本用于妇女们自食和招待女客。若是在春三月或初夏时节，凡是在布依族地区路过，走累了，口渴了，只要见到路边地里有人做活，就去向他（她）们找水喝，一定能喝上布依人用甘美的山泉冲拌的糯米甜酒水，凉悠悠甜丝丝沁润肺腑，既能解渴，又能驱散一路上的疲劳。

5. 毛南族

毛南族嗜好烟、酒、茶。饮茶只是办喜事、丧事和招待客人时喝，平时则喝开水或泉水。酒是毛南人的一大嗜好，凡办喜事、丧事和客人到家，都要喝酒。敬祖先、走亲访友、节日、互助换工等就餐时都要有酒。平时白天劳累，晚餐也要喝酒活血，认为容易消除疲劳。客人到家没有酒招待就认为失礼，有句口头语：“好朋好友，黄豆送酒。”因此，家中常备一坛酒待客。几乎每家的主妇或男主人都会酿酒，他们酿制的白酒，酒精度数不高，一般为 20 ～35 度。酿酒的原料有糯米、黏米、玉米、高粱、红薯、南瓜等，各类酒名都以原料名冠之。如用糯米酿制的叫糯米酒，用红薯酿制的叫红薯酒。酿制的各类酒都用本地产的酒饼来发酵，先把原料煮熟，摊在竹席上，晾冷后撒酒饼（研成粉末），投入缸里或坛里发酵。冷天放在暖处或用棉被、玉米叶、棕皮盖上保温，待发出酒香味即可蒸制。蒸酒用水最好是泉水，出酒率高，酒味醇香。毛南族不仅爱喝酒和善酿酒，还借酒味比喻情意。如男女对唱山歌时，女的唱：“这糯粘米酒，昨夜刚酿成，味淡又不醇，哥懒把手伸。”男的回答：“这是糯米酒，秧田在门口，酒味烈又香，陶醉哥心头。”

6. 傈僳族

傈僳族男女青年和老人及妇女都嗜好吸烟、喝酒、饮茶。烟和茶是自己种植的，水酒是用包谷、荞麦之类的粮食酿成的。每当包谷成熟时节，开始酿制水酒，有的人索性把做酒的用具搬到地里，把包谷摘下来就地制酒，边收庄稼边做酒，尽情地饮上几天才肯回家。等到把包谷全收回到家里的庭院，痛痛快快地喝上一段时间。这样，在收获季节中，人们常常是一边酣饮一边歌舞。这种酒，也叫醋酒或杵酒，制造方法比较简单，原料一般是包谷、高粱、荞麦、稗子等，以稗子为最好。制作时先把粮食捣碎，蒸熟后放凉，拌上适量的酒药，放进干净的瓦罐里盖好，发酵十几天，等发出酒香味，说明已出酒，启封冲饮。时间越长越好，如果放上半年以上再饮用，酒味就更浓。

水酒的饮用方法是，把罐内的酒舀出一些放在锅里兑上温水，用木勺搅拌，待酒味和温度合适后，舀出过滤装进竹制的酒杯，就可以饮用了。若加上一些红糖、鸡蛋，既富有营养，又甘醇，清香扑鼻，这种酒一般为17～18度，有解渴、爽口、提神解乏的功能，还能增加人的食欲。

招待客人时，水酒是必不可少的，傈僳族认为“无酒不成礼”，有酒就有了相应的礼节。主人用很精致的竹筒将酒盛满后，往地上倒一点，表示对祖先的怀念，接着自己先喝一口，表示酒是好的，然后将客人面前的其他竹筒盛满，双手举到客人面前请客人饮用，而后主客共同畅饮起来。

最有趣的莫过于“饮合杯酒”了，傈僳族称“伴多”，即两人共捧一大碗酒。这种饮法只有在大家酒兴最浓的时候才出现，而且总是由主人首先邀请。主客互相搂着脖子和肩膀，脸靠脸，然后一同张嘴，一口气饮完。于是酒从他们的嘴角、脸上淌下来，流到衣服上，而他们全然不顾。喝完后，互相对视，开怀大笑。合饮杯酒，只有在亲朋挚友或恋人之间进行，过去常常用于贵客来临、签订盟约、结拜兄弟的场合上，不分男女，两人共饮。一旦好客的傈僳族兄弟邀请你同他合饮杯酒，那就意味着他对你充满信任，并愿同你建立诚挚的友谊。但是，晚辈人不能邀约长辈“伴多”，而且是长辈对晚辈人表示关心，对同辈人表示友好或者未婚男女相互爱慕才饮合杯酒。

7. 藏族

藏族人好客，用青稞酒招待客人时，先在酒杯中倒满酒，端到客人面前，客人要用双手接过酒杯，然后一手拿杯，另一手的中指和拇指伸进杯子，轻蘸一下，朝天一弹，意思是敬天神，接下来，再来第二下、第三下，分别敬地、敬佛。这种传统习惯是提醒人们青稞酒的来历与天、地、佛的慷慨恩赐分不开，故在享用酒之前，要先敬神灵。在喝酒时，藏族人民的约定风俗是：先喝一口，主人马上倒酒斟满杯子，再喝第二口，再斟满，接着喝第三口，然后再斟满。之后，就得把满杯酒一口喝干。这样做，主人才觉得客人看得起他，客人喝得越多，主人就越高兴，说明主人的酒酿得好。藏民敬酒时，对男客用大杯或大碗，敬女客则用小杯或小碗。

6.4 酒与文学

6.4.1 酒与诗歌

饮酒赋诗，赋诗饮酒，几乎是历史上文人物质和精神生活中不可或缺的两大情趣，因而在中国灿烂的诗歌史上留下了数以万计飘溢着酒香的诗章。

1. 诗人与酒

在中国古代，诗人和酒的关系十分密切。酒与许多诗人和名人结下了不解之缘。且不说曹操“对酒当歌，人生几何”，也不说苏轼“明月几时有，把酒问青天”等脍炙人口的诗和故事，单说那一部全唐诗，要从中找出与酒有关的字句，也是俯拾即是。唐代诗仙李白，号称酒仙，没有一天不喝酒。另一位大诗人杜甫，诗中也常提到酒，即使后来穷困潦倒，还是写出了“酒债寻常行处有，人生七十古来稀”的名句。这就难怪世上有许多人一直认为酒与诗有着极为密切的联系，更有人认为：诗人就是酒徒，其实情况并不完全如此。首先，在封建社会里，确有一些文人只顾眼前欢愉，及时行乐，沉湎于物欲之中；但凡有抱负、有才华的人，包括许多诗人，却艰难困苦，壮志难酬。只有在找不到出路时，才借酒浇愁，但他们一般不酗酒犯禁。

还有一个有趣的问题，即有人考证，古代的酒，酒精度很低，像李白这样能喝酒的人，也是喝了一天才醉倒在长安街头。最著名的例子是武松过景阳冈，连喝十八大碗后也没醉倒，居然还打死一只老虎。而历代的诗人，大都酒量很有限，像苏东坡，少年时看到酒就有醉的感觉，到年龄大时，也只能喝三“蕉叶”。据说“蕉叶”是一种浅底酒杯，容量极小。因此硬要说诗人都是酒徒，那是很偏颇的。

2. 美酒入诗

悲时——陆机说：置酒高堂，悲歌临觞。人寿几何，逝如朝霜。
欢时——李白说：人生得意须尽欢，莫使金樽空对月。
离时——王维说：劝君更尽一杯酒，西出阳关无故人。
合时——欧阳修说：十载相逢酒一卮，故人才见便开颜。
喜时——杜甫说：白日放歌须纵酒，青春作伴好还乡。
愁时——李白说：抽刀断水水更流，举杯消愁愁更愁。
哀时——阮籍说：临觞多哀楚，思我故时人。对酒不能言，凄怆怀酸辛。
与诗——杜甫说：李白斗酒诗百篇，长安市上酒家眠。

与书——杜甫说：张旭三杯草圣传，挥毫落纸如云烟。
与文——苏轼说：文章本天成，饮酒自得文。
与风——李清照说：三杯两盏淡酒，怎敌它晚来风急。
与花——李白说：看花饮美酒，听鸟鸣晴川。
与雪——白居易说：绿蚁新醅酒，红泥小火炉。晚来天欲雪，能饮一杯无。
与月——苏轼说：明月几时有，把酒问青天。

6.4.2 酒与散文

自古至今，写酒和酒文化的散文层出不穷。它们不仅内容深广，镌刻下鲜明的时代印记，而且使散文的写作愈加清新，意味盎然，给后人留下许多有独特风格的名篇佳作。

反映酒文化的散文，首先多提到酒的创造发明。关于酒的散文最早的一篇，当属《尚书·酒诰》。这篇文诰一方面教戒群臣以殷纣为戒，不应沉湎于酒，导致亡国，云：“天降威我民，用大乱丧德，亦罔非酒惟行。越小大邦用丧，亦罔非酒惟辜。”属于这一类借鉴性质的，还有《酒箴》、《丰侯铭》等。《酒诰》第二方面则是宣传酒文化，一是祭神祀祖，依礼饮酒：“越庶国，饮惟祀，德将无醉。”当时祭祀或庆祝饮酒，可以载歌载舞。

至魏末，由于司马氏当政，严刑峻法，文人畏祸，便产生了一种服药、饮酒、清谈的风气。酒对文化人影响更大，便出现了“竹林七贤”这样的反抗旧礼法而嗜饮的人。以刘伶为反礼法代表的《酒德颂》，就是写他幕天席地饮酒，对陈说礼法的贵介公子置之不理的狂行与心态的。嵇康写的文章却公开反对司马氏的暴政，他在《与山巨源绝交书》中，写他饮酒和不守礼法的五不可、七不堪，寄寓着反对司马氏的激情。在东晋末，政治、社会风气有了改变。如陶渊明性嗜酒，他也处在和嵇康、阮籍相同的时期，但态度就平和得多。他依《酒德颂》的自传式写法，写有《五柳先生传》，颇有影响。于是在隋唐易代之间，又出现了王绩的《五斗先生传》，他直接以酒德为名，以求达到昏昏默默不问人世的程度。到唐代，诗人白居易又写了《醉吟先生传》，他把陶渊明、王绩玄学化的文章，变为富有生活情趣的自传。他写其诗友、僧友、酒友等，以及游观、宴乐、诗歌琴酒的生涯。直到清代还有顾承的一篇《醉隐先生传》，写他的隐居饮酒生活。自刘伶《酒德颂》后，两晋及其后，散文出现了对酒德、酒功赞颂的文章。晋隐士戴逵有《酒赞》，文云：“醇醴之兴，与理不乖。古人既陶，至乐乃开。”《酒赋》、《酒箴》也都写了酒的作用。到白居易的《酒功赞》，就把酒和玄学、佛学融为一体了。最后写到饮酒达到空静境界云：“百虑齐息，时乃之德；万缘皆空，时乃之动。”则纯属玄学、佛学思想。多数文章喜欢数说酒的功过，但他们也就自己饮酒的体验和对酒的感情写出有个性的文章，这也是酒文化的重要表现。

晋代起，文人又把饮酒和欣赏山水联系起来。东晋有著名的王羲之《兰亭集序》，会于兰亭，地有崇山峻岭，茂林修竹。又有清流激湍，列坐其次，引以为曲水流觞。但东晋文人不同于西晋初年，他写的“所之既倦，情随事迁，感慨系之”的幽怀，并且叹息“一死生为虚诞，齐彭殇为妄作”，大有感叹一生功业不立之意。随后唐代王勃《春日孙学士宅宴序》，一开始就写江山琴酒关系云：“若夫怀放旷寥廓之心，非江山不能宣其气；负郁怏不平之思，非琴酒不能泄其情。”也用江山琴酒，来发泄他们不得志的不平。李白的《春夜宴从弟桃花园序》，也从人生价值起兴，写出应该秉烛夜游，“开琼筵以坐花，飞羽觞而醉月”，这样一种最适意的饮酒境界。这些文章更多了一些审美情趣。

比宴饮序文更能反映饮酒情趣的，是包括游记在内的饮酒生活片断的记叙。这类文章是从唐宋开始的，如柳宗元的《序饮》一文，《序饮》是他邀集永州的友人，列坐小丘溪石上，进行有趣味的曲水流觞游戏，看每个人所投水上的一尺长的竹筹三次，是否“洄于伏”“止于坻”、“沉于底”，还是顺利流下，来决定投者是否再饮酒，或是一饮、再饮还是三饮，以为笑乐。他认为这样可用以“合山水之乐，成君子之心”。在这里完全摆脱了他被无辜远谪的幽暗心情。

宋代社会情况不同，被贬谪文人的心情是比较平和的。而有意识地把饮酒于山水间，寄托自己的旷达情怀和与民同乐思想倾向的，则是欧阳修的《醉翁亭记》。他写山水之乐，得之心而寓之酒；写山间朝暮与四时景色之不同；写游人的游乐和宾客相从之乐。全文系于一个“乐”字，最后写禽鸟和山林之乐，而不知游人之乐，人知从太守游而乐，而不知太守之乐自己之乐，文章意味无穷。

清代的文章更富于人情味。《酒壶赋》中“以浇垒块，以慰孤拘”，特别是能使“为儒不腐，作吏能仙”。文章最后却是意在讽刺，讲道：“我不汝弃，胜它独醒。上帝醉梦，锡尔遐龄。”实际上是说：自己原是独醒的，而上帝则是在醉梦中的。在近代太平天国之后，又有鸦片战争，不免少有文人写酒。同治间的张文虎，在避难上海时，写了一篇《师琴友酒图记》，文中批评了当时的士大夫饮宴：“朝优伶而夕狎邪。”

延至当代，饮酒在一些散文家的笔下，又呈现另一种色彩。他们不再着眼于游山玩水聚饮群欢的描绘，也不喜欢酒醉的滋味，而是愿意独酌或二三老友边谈边饮，从饮酒中去追求自身安静恬适的生活情趣。如梁实秋的《饮酒》一文，他以自身饮酒的经历，力呈“几杯落肚之后就会觉得飘飘然，醺醺然。”丰子恺的《酒令》一文，介绍的是两种酒令，着眼的却是家庭饮酒时欢乐的情绪和气氛。这样，散文更贴近于生活，充满情趣。

6.4.3 酒与小说

酒是人类物质文明的产物，自酒出现以后，喝酒就逐渐成为人们日常生活中不可或缺的内容之一。从氏族社会的首领，到阶级社会里的天子、诸侯，从达官贵人到平民百姓，从某种意义上说，生平滴酒不沾的人大概少之又少。因此，酒与人们的日常生活关系之密切是不言而喻的。以反映人类社会生活为目的的小说，当然也就离不开酒。在小说中不仅有大量的描绘与酒有关的场面，更重要的是借酒来刻画人物的性格，揭示人物的思想情趣，推动情节的发展，成为一种重要的艺术手段。

中国小说的发展经历了一个漫长的历史过程。先秦的所谓小说，与我们今天的小说完全不同。那时的所谓小说，用庄子的话来说，就是“饰小说以干县令，其于大达亦远矣。”(《庄子·外物》) 他把浅薄琐碎的言论叫做小说。那时，只有诸子集中夹杂的寓言故事以及《山海经》、《穆天子传》可以算作是小说的萌芽。在这些作品中，已经表述了一些关于酒的故事。酿酒在当时已经比较普遍，至少从帝王到百姓都酿酒。在《韩非子·外储说右上》中所讲到的一个因为狗很凶，顾客不敢上门，以至酒卖不出去变酸的寓言故事，就说明在民间已经有了饮酒、卖酒的场所。至于酒变酸，是因酒是用粮食酿制的，度数较低，所以时间稍长就会变酸。所以，韩非在这则寓言中所反映的生活是非常真实的。但那时由于生产力水平很低，民间饮酒远不如后来普遍，所以在《诗经》的国风中，就极少有关饮酒的描写。相反，上层贵族饮酒之风却大盛。

《穆天子传》所描写的穆天子宴饮于西王母瑶池的故事，就是以浪漫主义的手法，曲折地反映了“酒天子”们的享乐生活。这个故事在《列子》、《拾遗记》中都有记载，但记载得最详细的，当推在战国墓里发现的大批竹简中的《穆天子传》。在《穆天子传》中，一开始就描写了他乘着八匹骏马，一路来到了“西王母之乡”。西王母见到周穆王之后，便与他畅饮于瑶池。饮宴中间，西王母问他：“道里悠远，山川间之，将子无死，尚能复来?”这位酒天子马上回答说：“比及三年，将复而野。”这个故事，带有浓烈的神话色彩，写得绚丽多彩，气势恢宏。因此，对后世的影响也相当大。诗人们不断用诗歌的形式来表现同一题材。唐代诗人李商隐在《瑶池》的诗中，写了这位天子从地下喝到天上的故事，诗中说：“八骏日行三万里，穆王何事不重来!”从中可以看到《穆天子传》对后世的影响是多么深远。

到了魏晋南北朝时期，小说有了进一步发展。在志怪小说方面有《神异记》、《十洲记》、《搜神记》等。在志人小说方面则以《西京杂记》、《世说新语》等为代表。这些小说仍然只是“丛残小语”、“粗陈梗概”，但写作上简约隽永，文情委婉，颇耐人玩味，而且在人物刻画上已经有了明显进步。由于这个时期的小说创作者本身都是文人，他们所描写的生活层面，也没有离开文人自身的生活圈子和他们的生活情趣。在酒的描写上，基本上反映当时文人纵酒放诞，或者是上层社会的故事。

这些作品虽然是“粗陈梗概”，但在性格的刻画和人物的塑造上已经有了明显的进步。例如在《世说新语》中有关刘伶、阮籍、王敦的若干篇章就是这样。对刘伶纵酒放诞的描写极为简略，而刻画又颇为生动。这位刘伶实在是一个不可救药的“酒徒”，他的嗜酒如命，大概在历史上再也找不到第二位了。因此后世把这位才华横溢的“酒徒”称之为“酒仙”。刘伶几乎是一日一醉，想来清醒的时候远远没有喝醉的时候多。不仅如此，在他喝醉以后，也就疯疯癫癫起来，什么礼法不礼法全然不放在心上。在《世说新语》中记载一个故事说，刘伶大醉以后，就脱得赤条条地坐在家里。有士大夫对这种大失体统的举动当然是大摇其头。《世说新语》仅寥寥几事，就把这位放诞的“酒仙”的狂放性格写得生动有趣。《世说新语》还写他出游时也带着酒，沿途痛饮，随身还带有一把铁锹，吩咐从人，在哪里醉死，就在哪里把他埋掉，真是不醉死不罢休。

另一位喝酒大大有名的人物就是阮籍。阮籍喝起酒来，一点也不比刘伶逊色。阮籍傲礼简贵，官是不想当的。但有一次居然主动找到晋文王，想补个步兵校尉的缺，弄得晋文王丈二和尚摸不着头脑，不过还是答应了他的要求。他出宫就对刘伶说，快来恭喜我，我当了步兵校尉。刘伶马上不高兴了，责备他趋炎附势，阮籍这才说了实话：校尉府中藏有好酒三百石。于是，当晚他就和刘伶结伴大喝起来。过了一阵子，酒喝光了，他的官也就不想当了。又跑到晋文王那里去辞官，弄得晋文王没有办法，也只好让他辞官。在《世说新语》中，写阮籍丧母也十分精彩。阮籍丧母，裴令公前去吊唁，正好碰到阮籍喝醉的时候，“散发坐床，宾踞不哭”。裴令公哭吊其母，他竟不为礼，其放诞不羁可见一斑。

刘伶、阮籍纵酒放诞，是有一定历史原因的。魏晋以后，政治动乱，一些文人为避开政治漩涡，就沉醉在酒里。所谓“一手持酒杯，拍浮酒池中，便足了一生。”在这一时期，文人中在思想上尚老庄，追求“身与物化”、“万物与我为一”的境界。既然在思想上崇尚老庄，在行为上放浪形骸，当然对“名教”就不放在心上。阮籍曾说：“礼岂为我设耶”，不仅如此，他见到“礼俗之士，以白眼对之”。他们放浪形骸，愤世嫉俗，很自然就沉湎于酒，在酒精的麻醉中达到避世目的。而《世说新语》中，仅仅用了短短的几段文字，就把他们这种纵酒放诞的性格描摹得活灵活现。

在《世说新语》中对士族阶层那种残忍阴险、狡诈狠毒的嘴脸和穷奢极欲的腐朽生活也有生动的描写。如《汰侈》篇中记载有石崇宴客的故事。石崇每次邀请客人宴会，“常令美人行酒”，客人如果有饮酒不尽者，就使“黄门立斩美人”。有一次大将军王敦应邀赴宴，每次敬酒都故意不饮，“以观其变”，以至于连续杀了三位美人，而这位大将军却无动于衷，“颜色如故，尚不肯饮”，有人劝他，他却说什么“自杀伊家人，何预卿事”。短短的文字，已把这位王大将军残忍冷酷的嘴脸勾画得清清楚楚。

在志怪小说中，值得一提的是《搜神记》。其中有“千日酒”的故事，写的是中山人狄希“能造千日酒，饮之千日醉”。有位姓刘名玄石的人求之，狄希由于酒还没有酿好，就没有给他，后来禁不住他求之再三，就给了他一杯。果然只此一杯就“醉死”，经三年之后，刘玄石才醒过来，而且大声说：“快哉，醉我也。”不仅如此，被他的酒气“冲入鼻中”的人，“亦各醉卧三月”。酒是能够醉人的，而这里把酒的作用又写得何等神奇，不要说喝上一杯，就是闻上一闻也要醉卧三月。

文学作品中言酒误事者很多，《三国演义》第八十一回写张飞醉酒后被受辱的部将所杀，这是颇能说明问题的。《醒世恒言》中描写蔡武因好酒贪杯，导致家破人亡，很有警戒世人之意。

此外，酒与音乐、书法、绘画，戏曲、武术、烹调、杂技艺术等都有着密切的联系。

6.5 酒名、酒人与典故

6.5.1 酒的称谓

我国酿酒历史悠久，品种繁多，自产生之日起，就受到先民欢迎。人们在饮酒赞酒之时，总要给所饮的酒起个饶有风趣的雅号或别名。这些名字，大都由一些典故演绎而成，或者根据酒的味道、颜色、功能、作用、浓淡及酿造方法等而定。酒的很多绰号在民间流传甚广，所以在诗词、小说中常被用做酒的代名词，这也是中国酒俗文化的一个特色。

欢伯：因为酒能消忧解愁，给人们带来欢乐，所以就被称之为欢伯。这个别号最早出自汉代焦延寿的《易林·坎之兑》，他说，“酒为欢伯，除忧来乐”。其后，许多人便以此为典，作诗撰文。如宋代杨万里在《和仲良春晚即事》诗之四中写道：“贫难聘欢伯，病敢跨连钱”。金代元好问在《望月轩》诗中写道，“三人成邂逅，又复得欢伯；欢伯属我歌，蟾兔为动色。”

杯中物：因饮酒时，大都用杯盛着而得名。始于孔融名言，“座上客常满，樽中酒不空”。陶潜在《责子》诗中写道，“天运苟如此，且进杯中物”。杜甫在《戏题寄上汉中王》诗中写道，“忍断杯中物，眠看座右铭”。

金波：因酒色如金，在杯中浮动如波而得名。

秬鬯：这是古代用黑黍和香草酿造的酒，用于祭祀降神。据《诗经·大雅·江汉》记载，“秬鬯一卣”。秬鬯，黑黍酒也，谓之鬯者，……以鬯酒一尊，以祭其宗庙，告其先祖。

白堕：这是一个善酿者的名字。据北魏《洛阳伽蓝记·城西法云寺》中记载，“河东人刘白堕善能酿酒，季夏六月，时暑赫羲，以罂贮酒，暴于日中。经一旬，其酒不动，饮之香美而醉，经月不醒。京师朝贵多出郡登藩，远相饷馈，逾于千里。以其远至，号曰鹤觞，亦曰骑驴酒。永熙中，青州刺史毛鸿宾赍酒之藩，路逢盗贼，饮之即醉，皆被擒。时人语曰，‘不畏张弓拔刀，唯畏白堕春醪’。”因此，后人便以“白堕”作为酒的代称。苏辙在《次韵子瞻病中大雪》诗中写道，“殷勤赋黄竹，自劝饮白堕”。

冻醪：即春酒，是寒冬酿造，以备春天饮用的酒。据《诗经·豳风·七月》记载，“十月获稻，为此春酒，以介眉寿”。宋代朱肱在《北山酒经》中写道，“抱瓮冬醪，言冬月酿酒，令人抱瓮速成而味薄”。杜牧在《寄内兄和州崔员外十二韵》中写道，“雨侵寒牖梦，梅引冻醪倾”。

壶觞：本来是盛酒的器皿，后来亦用做酒的代称。陶潜在《归去来辞》中写道，“引壶觞以自酌，眄庭柯以怡颜”。白居易在《将至东都寄令孤留守》诗中写道，“东都添个狂宾客，先报壶觞风月知”。

壶中物：因酒大都盛于壶中而得名。张祜在《题上饶亭》诗中写道，“唯是壶中物，忧来且自斟。”

酌：本意为斟酒、饮酒，后引申为酒的代称。如“便酌”，“小酌”。李白在《月下独酌》一诗中写道，“花间一壶酒，独酌无相亲”。

酤：据《诗经·商颂·烈祖》记载，“既载清酤，赉我思成。”

醑：本意为滤酒去滓，后用做美酒代称。杨万里在《小蓬莱酌酒》诗中写道，“餐菊为粮露为醑”。

醍醐：特指美酒。白居易在《将归一绝》诗中写道，“更怜家酝迎春熟，一瓮醍醐待我归”。

黄封：这是指皇帝所赐的酒，也叫宫酒。苏轼在《与欧育等六人饮酒》诗中写道，“苦战知君便白羽，倦游怜我忆黄封”。又据《书言故事·酒类》记载，“御赐酒曰黄封”。

清酌：古代称祭祀用的酒。据《周礼·曲礼》记载，“凡祭宗庙之礼，……酒曰清酌”。

昔酒：这是指久酿的酒。据《周礼·天宫酒正》记载，“辨三酒之物，一曰事酒，二曰昔酒，三曰清酒”。贾公彦注释说：“昔酒者，久酿乃孰，故以昔酒为名，酌无事之人饮之”。

缥酒：这是指绿色微白的酒。曹植在《七启》中写道，“乃有春清缥酒，康狄所营”。

青州从事、平原督邮：“青州从事”是美酒的隐语，“平原督邮”是劣质酒的隐语。据南朝宋国刘义庆《世说新语·术解》记载，“桓公有主簿善别酒，有酒辄令先尝，好者谓‘青州从事’，恶者谓‘平原督邮’”。“从事”、“督邮”，原为官名。

曲道士、曲居士：这是对酒的戏称。宋代陆游在《初夏幽居》诗中写道，“瓶竭重招曲道士，床空新聘竹夫人”。黄庭坚在《杂诗》之五中写道，“万事尽还曲居士，百年常在大槐宫”。

曲糵：本意指酒母。据《尚书·说命》记载，“若作酒醴，尔惟曲糵”。据《礼记·月令》记载，“乃命大酋，秫稻必齐，曲糵必时”后来也作为酒的代称。杜甫在《归来》诗中写道，“凭谁给曲糵，细酌老江干”。苏轼在《浊醪有妙理赋》中写道，“曲糵有毒，安能发性”。

春：在《诗经·豳风·七月》中有“十月获稻，为此春酒，以介眉寿”的诗句，故人们常以“春”为酒的代称。杜甫在《拨闷》诗中写道，“闻道云安曲米春，才倾一盏即醺人”。苏轼在《洞庭春色》诗中写道，“今年洞庭春，玉色疑非酒”。“一尊春酒甘若饴，丈人此乐无人知”（韩愈《芍药歌》）

茅柴：这本来是对劣质酒的贬称。冯时化在《酒史·酒品》中指出，“恶酒曰茅柴”，亦是对市沽薄酒的特称。吴聿在《观林诗话》中写道，“东坡‘几思压茅柴，禁网日夜急’，盖世号市沽为茅柴，以其易着易过”。在明代冯梦龙著的《警世通言》中，有“琉璃盏内茅柴酒，白玉盘中簇豆梅”的记载。

香蚁、浮蚁：酒的别名。因酒味芳香，浮糟如蚁而得名。韦庄在《冬日长安感志寄献虢州崔郎中二十韵》诗中写道，“闲招好客斟香蚁，闷对琼华咏散盐”。

绿蚁、碧蚁：指酒面上的绿色泡沫，也被作为酒的代称。白居易在《同李十一醉忆元九》诗中写道，“绿蚁新醅酒，红泥小火炉”。谢朓《在郡卧病呈沈尚书》中写道，“嘉鲂聊可荐，绿蚁方独持”。吴文英在《催雪》中写道，“歌丽泛碧蚁，放绣帘半钩”。翁绶在《咏酒》中有“逃暑避夏复送秋，无非绿蚁满杯浮”的诗句。

天禄：酒的别称，语出《汉书·食货志》。“酒者，天子之美禄，帝王所以颐养天下，享祀祈福，扶衰养疾。”相传，隋朝末年，王世充曾对诸臣说，“酒能辅和气，宜封天禄大夫”。因此，酒就又被称为“天禄大夫”。

椒浆：即椒酒，是用椒浸制而成的酒。因酒又名浆，故称椒酒为椒浆。《楚辞·九歌·东皇太一》写道，“奠桂酒兮椒浆”。浆本来指淡酒，后来亦作为酒的代称。

忘忧物：因为酒可以使人忘掉忧愁，所以就借此意而取名。晋代陶潜在《饮酒》诗之七中，就有这样的称谓，“泛此忘忧物，远我遗世情；一觞虽独进，杯尽壶自倾”。

扫愁帚、钓诗钩：宋代大文豪苏轼在《洞庭春色》诗中写道，“要当立名字，未用问升斗。应呼钓诗钩，亦号扫愁帚”。因酒能扫除忧愁，且能钩起诗兴，使人产生灵感，所以苏轼就这样称呼它。后来就以“扫愁帚”、“钓诗钩”作为酒的代称。

狂药：因酒能乱性，饮后能使人狂放不羁而得名。唐代房玄龄在《晋书·裴楷传》中有这样的记载：“长水校尉孙季舒尝与崇酣宴，慢傲过度，崇欲表免之。楷闻之，谓崇曰，‘足下饮人狂药，责人正礼，不亦乖乎？’崇乃止”。唐代李群玉在《索曲送酒》诗中也写有“帘外春风正落梅，须求狂药解愁回”的诗句。

酒兵：因酒能解愁，就如兵能克敌一样而得名。唐代李延寿《南史·陈庆之传》附《陈暄与兄子秀书》有此称谓，“故江谘议有言，‘酒犹兵也。兵可千日而不用，不可一日而不备；酒可千日而不饮，不可一饮而不醉’。”唐代张彦谦在《无题》诗之八也有“忆别悠悠岁月长，酒兵无计敌愁肠”的诗句。

般若汤：这是僧人称呼酒的隐语。佛家禁止僧人饮酒，但有的僧人却偷饮，因避讳，才有如此称谓。苏轼在《东坡志林·道释》中有“僧谓酒为般若汤”的记载。窦苹在《酒谱·异域九》中也有“天竺国谓酒为酥，今北僧多云般若汤”的记载。拾得《诗》中有“般若酒泠泠，饮多人易醒”的诗句。

6.5.2 酒与名人

从竹林七贤中的阮籍、嵇康，到“天子呼来不上船，自称臣是酒中仙”的李白，以及“每向江头尽醉归”的杜甫、“醉士”皮日休等人，都有一个共同特点，就是好酒。但究其原因，往往不是追求情趣，而是为了宣泄，“借酒浇愁”。

1. 李白

李白的酒瘾非常大，在给妻子的《寄内》诗中说：“三百六十日，日日醉如泥。”在

《襄阳行》诗中说："百年三万六千日，一日须倾三百杯。"在《将进酒》诗中说："会须一饮三百杯。"这些数字虽不免有夸张之嫌，但李白的嗜酒成性却也是事实。

李白经常喝醉酒，其中一个原因是借酒浇愁。天宝元年，李白来到长安，由贺知章等人推荐，很快得到了唐玄宗的赏识，任为供奉翰林，为皇帝草拟诏令之类的文件。李白利用与玄宗接近的机会，曾申述过对国家大事的看法，对不合理现象也谏劝过。但此时的玄宗深居宫中，沉溺声色。他只是把李白看做满足自己享乐的御用文人，因而李白不受重用，乃至赐金放还在所难免。李白被逐出长安后，郁郁而不得志，于是满腔激愤借酒来倾吐。他在《行路难·其一》中说："金樽清酒斗十千，玉盘珍馐值万钱。停杯投箸不能食，拔剑四顾心茫然。欲渡黄河冰塞川，将登太行雪满山。……行路难，行路难，多歧路，今安在?"意思是说，酒和菜的价格是昂贵的，但我吃不下去，只好放下酒杯和筷子。想渡黄河但冰封流阻，要登太行却积雪满山。看看四周都是岔路，我的出路究竟在哪里呢?诗人以行路的艰难比喻世路的险阻，倾吐出不被重用的愤慨之情。既然矛盾得不到解决，于是他和友人日日饮酒，一醉方休。但饮酒消解不了他的愁怀，在他所写的《宣州谢朓楼饯别校书叔云》一诗中说："弃我去者昨日之日不可留，乱我心者今日之日多烦忧。……抽刀断水水更流，举杯消愁愁更愁。人生在世不称意，明朝散发弄扁舟。"

李白诗风雄奇豪放，想像丰富，富有浓厚的浪漫主义色彩，对后世影响颇大。李白一生嗜酒，与酒结下了不解之缘。当时杜甫在《饮中八歌》中，极其传神地描绘了李白。"李白斗酒诗百篇，长安市上酒家眠。天子呼来不上船，自称臣是酒中仙。"这四句诗，一写出酒与诗的密切关系，二写出同市井平民的亲近，三写出藐视帝王的尊严。因此，人们非常喜欢李白，称他为"诗仙"、"酒仙"。为了称颂和怀念这位伟大的诗人，古时的酒店里，都挂着"太白遗风"、"太白世家"的招牌，此风流传到近代。

2. 苏东坡

北宋文学家苏东坡也是著名的酒徒。"明月几时有，把酒问青天。"我们从他嗜酒如命和风度潇洒的神态，可以寻到李白和白居易的影子。他的诗词和散文都有浓浓的酒味，正如李白的作品一样，假如抽去酒的成分，色香味都为之锐减。

苏东坡嗜美食，其饮酒"知名度"虽远不及李白、贺知章、刘伶、阮籍等，但却颇具"特色"，堪称酒德的典范。苏东坡喜欢饮酒，尤喜于见客举杯，他在晚年所写的《书东臬子传后》中有一段自叙："予饮酒终日，不过五合，天下之不能饮，无在予下者，然喜人饮酒，见客举杯徐引，则余胸中为之浩浩焉，落落焉，酣适之味，乃过于客，闲居未尝一日无客，客至则未尝不置酒，天下之好饮，亦无在予上者。"这是很有趣的自白，他的酒量不大，但却善于玩味酒的意趣。

苏东坡在作文吟诗之余，也爱作画，善于画枯木竹石，且颇有成就。作画前必须饮酒，黄庭坚曾为其画题诗云："东坡老人翰林公，醉时吐出胸中墨。"他的书法也很有成就，成为北宋四大书法家"苏黄米蔡"之一。他作书前也饮酒，曾说"吾酒后乘兴作数十字，觉气拂拂从十指中出也。”

苏东坡不仅饮酒，还亲自酿酒。他曾以蜜酿酒，写以《蜜酒歌》一诗，并在《东坡志林》中记录过酿造方法。他还酿造过桂酒，写有《桂酒颂》，在序中说：“酿成，而玉色香味超然非世间物也。”他酿酒还做记录，写总结，《东坡酒经》仅数百余言，却包含了制曲、用料、用曲、投料、原料、出酒率、酿造时间等内容。

苏东坡爱酒，但没有沉溺于酒。在他的诗文中，也甚少借酒浇愁的内容，他在饮酒赋诗时写下的多是对生活的赞美和祝福。《虞美人》就是最好的例子：“持杯遥劝天边月，愿月圆无缺。持杯复更劝花枝，且愿花枝长在，莫离坡。持杯月下花前醉，休问荣枯事，此欢能有几人知，对酒逢花不饮，待何时？”

3. 欧阳修

欧阳修是妇孺皆知的醉翁，他那篇著名的《醉翁亭记》，从头到尾一直“也”下去，贯穿一股酒气。无酒不成文，无酒不成乐。天乐地乐，山乐水乐，皆因为有酒。“树林阴翳，鸣声上下，游人去而禽鸟乐也。然而禽鸟知山林之乐，而不知人之乐……”生动灵活地写出了自己在醉翁亭欢宴的场景。

4. 陶渊明

东晋的陶渊明，他的诗中有酒，酒中有诗。他的诗篇与他的饮酒生活，同样有名气，为后世歌之颂之。他虽然官运不佳，只做过彭泽令等小官职，因不愿为五斗米折腰，便赋“归去来辞”。但当官和饮酒的关系却非常密切，其时衙门有公田，可供酿酒。他下令悉种粳以为酒料，连吃饭的大事都忘记了。还是他夫人力争，才分出一半公田种稻。弃官就无禄，喝酒就成了大问题。然而回到四壁萧然的家，最初使他感到欣喜的是“携幼入室，有酒盈樽”。但以后的日子如何，可就不管了。他有时独饮，更多的是与父老乡亲对饮，从中获取安慰和乐趣。更重要的是在饮酒中，可以抒发自己不愿与腐朽的统治阶级同流合污的心愿，这就是萧统所说的“寄酒为迹”。

5. 白居易

白居易和李白、杜甫一样嗜酒如命，他的一生不仅以狂饮著称，而且也以善酿出名。他为官时，用相当一部分精力去研究酒的酿造、酒的好坏。重要的因素之一是看水质如何，但配方不同，亦可使“浊水”产生优质酒。他上任一年自惭毫无政绩，却为能酿出美酒而沾沾自喜。在酿酒过程中，他不是发号施令，而是亲自参加实践。白居易饮酒有时独酌，更多的是与友人同饮。他在《同李十一醉亿元九》一诗中说“花时同醉破春愁，醉折花枝当酒筹。”“绿蚁新醅酒，红泥小火炉。晚来天欲雪，能饮一杯无。”在《赠元稹》中有“花下鞍马游，雪中杯酒欢”等。

6. 刘伶

晋代刘伶，“竹林七贤”之一，著有《酒德颂》，对酒推崇备至，为此自称“唯酒是务，焉知其余”。他纵酒无度，乘车外出时，都要携带一壶酒，边饮边行。更有甚者，车后还有仆人荷锄相随，因为他曾经吩咐，若饮酒致死，即可埋掉。以至后来因酒致病，垂危之际还要饮酒“解渴”，真可谓嗜酒如命的典型。

7. 名人戒酒

辛弃疾非常喜欢喝酒，而且经常喝醉，既误事又有损健康。于是他决心戒酒，在晚年二十多年的闲居日子里，一首“将止酒，戒酒杯使勿近”的《沁园春》词，成为人情味极浓的劝世文。

宋代诗人苏东坡的戒酒，是在贬谪广东惠州后的一次疾病开始的。那时他痔疾复发，诸医束手而百药无效。在听信友人戒酒的劝告后，以素食为餐，使其病不药而愈，更加坚定了戒酒的决心。及至后来再贬海南儋县，其弟为其饯行时，他婉言谢绝，以“从今东坡室，不立杜康祀”的诗句，表明戒酒的决心。

6.5.3 典故

沧海桑田，中国酒文化源远流长，折冲樽俎，狂傲不羁，酒文化典故纷繁多趣。

酒仙：“五花马，千金裘，呼尔将出换美酒。”这是历史上著名“酒仙”李白的畅饮情景。杜甫在《饮中八仙歌》中云：“李白斗酒诗百篇，长安市上酒家眠，天子呼来不上船，自称臣是酒中仙。”可见李白的诗文及其一生与酒的关系是何等密切。

酒狂：古人饮酒至酒酣时孤傲不驯，放浪自任，轻佻礼疏。唐天宝初年春，一日唐玄宗与贵妃在兴庆宫沉香亭畔赏牡丹，忽听楼上李白饮酒狂歌：“三杯通大道，一半合自然。但得酒中趣，莫为醒者传。”太监连忙上楼大呼：“奉旨宣李学士见驾！”谁知李白全然不理，口中念道：“我醉欲眠君且去”。太监无奈，只得扶他进兴庆宫。玄宗见李白烂醉，忙命宫女含水喷其面，并亲自递来醒酒汤，李白睁眼一看，便要玄宗赐酒。玄宗关切地说：“你刚清醒，再醉怎么办？”李白答曰：“臣斗酒诗百篇，醉后诗如泉。”文人墨客与酒之性情，于此可见一斑。

酒义：许慎《说文解字》上说，酒既可以带来吉利，也可带来凶光。如《战国策·魏策》：“昔者，帝女令仪狄作酒而美，进之禹，禹饮而甘之，遂疏仪狄，绝旨酒。”又曰：“后世必有以酒亡其国者。”果不出所料，他的后代以酒为乐，朝夕狂饮烂醉，忘乎所以，招来灭国之祸。

酒谋：宋太祖的“杯酒释兵权”，恰如《晏子春秋》杂上篇曰：“夫不出樽俎之间，而折冲于千里之外。”曹丕设酒宴以甘蔗作剑胜邓展将军；秦昭王之“平原十日饮”；项羽之

"鸿门宴"；曹孟德"青梅煮酒论英雄"；张献忠与李自成之"双雄会"，均于饮酒中施行计谋。这些计谋至现在还有人仿效之，且多有得逞者，可见酒谋作用之大。

酒战：据《淮南子》载，战国时期，楚国会见诸侯时，鲁国和赵国都给楚王献酒。赵国的酒醇厚，鲁国的酒淡薄。楚国主管酒的官吏私自向赵国要酒吃，赵国不给，这酒官羞怒之下，偷换了两国进献的酒，并说赵国不把好酒献给楚王。楚王动怒而下令进攻赵国，把赵国的邯郸城围困起来。这场"鲁酒薄邯郸城围"的酒战，可谓中国历史上绝无仅有。

本 章 小 结

本章主要介绍了酒的功能、中国的饮酒习俗及酒器、酒政等内容。中国是酒的王国。人世间有了酒，人类的生活便丰富多彩，人类的历史便斑斓多姿，茫茫尘寰便增添了许多有趣的风景，短短人生便增添许多悠长的滋味。如果没有酒，那么，卷帙浩繁的廿四史将枯燥许多，历朝历代的社会生活将寡淡许多，人们回顾往昔的时候，也许少了许多兴味。酒，形态万千，色泽纷呈，品种之多，产量之丰，皆堪称世界之冠。中国又是酒人的乐土，地无分南北，人无分男女老少，族无分汉满蒙回藏，饮酒之风，历经数千年而不衰。中国更是酒文化的极盛地，饮酒的意义远不止生理性消费，远不止口腹之欲。在许多场合，它都是作为一种文化消费，用来表示一种礼仪，一种气氛，一种情趣，一种心境。中国众多的名酒不仅给人以美的享受，而且给人以美的启示与力量的鼓舞。每一种名酒的发展，都包容着中华民族一代接一代的探索与奋斗，因此名酒精神与民族精神息息相通，与大无畏气概紧密相连，这就是中华民族的酒魂。似乎可以认为，有了名酒，中国饮食才得以升华为闻名于世的饮食文化。

思 考 题

1. 酒的主要社会功能有哪些？
2. 我国的传统酒礼包括哪些内容？如何理解"酒以成礼"？
3. 我国古代的饮酒器具有哪些种类？
4. 少数民族酒礼有何特点？
5. 简述我国古代酒政的内容。
6. 简述我国古代酒楼的发展状况。
7. 你对我国古代文人饮酒是怎样看待的？

第3篇　茶　文　化

我国是茶树的原产地，是世界上产茶、饮茶最早的国家。世界上第一部茶叶著作——《茶经》，就是出自我国唐代陆羽之手。在我国，种茶、制茶、饮茶经历了漫长的历史过程，茶叶品种日益增多，制茶工艺日益先进，饮茶方法日益科学，茶已成为风靡世界的三大无酒精饮料之一。人们在饮茶中，还创造了灿烂的茶文化，可以说，饮茶文化是我国民族文化宝库中的精品，茶文化是中国饮食文化的重要组成部分。随着社会的发展与进步，茶不但对经济起到了很好的作用，成为人们生活的必需品，而且逐渐形成了灿烂夺目的茶文化，成为社会精神文明的一颗明珠。

第7章　茶史与茶文化

学习目标

◎ 了解中国茶文化的发展历史。
◎ 了解我国饮茶的演变过程。
◎ 熟悉我国古代茶具的种类及其用途。
◎ 了解中国古代茶政的主要内容。
◎ 掌握中国茶文化的特性。
◎ 熟悉中国的茶道。

7.1　茶文化发展史

茶是人们普遍喜爱的一种有益的饮料，我国是世界上最早把茶叶作为饮料的国家。在我国古老而文明的国土上，广泛流传着这样的生活习俗：每当宾客临门，主人要献上一杯芳香馥郁的清茶；以茶待客，借以表达主人的友好情谊。或在酒余饭后，泡上一杯甘醇可口的香茶，边品边饮，以除腻解渴。茶叶作为一种饮料，已经成为我国各族人民生活的必需品，这是尽人皆知的。

中国饮茶文化起源于上古时期，经过几千年的发展，形成了自己独特的文化。我国是茶树的原产地，茶树最早出现于我国西南部的云贵高原、西双版纳地区，饮茶、种茶、制茶都起源于中国。《神农本草经》是我国第一部药学专著。这部书以传说的形式，搜集自远古以来，劳动人民长期积累的药物知识。其中有这样的记载："神农尝百草，日遇七十二毒，得茶而解之。"据考证：这里的茶是指古代的茶，这虽然是传说，带有明显的夸张成分，但也可从中得知，人类利用茶叶，可能是从药用开始的。

据考察，"茶"字最早出现在《圭峰禅师碑》和《玄秘塔碑铭》中，时间约在唐朝中期，公元841年到855年前后。在此之前，"茶"用多义字"荼"表示，本意是"苦菜"，上古时期人们对茶还缺乏认识，仅仅根据它的味道，把它归于苦菜一类，是完全可以理解的。当人们认识到它与一般苦菜的区别及其特殊功能后，单独表示它的新字就产生了。从唐朝开始，茶叶作为一种饮料，在我国西北各少数民族地区，成为当地人民生活的必需品，

“一日无茶则滞，三日无茶则病”。茶与粮食，占有同等重要的位置。由于气候等原因，当地并不产茶，官府为增强控制少数民族的力量，对茶叶的供给采取限量和直接分配的办法，以求达到“以茶治边”的目的。与此同时，官府不仅控制茶叶的供应，而且以少量的茶交换多数的战马，给兄弟民族带来沉重负担，这就是历史上的“茶马互市”。

茶叶从发明到利用，经历了一段漫长的历史，它之所以深受人们的欢迎，除可作为饮料外，还因为它对人体能起到一定的保健和治疗的作用。据说在三国时代，诸葛亮带兵南征北战。一次兵至云南勐海，士兵因水土不服，多害眼病，诸葛亮命士兵采茶煮水喝，不久，便把眼病治好了。直到现在，当地人民还把茶树称做“孔明树”，把诸葛亮尊为“茶祖”。国内外专家采用现代科学手段对茶叶进行分析，发现茶叶含多酚类、咖啡碱、蛋白质、氨基酸芳香族化合物和十几种无机矿物营养元素。所以，能对某些疾病产生一定疗效，长期饮茶有益于人体健康。

7.1.1 茶字

在古代史料中，茶的名称很多，但“茶”则是正名，“茶”字在中唐之前一般都写作“茶”字。至中唐时，茶的音、形、义已趋于统一。后来又因陆羽《茶经》的广为流传，“茶”的字形进一步得到确立，直至今天。

“茶”字有一字多义的性质，表示茶叶，是其中一项。由于茶叶生产的发展，饮茶的普及程度越来越高，茶字的使用频率也越来越高。因此，民间的书写者，为了将茶的意义表达得更加清楚、直观，于是，就把“茶”字减去一划，成了现在人们看到的“茶”字。

“茶”字从“茶”中简化出来的萌芽，始于汉代；古汉印中，有些“茶”字已减去一笔，成为“茶”字之形了。在公元前二世纪，西汉司马相如的《凡将篇》中提到的“荈诧”就是茶；西汉末年，在扬雄的《方言》中，称茶为“蔎”；在《神农本草经》中，称之为“茶草”或“选”；东汉的《桐君录》中谓之“瓜芦木”；东晋裴渊的《广州记》中称之谓“皋芦”；此外，还有“诧”、“茗”、“奼”等称谓，均认为是茶之异名同义字。唐陆羽在《茶经》中，也提到“其名，一曰茶，二曰槚，三曰蔎，四曰茗，五曰荈。”总之，在陆羽撰写《茶经》前，对茶的提法不下十余种，其中用得最多、最普遍的是茶。由于茶事的发展，指茶的“茶”字使用越来越多，有了区别的必要，于是从一字多义的“茶”字中，衍生出“茶”字。陆羽在写《茶经》时，将“茶”字减少一划，改写为“茶”。从此，在古今茶学书中，“茶”字的形、音、义也固定下来了。

在中国茶学史上，一般认为在唐代中期以前，“茶”写成“茶”。据查，茶字最早见于《诗经》，在《诗经·邶风·谷风》中记有：“谁谓茶苦？其甘如荠”；《诗经·豳风·七月》中记有：“采茶、薪樗，食我农夫。”但有人认为《诗经》中的茶指的是茶，也有人认为指的是“苦菜”，至今看法不一，难以统一。开始以“茶”字明确表示有茶字意义的，乃是我国最早的一部字书——《尔雅》，其中记有：“槚，苦茶”。东晋郭璞在《尔雅注》中认为这指的就是常见的普通茶树，它“树小如栀子。冬生叶，可煮作羹饮。今呼早采者为荼，晚取者为茗”。东汉许慎的《说文解字》也说：“荼，苦荼也。”北宋徐铉等在同书的注中亦认为：“此即今之茶字”。而将“荼”字改写成“茶”字，按南宋魏了翁在《邛州先茶记》所述，乃是受唐代陆羽《茶经》和卢仝《茶歌》的影响所致。明代杨慎的《丹铅杂录》和清代顾炎武的《唐韵正》也持相同看法。但这种说法，显然有悖于陆羽所撰《茶经》的说法。陆羽提出：茶字，“其字，或从草，或从木，或草木并。”明确表示，茶字出自唐玄宗所撰《开元文字音义》。不过，从今人看来，一个新文字刚出现之际，免不了有一个新老交替使用的时期。有鉴于此，清代学者顾炎武考证后认为，茶字的形、音、义的确立，应在中唐以后。他在《唐韵正》中写道：“愚游泰山岱岳，观览唐碑题名，见大历十四年（公元779年）刻荼药字，贞元十四年（公元798年）刻荼宴字，皆作荼……其时字体尚未变。至会昌元年（公元841年）柳公权书《玄秘塔碑铭》、大中九年（公元855年）裴休书《圭峰禅师碑》荼毗字，俱减此一划，则此字变于中唐以下也。”而陆羽在撰写世界上第一部茶著《茶经》时，在流传着众多茶的称呼的情况下，统一改写成“茶”字，这不能不说是陆羽的一个重大贡献。从此，茶字的字形、字音和字义一直沿用至今，为炎黄子孙所接受。

关于茶名茶字，我国历史上称谓和写法极其复杂。如“草中英”、“酪奴”、“草大虫”、“不夜侯”、“离乡草”等谑名趣名，还有荼、梼、蔎、茗、荈、葭、葭萌、椒、茶、茶荈、苦荼、苦茶、茗荼、茶茗、荈诧等叫法和写法。“茶”字的演变与确立，从一个侧面告诉人们：“茶”字的形、音、义，最早是由中国确立的，至今已成为世界各国人民对茶的称谓，只是按各国语种变其字形而已；它还告诉人们：茶源于中国，中国是茶的原产地。

7.1.2 茶文化发展过程

中国是茶的故乡，是茶的原产地。中国人对茶的熟悉，上至帝王将相，文人墨客，诸子百家，下至挑夫贩夫，平民百姓，无不以茶为好。人们常说：“开门七件事，柴米油盐酱醋茶。”由此可见茶已深入各个阶层。同样少数民族也好茶，如藏族的酥油茶，蒙古族的奶茶等。

茶以文化的面貌出现，是在汉魏两晋南北朝时期。若论其起源就要追溯到汉代，有正式文献记载（王褒《僮约》）。最早喜好饮茶的多是文人雅士，在我国文学史上，提起茶赋，首推司马相如与扬雄，且都是早期著名茶人。司马相如曾作《凡将篇》、扬雄作《方言》，一个从药用，一个从文学角度都谈到茶。两晋南北朝时，一些有眼光的政治家提出“以茶养廉”，以对抗当时的奢侈之风。魏晋以来，天下骚乱，文人无以匡世，渐兴清谈之风。这些人终日高谈阔论，必有助兴之物，于是多兴饮宴，所以最初的清谈家多酒徒，如竹林七贤。后来清谈之风发展到一般文人，但能豪饮终日不醉者毕竟少数，而茶则可长饮，且始终保持清醒，于是清谈家们就转向好茶，所以后期出现了许多茶人。

汉代文人倡饮茶之举，为茶进入文化领域首开先河。而到南北朝时，几乎每个文化、思想领域都与茶有关系。在政治家眼里，茶是提倡廉洁、对抗奢侈之风的工具；在辞赋家眼里，茶是引发思维以助清兴的手段；在佛家看来，茶是禅定入静的必备之物。这样，茶的文化、社会功用已经超出其自然使用功能，使中国茶文化初现端倪。

唐朝茶文化的形成与当时的经济、文化发展相关。唐朝疆域广阔，注重对外交往，长安是当时的政治、文化中心，中国茶文化正是在这种大气候下形成的。茶文化的形成还与当时佛教的发展、科举制度、诗风大盛、贡茶兴起、禁酒等有关。唐朝陆羽自成一套的茶学、茶艺、茶道思想及其所著《茶经》，是一个划时代的标志。《茶经》非仅述茶，而是把诸家精华及诗人的气质和艺术思想渗透其中，奠定了中国茶文化的理论基础。

唐朝茶文化以僧人、道士、文人为主，而宋朝则进一步拓展。一方面是宫廷茶文化的出现，另一方面是市民茶文化和民间斗茶之风的兴起。宋代改唐人直接煮茶法为点茶法，并讲究色香味的统一。到南宋初年，又出现泡茶法，为饮茶的普及和简易化开辟了道路。宋代饮茶技艺相当精致，但很难溶进思想感情。由于宋代著名茶人大多数是著名文人，加快了茶与相关艺术融为一体的过程。如徐铉、王禹、林通、范仲淹、欧阳修、王安石、苏轼、苏辙、黄庭坚、梅尧臣等文学家都好茶，所以著名诗人有茶诗，书法家有茶帖，画家有茶画，使茶文化的内涵得以拓展，成为文学、艺术等精神文化的直接关联部分。宋代市民茶文化主要是把饮茶作为增进友谊与社会交际的手段，北宋汴京民俗，有人搬进新居，左右邻居要彼此"献茶"；邻居间请喝茶叫"支茶"。这时，茶已成为民间礼节。

宋朝人拓宽了茶文化的社会层面和文化形式，茶事十分兴旺，但茶艺走向繁复、琐碎、奢侈，失去了唐朝茶文化的思想精神。元朝时，北方民族虽嗜茶，但对宋人烦琐的茶艺颇不耐烦。文人也无心以茶事表现自己的风流倜傥，而希望在茶中表现自己的清节，磨炼自己的意志。在茶文化中这两种思潮却暗暗契合，即茶艺简约，返璞归真。元朝到明朝中期的茶文化形式相近，一是茶艺简约化；二是茶文化精神与自然契合，以茶表现自己的苦节。明末至清初，精细的茶文化再次出现，制茶、烹饮虽未回到宋人的烦琐，但茶风趋向纤弱，许多茶人甚至终身泡在茶里，出现了玩物丧志的倾向。

茶文化的出现，把人类的精神和智慧带到了更高的境界。几千年来，中国的茶文化积淀了丰富多彩、意境优美、雅俗共赏的内涵。"柴米油盐酱醋茶"、"琴棋书画酒歌茶"，茶已经完全融入人们的日常消费和文化生活中，使得人们的物质生活丰富典雅，精神世界充实完美。我国是世界上最早发现和使用茶叶的国家，现在世界各国引种的茶树、使用的栽培方法、茶叶的制作技术，乃至品饮的一些习俗，均源于我国。茶源于远古时期，在漫长的岁月中，中华民族在茶的培育、制造、品饮、应用，以及对茶文化的形成和发展等方面，为人类文明史留下了光辉绚丽的一页。茶与文化关系至深，涉及面很广，内容也非常丰富。既有精神文明的体现，又有意识形态的延伸，有益于提高人们的文化修养和艺术欣赏水平。

茶文化从广义上讲，分为茶的自然科学和茶的人文科学两方面，是指人类社会历史实践过程中所创造的与茶有关的物质财富和精神财富的总和。就狭义而言，着重于茶的人文科学，主要指茶对精神和社会的功能。由于茶的自然科学已形成独立体系，因而，现在的茶文化偏重于人文科学。

1. 三国以前的茶文化启蒙

传说茶的发现始于神农时代，当为茶叶药用之始。东汉华佗《食论》中有："苦茶久食，益意思。"记录了茶的医学价值。西汉将茶的产地县命名为"茶陵"，即湖南的茶陵。到三国魏代《广雅》中已最早记载了饼茶的制法和饮用："荆巴间采叶作饼，叶老者饼成，以米膏出之。"茶以物质形式出现而渗透至其他人文科学而形成茶文化。

2. 晋代、南北朝茶文化的萌芽

随着文人饮茶的兴起，有关茶的诗词歌赋日渐问世，茶已经脱离作为一般形态的饮食走入文化圈，起着一定的精神和社会作用。西晋张载曾写《登成都楼诗》："借问杨子舍，想见长卿庐……芳茶冠六清，溢味播九区"。西晋孙楚《出歌》有"姜桂荼荈出巴蜀，椒橘木兰出高山。"杜育的《荈赋》是现在能见到的最早专门歌咏茶事的诗词类作品，"灵山惟岳，奇产所钟，厥生荈草，弥谷被岗。"具体描绘了晋代茶叶发展的史实。

3. 唐代茶文化的形成

唐代陆羽《茶经》的问世具有划时代的意义，使茶文化发展到一个空前的高度。"自从陆羽生人间，人间相学事新茶。"千百年来，历代茶人对茶文化的各个方面进行了无数次的尝试与探索，直至陆羽的《茶经》问世后，茶方大行其道。《茶经》的问世，不但使"天下益知饮茶矣"，陆羽亦因此名扬天下，并为朝廷所知而召为"太子文学"、"徙太常寺太祝"。陆羽无心仕途，竟不就职，晚年他由浙江而至江西上饶隐居。《茶经》是一部论茶专著，对当时盛行的各种茶俗作了归纳与追溯，对茶的起源、历史、生产、加工、烹煮、品饮，以及诸多人文与自然因素作了深入细致的研究与总结，使茶学真正成为一种专门的学科，从而使中国茶文化进入一个全新境界。由陆羽开始的茶的这种划时代的变化，正是当时茶风盛行，人们在高度物质文明基础上追求精神享受的一种体现。陆羽所著《茶经》，是唐代茶文化形成的标志，概括了茶的自然和人文科学双重内容，探讨了饮茶艺术，把儒、道、佛三教融入饮茶中，首创中国茶道精神。以后又出现大量茶书、茶诗，有《茶述》、《煎茶水记》、《采茶记》、《十六汤品》等。唐代茶文化的形成与佛教的兴起有关，因茶有提神益思，生津止渴功能，故寺庙崇尚饮茶，在寺院周围植茶树，定茶礼、设茶堂，并选茶头专司茶事活动。在唐代形成的中国茶道分为宫廷茶道、寺院茶礼、文人茶道。

4. 宋代茶文化的兴盛

宋代茶业已有很大发展，进一步推动了茶文化的发展。在文人中出现了专业品茶社团，有官员组成的"汤社"、佛教徒的"千人社"等。宋太祖赵匡胤是位嗜茶之士，在宫廷中设立茶事机构，宫廷用茶已分等级。茶仪已成礼制，赐茶已成皇帝笼络大臣、眷怀亲族的重要手段，还赐给国外使节。至于下层社会，茶文化更是生机无限，有人迁徙，邻里要“献茶”；有客来，要敬“元宝茶”；订婚时要“吃茶”；结婚时要“和合茶”。民间斗茶风起，带来了采制烹煮的一系列变化。宋元茶叶生产发展中的一个特点是由团饼为主趋向于以片茶、散茶为主。

5. 明清茶文化的普及

此时已出现蒸青、炒青、烘青等各茶类，茶的饮用已改成“撮泡法”。明代不少文人雅士留有传世之作，如唐伯虎的《烹茶画卷》、《品茶图》，文徵明的《惠山茶会记》、《陆羽烹茶图》、《品茶图》等。茶类的增多，泡茶的技艺有别，茶具的款式、质地、花纹千姿百态。到清朝茶叶出口已成为一种正式行业，茶书、茶事、茶诗不计其数。晚明时期，文士们对品饮之境又有了新的突破，讲究“至精至美”之境。在那些文人墨客看来，事物至精至美的极至之境就是“道”，“道”就存在于事物之中。张源在其《茶录》一书中首先提出了自己的“茶道”之说：“造时精，藏时燥，泡时洁。精、燥、洁茶道尽矣。”他认为茶中有“内蕴之神”，即“元神”，发抒于外者叫做“元体”，两者互依互存，互为表里，不可分割。元神是茶的精气，元体是精粹外现的色、香、味。只要在事茶过程中，做到淳朴自然，质朴求真，玄微适度，中正冲和，便能求得茶之真谛。张源的茶道追求茶汤之美、茶味之真，力求进入目视茶色、口尝茶味、鼻闻茶香、耳听茶涛、手摩茶器的完美之境。

张大复则在此基础上更进一层，认为：“世人品茶而不味其性，爱山水而不会其情，读书而不得其意，学佛而不破其宗。”告诉人们，品茶不必斤斤于其水其味之表象，而要求得其真谛，即通过饮茶达到一种精神上的愉快，一种清心悦神、超凡脱俗的心境，以此达到超然物外、情致高洁的化境，一种天地人融通一体的境界，这可以说是对中国茶道精神的发展与超越。

6. 现代茶文化的发展

新中国成立后，我国茶叶产量增长很快，为我国茶文化的发展提供了坚实的物质基础。1982 年，在杭州成立了第一个以弘扬茶文化为宗旨的社会团体——“茶人之家”，1983 年湖北成立“陆羽茶文化研究会”，1990 年“中国茶人联谊会”在北京成立，1991 年中国茶叶博物馆在杭州正式开放，1993 年“中国国际茶文化研究会”在湖州成立。1998 年中国国际和平茶文化交流馆建成。随着茶文化的兴起，各地茶艺馆越办越多。各省市及主产茶县纷纷主办“茶叶节”，如福建武夷市的岩茶节，云南的普洱茶节，浙江新昌、泰顺，湖北英山，河南信阳的茶叶节不胜枚举。都以茶为载体，促进全面的经济贸易发展。

7.1.3 茶的传播

中国是茶树的原产地，然而，中国在茶业上对人类的贡献，主要在于最早发现并利用茶这种植物，并把它发展形成为我国和东方乃至整个世界的一种灿烂独特的茶文化。中国茶业，最初兴于巴蜀，其后向东部和南部逐次传播开来，以致遍及全国。到唐代，又传至日本和朝鲜，16世纪后被西方引进。所以，茶的传播史，分为国内及国外两条线路。

1. 茶在国外的传播

中华茶文化因其特定的内涵，具有很强的民族性；而越具有民族性的文化，也越具有世界性。中华茶文化在不断丰富发展的过程中，也不断地向周边国家传播，不断影响着这些国家的饮食文化。中国茶叶、茶树、饮茶风俗及制茶技术，是随着中外文化交流和商业贸易的开展而传向全世界的。最早传入日本、朝鲜，其后由南方海路传至印尼、印度、斯里兰卡等国家。16世纪传至欧洲各国，进而传到美洲大陆，又由北方传入波斯、俄国。

唐代中叶，中国茶籽被带到日本种植，茶树开始向世界传播。据文献记载，公元805年，日本高僧最澄，从天台山国清寺师满回国时，带去茶种种植，这是中国茶种向外传播的最早记载。后又经日僧南浦昭明在径山寺学得径山茶宴、斗茶等饮茶习俗，并带回日本，在此基础上逐渐形成了日本茶道。

印度是红碎茶生产和出口最多的国家，其茶种源于中国。印度虽也有野生茶树，但是印度人不知种茶和饮茶，只有到了1780年，英国和荷兰人才开始从中国输入茶籽在印度种茶。现今，最有名的红碎茶产地阿萨姆，即是1835年由中国引进茶种开始种茶的。中国专家曾前往指导种茶制茶方法，其中包括小种红茶的生产技术。后发明了切茶机，红碎茶才开始出现，成为全球性的大宗饮料。

西方各国语言中“茶”一词，大多源于当时海上贸易港口福建厦门及广东方言中“茶”的读音。可以说，中国赋予世界茶的名字，茶的知识，茶的栽培加工技术，世界各国的茶叶，直接或间接与我国茶叶有着千丝万缕的联系。

2. 茶在国内的传播

茶树是中国南方的一种“嘉木”，所以中国的茶业最初孕育、发生和发展于南方。

(1) 巴蜀是中国茶业的摇篮（先秦两汉）。顾炎武曾指出，“自秦人取蜀而后，始有茗饮之事”，即认为中国的饮茶，是秦统一巴蜀之后才慢慢传播开来的。也就是说，中国和世界的茶叶文化，最初是在巴蜀发展为业的。这一说法，已为现在绝大多数学者所认同。巴蜀产茶，据文字记载和考证，至少可追溯到战国时期，此时巴蜀已形成一定规模的茶区，并以茶作为贡品之一。

关于巴蜀茶业在我国早期茶业史上的突出地位，直到西汉成帝时王褒的《僮约》，才始见诸记载，内有“烹茶尽具”及“武阳买茶”两句。前者反映成都一带，西汉时不仅饮茶成风，而且出现专门用具；从后一句可以看出，茶叶已经商品化，出现了如“武阳”一类的茶叶市场。

西汉时，成都不但成为我国茶叶的消费中心，由后来的文献记载看，很可能也已成为最早的茶叶集散中心。不仅是在秦之前，秦汉乃至西晋，巴蜀仍是我国茶叶生产和技术的重要中心。

(2) 长江中游或华中地区成为茶业中心（三国西晋）。秦汉统一中国后，茶业随巴蜀与各地经济文化的交流而增强。尤其是茶的加工、种植，首先向东部南部传播。如湖南茶陵的命名，就很能说明问题。茶陵是西汉时设的一个县，以其地出茶而名。茶陵邻近江西、广东边界，表明西汉时期茶的生产已经传到了湘、粤、赣毗邻地区。

三国、两晋时期，随荆楚茶业和茶叶文化在全国传播的日益发展，也由于地理上的有利条件，长江中游或华中地区，在中国茶文化传播上的地位，逐渐取代巴蜀而明显重要起来。三国时，孙吴据有现在苏、皖、赣、鄂、湘、桂一部分和广东、福建、浙江全部陆地的东南半壁江山，这一地区，也是这时我国茶业传播和发展的主要区域。此时，南方栽种茶树的规模和范围有很大的发展，而茶的饮用，也流传到北方的高门豪族。西晋时长江中游茶业的发展，还可从西晋时期《荆州土记》得到佐证。其载曰“武陵七县通出茶，最好”，说明荆汉地区茶业的明显发展，巴蜀独冠全国的优势似已不复存在。

(3) 长江下游和东南沿海茶业的发展（东晋南朝）。西晋南渡之后，北方豪门过江侨居，建康（今南京）成为我国南方的政治中心。这一时期，由于上层社会崇茶之风盛行，使得南方尤其是江东饮茶和茶叶文化有了较大发展，也进一步促进了我国茶业向东南推进。这一时期，我国东南植茶，由浙西进而扩展到了现今温州、宁波沿海一线。不仅如此，如《桐君录》所载，“酉阳、武昌、晋陵皆出好茗”，晋陵即常州，其茶出宜兴。表明东晋和南朝时，长江下游宜兴一带的茶业也很著名。三国两晋之后，茶业重心东移的趋势更加明显。

(4) 长江中下游地区成为中国茶叶生产和技术中心（唐代）。如前所言，六朝以前，茶在南方的生产和饮用已有一定发展，但北方饮者还不多。及至唐朝中期后，如《膳夫经手录》所载“今关西、山东，闾阎村落皆吃之，累日不食犹得，不得一日无茶”。中原和西北少数民族地区都嗜茶成俗，于是南方茶的生产，随之空前蓬勃发展起来。尤其是与北方交通便利的江南、淮南茶区，茶的生产更是发展迅速。

唐代中叶后，长江中下游茶区不仅茶产量大幅度提高，而且制茶技术也达到了当时的最高水平。这种高水准的结果，就是湖州紫笋和常州阳羡茶成为贡茶。茶叶生产和技术的中心，正式转移到长江中游和下游。

江南茶叶生产，集一时之盛。当时史料记载，安徽祁门周围，千里之内，各地种茶，山无遗土，业于茶者七八。现在赣东北、浙西和皖南一带，在唐代时，其茶业确实有了很大发展。同时由于贡茶设置在江南，大大促进了江南制茶技术的提高，也带动了全国各茶区的生产和发展。由《茶经》和唐代其他文献记载来看，此时茶叶产区遍及今之四川、陕西、湖北、云南、广西、贵州、湖南、广东、福建、江西、浙江、江苏、安徽、河南等十四个省区，几乎达到了与我国近代茶区约略相当的局面。

(5) 茶业重心由东向南转移（宋代）。从五代和宋朝初年起，全国气候由暖转寒，致使中国南方南部的茶业，较北部更加迅速地发展起来，并逐渐取代长江中下游茶区，成为宋朝茶业的重心。主要表现在贡茶从顾渚紫笋改为福建建安茶，唐时还不曾形成气候的岭南一带的茶业，更是明显地活跃和发展起来。

宋朝茶业重心南移的主要原因是气候的变化，江南早春茶树因气温降低，发芽推迟，不能保证茶叶在清明前进贡到京都。福建气候较暖，如欧阳修所说“建安三千里，京师三月尝新茶”。作为贡茶，建安茶的采制必然精益求精，名声也愈来愈大，成为中国团茶、饼茶制作的主要技术中心，带动了岭南茶区的崛起和发展。由此可见，到了宋代，茶已传播到全国各地。宋朝的茶区，基本上已与现代茶区范围相符。明清时期是我国古代茶业和传统茶学由鼎盛走向终极的一个阶段，而明清以后，只是茶叶制法和各茶类兴衰的演变问题了。

7.2 饮茶史

中国饮茶历史最早，陆羽《茶经》云：“茶之为饮，发乎神农氏，闻于鲁周公。”早在神农时期，茶及其药用价值已被发现，并由药用逐渐演变成日常生活饮料。我国历来对选茗、取水、备具、佐料、烹茶、奉茶以及品尝方法都颇为讲究，因而逐渐形成丰富多彩、雅俗共赏的饮茶习俗和品茶技艺。

7.2.1 饮茶的演变过程

春秋以前，最初茶叶作为药用而受到关注。古代人类直接含嚼茶树鲜叶汲取茶汁而感到芬芳、清口，久而久之，茶的含嚼成为人们的一种嗜好。该阶段，可以说是茶之为饮的前奏。

随着人类生活的进化，生嚼茶叶的习惯转变为煎服。即鲜叶洗净后，置陶罐中加水煮熟，连汤带叶服用。煎煮而成的茶，虽苦涩，然而滋味浓郁，风味与功效均胜几筹，日久自然养成煮煎品饮的习惯，这是茶作为饮料的开端。然而，茶由药用发展为日常饮料，经过了食用阶段作为中间过渡；即以茶当菜，煮作羹饮。茶叶煮熟后，与饭菜调和一起食用。此时，用茶的目的，一是增加营养，二是作为食物解毒。《晏子春秋》记载，“晏子相景公，食脱粟之饭，炙三弋五卵，茗菜而已。”《尔雅》中“苦荼”一词注释云“叶可炙作羹饮”；《桐君录》等古籍中，则有茶与桂姜及一些香料同煮食用的记载。此时，茶叶的利用前进了一步，运用了当时的烹煮技术，并已注意到茶汤的调味。

秦汉时期，茶叶的简单加工已经开始出现。鲜叶用木棒捣成饼状茶团，再晒干或烘干以存放，饮用时先将茶团捣碎放入壶中，注入开水并加上葱姜和橘子调味。此时茶叶不仅是日常生活之解毒药品，而且成为待客之饮料。另外，由于秦统一巴蜀，促进了饮茶知识与风俗向东延伸。西汉时，茶已是宫廷及官宦人家的一种高雅消遣，王褒《僮约》已有“武阳买茶”的记载。三国时期，崇茶之风进一步发展，开始注意到茶的烹煮方法，此时出现“以茶当酒”的习俗（《三国志·吴志》），说明华中地区当时饮茶已比较普遍。到了两晋、南北朝，茶叶从原来珍贵的奢侈品逐渐成为普通饮料。

隋唐时，茶叶多加工成饼茶，饮用时加调味品烹煮汤饮。随着茶事的兴旺，贡茶的出现加速了茶叶栽培和加工技术的发展，出现了许多名茶，品饮之法也有较大改进。尤其到了唐代，饮茶蔚然成风，饮茶方式有了较大进步。此时，为改善茶叶苦涩之味，开始加入薄荷、盐、红枣调味。此外，已使用专门烹茶器具，论茶专著已出现。陆羽《茶经》对茶之饮之煮有详细的论述。此时，对茶和水的选择、烹煮方式以及饮茶环境及茶的质量也越来越讲究，逐渐形成了茶道。由唐前之“吃茗粥”到唐时视茶为“越众而独高”，是我国茶叶文化的一大飞跃。

“茶兴于唐而盛于宋”，在宋代，制茶方法开始改变，给饮茶方式带来深远的影响。宋初茶叶多制成团茶、饼茶，饮用时碾碎，加调味品烹煮，也有不加的。随着茶品的日益丰富与品茶的日益考究，逐渐重视茶叶原有的色香味，调味品逐渐减少。同时，出现了用蒸青法制成的散茶，且不断增多，茶类生产由团饼为主趋向以散茶为主。此时烹饮方法逐渐简化，传统的烹饮习惯，由宋开始而至明清，出现了巨大变革。

明代以后，由于制茶工艺的革新，团茶、饼茶已较多改为散茶，烹茶方法由原来的煎煮为主，逐渐向冲泡为主发展。茶叶冲以开水，然后细品缓啜，清正、袭人的茶香，甘洌、酽醇的茶味以及清澈的茶汤，更能领略茶天然之色香味品性。明清之后，随着茶类的不断增加，饮茶方式出现两大特点。第一，品茶方法日臻完善而讲究。茶壶茶杯要用开水先洗涤，干布擦干，茶渣先倒掉，再斟。器皿也“以紫砂为上，盖不夺香，又无熟汤气。”第二，出现了六大茶类，品饮方式也随茶类不同而有很大变化。同时，各地区由于不同风俗，开始选用不同茶类。如两广喜好红茶，福建多饮乌龙，江浙则好绿茶，北方人喜花茶或绿茶，边疆少数民族多用黑茶、砖茶等。

7.2.2 饮茶方法的演变

1. 饮茶方法的发展过程

我国有数千年的饮茶史，人们的饮茶方法随着制茶技术和饮茶实践的发展进步，概括起来包括四个阶段。

第一个阶段：煎饮法。当我们的祖先还处于原始部落时期，由于生产力低下，常常食不果腹。当他们发现茶树的叶子无毒能食时，采食茶叶纯粹是为了填饱肚子，而不是去享受茶叶的色、香、味，所以还不能算饮茶。而当人们发现，茶不仅能祛热解渴，且能醒脑提神、医治多种疾病时，茶开始从食粮中分离出来。煎茶汁治病，是饮茶的第一个阶段。在这个阶段中，茶是药。当时茶叶产量少，也常作为祭祀用品。

第二个阶段：羹饮法。从先秦至两汉，茶从药物转变为饮料。当时的饮用方法，正像郭璞在《尔雅》注中所说的那样：茶“可煮作羹饮”，也就是说，煮茶时，还要加粟米及调味的作料，煮作粥状。至唐代，还多用这种饮用方法。我国边远地区的少数民族，多在唐代接受饮茶的习惯，故他们至今仍习惯于在茶叶中加其他食品。

第三个阶段：研碎冲饮法。此法早在三国时代就已出现，唐代开始流行，盛于宋。三国时代魏国的张揖在《广雅》中记载："荆巴间采叶作饼，叶老者，饼成以米膏出之。欲煮茗饮，先炙令赤色，捣末置瓷器中，以汤浇覆之，用葱、姜、橘子芼之。其饮醒酒，令人不眠。"这里说得很明确，当时采下的茶叶，要先制饼，饮时再捣末、冲沸水。这与今天饮砖茶的方法相同，应该说是冲饮法的"祖宗"。但这时以汤冲制的茶，仍要加"葱、姜、橘子"之类拌和，可以看出从羹饮法向冲饮法过渡的痕迹。唐代中叶以前，陆羽已明确反对在茶中加其他香料，强调品茶应品茶的本味，说明当时的饮茶方法也正处在变革之中。纯用茶叶冲泡，被唐人称为"清茗"。饮过清茗，再咀嚼茶叶，细品其味，能获得极大的享受。宋人以饮冲泡的清茗为主，羹饮法除边远地区之外，已很少见到。

第四个阶段：泡饮法。此法始于唐代，盛行于明清以来。唐代发明蒸青制茶法，专采春天的嫩芽，经过蒸焙之后，制成散茶，饮用时用全叶冲泡，这是茶在饮用上的又一进步。散茶品质极佳，饮之宜人，引起饮者的极大兴趣。为了辨别茶质的优劣，当时已形成了审评茶叶色香味的一整套方法。宋代研碎冲饮法和全叶冲泡法并存，至明代，制茶方法以制散茶为主，饮用方法也基本以全叶冲泡为主，这同今天大多数人的饮茶方法相同。

2. 饮茶方法的种类

中国饮茶方法自汉唐以来有多次变化，大体上有以下几种。

(1) 煮茶法。直接将茶放在釜中烹煮，是我国唐代以前最普通的饮茶法。其过程陆羽在《茶经》中已详加介绍。首先要将饼茶研碎待用，然后开始煮水。以精选佳水置釜中，以炭火烧开。但不能全沸，只要鱼目似的水泡微露之时，便加入茶末。茶与水交融，二沸时出现沫饽，沫为细小茶花，饽为大花，皆为茶之精华。此时将沫饽杓出，置热盂之中，以备用。继续烧煮，茶与水进一步融合，波滚浪涌，称为三沸。此时将二沸时盛出之沫饽浇入釜中，称为"救沸"、"育华"。待精华均匀，茶汤便好了。烹茶的水与茶，视人数多寡而严格量入。茶汤煮好，均匀地斟入各人碗中，包含雨露均施，同分甘苦之意。

(2) 点茶法。此法为宋代斗茶所用，茶人自吃亦用此法。这时不再直接将茶入釜烹煮，而是先将饼茶碾碎，置碗中待用。以釜烧水，微沸初漾时即冲点入碗。但茶末与水亦同样需要交融一体，于是发明一种工具，称为"茶筅"。茶筅是打茶的工具，有金、银、铁制，大部分用竹制，文人美其名曰"搅茶公子"。水冲入茶碗中，需以茶筅用力击打，这时水乳交融，渐起沫饽，如堆云积雪。茶的优劣，以饽沫出现是否快，水纹露出是否慢来评定。点茶法直到元代尚盛行，只是不用饼茶，而直接用备好的干茶碾末。

(3) 点花茶法。为明代朱权等所创，将梅花、桂花、茉莉花等蓓蕾数枝直接与茶同置碗中，热茶水气蒸腾，双手捧定茶盏，使茶汤催花绽放，既观花开美景，又嗅花香、茶香。色、香、味同时享用，美不胜收。

(4) 泡茶法。此法明清以至现代，为民间广泛使用，自然为人熟知。不过，中国各地泡茶之法亦大有区别。由于现代茶的品种五彩缤纷，红茶、绿茶、花茶的冲泡方法皆不尽相同，主要以发茶味，显其色，不失其香为要旨。浓淡亦随各地所好。近年来宾馆多用袋装泡茶，发味快，而又避免渣叶入口，也是一种创造。至于边疆民族，无论蒙古奶茶、西藏酥油茶、云南罐罐茶等，则饮用方法各异。

这里的烹饮之法是从文化角度看待的，而文化观念也在变化。况且，饮茶既是精神活动，也是物质活动。所以茶艺亦不可墨守成规，以为只有繁器古法为美。无论如何变化，总要不失茶的要义，即健康、友信、美韵。

7.3 茶叶的种类

茶叶的种类划分方法有很多，目前尚无统一方法。按采摘的时间先后可以分为春茶、夏茶、暑茶、秋茶和冬茶。有的根据我国出口茶的类别将茶叶分为绿茶、红茶、乌龙茶、白茶、花茶、紧压茶和速溶茶等几大类。有的根据我国茶叶加工分为初、精制两个阶段的实际情况，将茶叶分为毛茶和成品茶两大部分，其中毛茶分绿茶、红茶、乌龙茶、白茶和黑茶五大类，将黄茶归入绿茶一类；成品茶包括精制加工的绿茶、红茶、乌龙茶、白茶和再加工而成的花茶、紧压茶、速溶茶等类。有的还从产地划分将茶叶称做川茶、浙茶、闽茶等，这种分类方法一般仅是俗称。根据其生长环境分为平地茶、高山茶、丘陵茶。也有将茶叶分为基本茶类和再加工茶类两大部分。而最为常见的分类方法则是根据茶色，也就是加工方法的不同，将茶叶分为绿茶、红茶、乌龙茶（即青茶）、白茶、黄茶和黑茶六大类。

7.3.1 绿茶

不发酵的茶（发酵度为零），这是我国产量最多的一类茶叶，其花色品种之多居世界首位。绿茶具有香高、味醇、形美、耐冲泡等特点。其制作工艺要经过杀青、揉捻、干燥等过程。由于加工时干燥方法不同，绿茶又可分为炒青绿茶、烘青绿茶、蒸青绿茶和晒青绿茶。

绿茶是我国最早出现的一种茶类，其产量、品质都居世界前列。由于绿茶采用高温杀青等工艺，防止芽叶发酵，保持了鲜叶的天然翠绿色，所以，绿茶冲泡后茶汤碧绿清澈，其味清香鲜醇。绿茶的名贵品种有龙井茶、碧螺春、黄山毛峰、庐山云雾、六安瓜片、蒙顶茶、太平猴魁、君山银针、顾渚紫笋茶、信阳毛尖、平水珠茶、西山茶、雁荡毛峰、华顶云雾茶、雨花茶等。

7.3.2 红茶

红茶属于全发酵茶类（发酵度为80%～90%），如祁门红茶、荔枝红茶。红茶与绿茶的区别在于加工方法不同。红茶加工时不经杀青，而且萎凋，使鲜叶失去一部分水分，再揉捻(揉搓成条或切成颗粒)，然后发酵，使所含的多酚类物质氧化，变成红色的化合物。这种化合物一部分溶于水，一部分不溶于水，而积累在叶片中，从而形成红汤、红叶。由于经过萎凋、揉捻、发酵、干燥等工艺处理，使绿叶变成红叶，故称红茶。红茶可单独冲饮，也可加牛奶、糖等调饮，冲泡后的红茶其色浓艳、味醇圆润，具有一种类似焦麦芽糖的香气。

按加工制作工艺，红茶可分为工夫红茶、小种红茶和分级红茶三种。工夫红茶以精细得名，为我国所特有。成茶要求条索紧实匀称，色泽乌黑光润，汤色红亮明净，滋味浓郁甘醇。我国的红茶以产地不同又可分为祁红、滇红、川红、闽红、宜红、宁红、湖红等。小种红茶在烘干时使用纯松木明火，使其成茶有松烟香气，外形紧结圆直，香气浓烈，汤色金黄且滋味醇浓。分级红茶又称红碎茶或红细茶，其茶形又分为颗粒紧细的叶茶、碎茶、片茶和末茶，该茶汤色深红，滋味具有“浓、鲜、强”等特点。

7.3.3 青茶(乌龙茶)

介于红茶和绿茶之间，综合了二者的加工技术，属半发酵茶类(发酵度为30%～60%)，兼有绿茶的清鲜，又有红茶的甘醇，是我国的独特产品。冲泡此种茶叶，会发现叶底的边缘因发酵呈红褐色，而当中部分仍保持天然嫩绿本色，形成奇特的“绿叶底红镶边”，还有一种诱人的兰花香气。乌龙茶的特点是回味悠长，耐冲泡，具有解脂肪，助消化之功效，被誉为健美减肥的佳品。乌龙茶的名贵品种有武夷岩茶、大红袍、铁观音、冻顶乌龙茶等。

7.3.4 白茶

轻度发酵的茶(发酵度为20%～30%)，是我国特产。加工时不炒不揉，只将细嫩、叶背满茸毛的茶叶晒干或用文火烘干，而使白色茸毛完整地保留下来。白茶主要产于福建的福鼎、政和、松溪和建阳等县，有芽茶与叶茶两类。白茶的色泽不如绿茶翠绿，不像红茶那样乌黑，也不如乌龙茶那样紫褐，而是色白如银，茶汤颜色雅、浅淡，因此叫白茶。其性温凉、健脾胃，产于福建。制作白茶不同于制作其他茶类，是采用特殊工艺，促使茶叶内质发生生物化学变化，改变原来青叶的苦涩气味，形成与众不同的风格。白茶的名贵品种有白毫银针、白牡丹茶等。

7.3.5 黄茶

微发酵的茶(发酵度为10%～20%)，黄茶芽叶茸毛披身，金黄明亮，汤色杏黄。在制茶过程中，经过闷堆渥黄，因而形成黄叶、黄汤。分为“黄芽茶”(包括湖南洞庭湖君山银针、四川雅安、名山县的蒙顶黄芽、安徽霍山的霍山黄芽)、“黄小茶”(包括湖南岳阳的北港、湖南宁乡的沩山毛尖、浙江平阳的平阳黄汤、湖北远安的鹿苑)、“黄大茶”(包括广东的大叶青、安徽的霍山黄大茶)三类。

7.3.6 黑茶

全发酵的茶(发酵度为100%),叶色油黑,汤色澄黄,香味醇厚。原料粗老,加工时堆积发酵时间较长,使叶色呈暗褐色。黑茶多被制成紧压茶,是藏、蒙、维吾尔等少数民族不可缺少的日常必需品。紧压茶的冲泡方法与其他饮法有所不同,一是饮用时要将成块的茶叶打碎,二是不宜冲泡,要用烹煮的方法。三是加其他作料,用调饮的方法。有“湖南黑茶”、“湖北老青茶”、“广西六堡茶”、四川“西路边茶”、“南路边茶”、云南“紧茶”、“扁茶”、“方茶”和“圆茶”等品种。

7.3.7 再加工茶

以各种毛茶或精制茶再加工而成的茶称为再加工茶,包括花茶、紧压茶,液体茶、速溶茶及药用茶等。

(1) 花茶。又名熏花茶,用香花窨入素茶中制成,经过花窨的花茶既不失浓郁爽口的茶味,又增添了诱人的花香,两者兼收并蓄,相得益彰。花茶用的香花种类众多,主要有茉莉、珠兰、玉兰、柚子、玳玳、桂花、玫瑰等,其中以茉莉花茶为上品。各种花茶,独具特色,但总的品质均要求香气鲜灵浓郁,滋味浓醇鲜爽,汤色明亮。花茶冲泡后茶汤清亮,香味浓郁,不仅有茶的功效,而且香花也具有很好的药理作用,对人体健康大有裨益。

(2) 紧压茶。是一种加工复制茶,是按照不同规格拼配原料,经过蒸压处理,用压力把原来散形茶紧压成不同形态的砖茶、饼茶、球状茶。这类茶质地坚实,久藏不易变质,又便于运输,适宜边疆人民饮用。根据原料茶的不同,可分为绿茶紧压茶、红茶紧压茶、乌龙茶紧压茶和黑茶紧压茶,以黑茶紧压茶为主。

7.4 茶具

中华茶艺,孕育于汉魏,滥觞于唐,发展于宋元而成熟、光大于明清。茶由药用而变为日常饮品,已逐步超越自身的物质属性,而迈入一个精神领域,成为一种文化、一种修养、一种境界的象征。与此相应,茶具的发展也表现为由大趋小,自简趋繁,复又返璞归真、从简行事的过程。它与时代风气相涤荡,逐渐趋于艺术化和人文化。

7.4.1 茶具的历史

茶具是我国古代茶文化中的一个重要组成部分。中国茶具种类繁多,造型优美,既有实用价值，又富艺术之美，有其本身独到的发展过程。讨论茶具史的兴衰，从中还可以看到陶瓷制造的艺术造诣，也可以看到茶文化的历史背景。

1. 古代茶具的概念及其种类

茶具，古代亦称茶器或茗器。“茶具”一词最早在汉代出现。据西汉王褒《僮约》有“烹茶尽具，酺已盖藏”之说，这是我国最早提到“茶具”的史料。到唐代，“茶具”一词在唐诗里处处可见，诸如唐诗人陆龟蒙《零陵总记》说：“客至不限匝数，竟日执持茶器。”白居易《睡后茶兴忆杨同州诗》“此处置绳床，旁边洗茶器。”唐代文学家皮日休《褚家林亭诗》有“萧疏桂影移茶具”之语。宋、元、明几个朝代，“茶具”一词在各种书籍中都可以看到，如《宋史·礼志》载：“皇帝御紫哀殿，六参官起居北使……是日赐茶器名果。”宋代皇帝将“茶器”作为赐品，可见宋代“茶具”十分名贵。北宋画家文同有“惟携茶具赏幽绝”的诗句；南宋诗人翁卷写有“一轴黄庭看不厌，诗囊茶器每随身。”的名句；元画家王冕《吹萧出峡图诗》有“酒壶茶具船上头”；明初号称“吴中四杰”的画家徐责一天夜晚邀友人品茗对饮时，乘兴写道：“茶器晚犹设，歌壶醒不敲。”不难看出，无论是唐宋诗人，还是元明画家，他们笔下经常可以出现有关“茶具”的诗句，说明茶具是茶文化不可分割的重要部分。

现代人所说的茶具种类屈指可数，主要指茶壶、茶杯这类饮茶器具。但是古代“茶具”的概念似乎范围更大，按唐文学家皮日休《茶具十咏》中所列出的茶具种类有“茶坞、茶人、茶笱、茶籝、茶舍、茶灶、茶焙、茶鼎、茶瓯、煮茶。”其中“茶坞”是指种茶的凹地，“茶人”指采茶者，如《茶经》说：“茶人负以（茶具）采茶也。”“茶籝”是箱笼一类器具。唐陆龟蒙写有一首《茶籝诗》“金刀劈翠筠，织似波纹斜。”可知“茶籝”是一种竹制、编织有斜纹的茶具。“茶舍”多指茶人居住的小茅屋，唐皮日休《茶舍诗》曰“阳崖忱白屋，几口嬉嬉活，棚上汲红泉，焙前蒸紫蕨，乃翁研茗后，中妇拍茶歇，相向掩柴扉，清香满山月。”诗词描写出茶舍人家焙茶、研茶、煎茶、拍茶辛劳的制茶过程。

古人煮茶要用火炉（即炭炉），唐以来煮茶的炉通称“茶灶”，《唐书·陆龟蒙传》说他居住松江甫里，不喜与流俗交往，虽造门也不肯见，不乘马，不坐船，整天只是“设蓬席斋，束书茶灶。”往来于江湖，自称“散人”。被誉为“四大家”之一的杨万里《压波堂赋》有“笔床茶灶，瓦盆藤尊”之句。唐诗人陈陶《僧院题紫竹》写道：“幽香入茶灶，静翠直棋局。”可见，唐宋文人墨客无论读书，还是下棋，都与“茶灶”相傍，又见茶灶与笔床、瓦盆并列，说明自唐代开始，“茶灶”就是日常必备之物。

古时把烘茶叶的器具叫“茶焙”，《宋史·地理志》提到的“建安有北苑茶焙”是非常有名的。又依《茶录》记载，茶焙是一种竹编，外包裹箬叶，因箬叶有收火的作用，可以避免把茶叶烘黄，茶放在茶焙上，要求温度小火烘制，就不会损坏茶色和茶香。

除上述列举的茶具外，在各种古籍中还可以见到的茶具有：茶鼎、茶瓯、茶磨、茶碾、茶臼、茶柜、茶则、茶槽、茶筅、茶笼、茶筐、茶扒、茶挟、茶罗、茶囊、茶瓢、茶匙等。

究竟有多少种茶具，据《云溪友议》说：“陆羽造茶具二十四事”。若按照《茶具十咏》和《云溪友议》之言，古代茶具至少有 24 种，这段史料所言的“茶具”概念与今有很大不同。

2. 中世纪后期煮茶茶具的改进

古人饮茶之前，先要将茶叶放在火炉上煎煮。唐代以前的饮茶方法，是先将茶叶碾成细末，加上油膏、米粉等，制成茶团或茶饼，饮时捣碎，放上调料煎煮。煎煮茶叶起于何时，唐代以来诸家就有过争论。如宋欧阳修《集古录跋尾》说：“于茶之见前史，盖自魏晋以来有之。”后人看到魏时的《收勘书图》中有“煎茶者”，所以认为煎茶始于魏晋。据《南窗记谈》“饮茶始于梁天监（公元 502 年）中事。”而据王褒《僮约》有“烹茶尽具”之语，说明煎煮茶叶需要一套器具，可见西汉已有烹茶茶具。时至唐代，随着饮茶文化的蓬勃发展，蒸焙、煎煮等技术更加成熟。据《画漫录》记载：“贞元中，常衮为建州刺史，始蒸焙而研之，谓研膏茶，其后稍为饼样，故谓之一串。”茶饼、茶串必须用煮茶茶具煎煮后才能饮用，这样无疑促进了茶具的改革，而进入一个新型茶具时代。

从中世纪后期来看，宋、元、明三代，煮茶器具是使用一种铜制的“茶罏”。据《长物志》记载：宋元以来，煮茶器具叫“茶罏”，亦称“风罏”。陆游《过憎庵诗》曰：“茶罏烟起知高兴，棋子声疏识苦心。”依此说，宋陆游年间就有“茶罏”一名，元代著名的茶罏有“姜铸茶罏”。《遵生八笺》记载：“元时，杭城有姜娘子和平江的王吉二家铸法，名擅当时。”这两家铸法主要精于罏面的拔蜡，使之光滑美观，又在茶罏上有细巧如锦的花纹。“制法仿古，式样可观。”还说“炼铜亦净……”，实指镀金。由此可见，元代茶罏非常精制。时至明朝，社会也普遍使用“铜茶罏”，而其特点是在做工上讲究雕刻技艺，其中有一种饕餮铜罏在明代最为华贵。“饕餮”是古代一种恶兽名，一般在古代钟鼎彝器上多见到这种琢刻的兽形，是一种讲究的琢刻装饰。由此可见，明代茶罏多重在仿古，雕刻技艺十分突出。

中世纪后期，除煮茶用茶罏，还有专门煮水用的“汤瓶”。当时俗称“茶吹”或“铫子”，又有“镣子”之名。最早我国古人多用鼎和镬煮水，《淮南子·说山训》载：“尝一脔肉，知一镬之味。”高诱注：“有足曰鼎，无足曰镬”。从史料记载来看，到中世纪后期，用鼎、镬煮水的古老方法才逐渐被“汤瓶”取而代之。南宋罗大经《鹤林玉露》记载：“茶经以鱼目、涌泉、连珠为煮水之节，然近世（指南宋）沦茶，鲜以鼎镬，用瓶煮水，难以候视，则当以声辨一沸、二沸、三沸。”依罗大经之意，过去（南宋以前）用上口开放的鼎、镬煮水，便于观察水沸的程度，而改用瓶煮水，因瓶口小，难以观察到瓶中水沸的情况，只好靠听水声来判断水沸程度。《鹤林玉露》又说：“陆氏之法，以末就茶，故以第二沸为合量下末。”陆羽是唐朝人，是《茶经》的作者，被认为是我国唐代茶文化兴起的奠基人。这样一个茶家煮水都使用“镬”，足以说明唐代还未曾使用“汤瓶”。又据宋代文学家苏轼在《试院煎茶》中谈到煮水时说“蟹眼已过鱼眼生，飕飕欲作松风鸣……银瓶泻汤夸第二，未识古人煎水意。”苏轼的这段诗词可以作为宋以来煮水用“汤瓶”的又一很好的例证。

明朝论茶煮水使用“汤瓶”更是普遍之事，而且汤瓶的样式品种也较多。从金属种类分，有锡瓶、铅瓶、铜瓶等，当时茶瓶的形状多是竹筒形。《长物志》的作者文震亨说，这种竹筒状汤瓶好处在于“既不漏火，又便于点注（泡茶）。”可见汤瓶既可煮水又可用于泡茶两种功用。明代同时也开始用瓷茶瓶，但因为“瓷瓶煮水，虽不夺汤气，然不适用，亦不雅观。”所以，实际上明代的日常生活中不用瓷茶瓶。明朝“茶瓶”中还有奇形怪状的作品，《颂古联珠通集》中“一口吸尽江南水，庞老不曾明自己，烂碎如泥瞻似天，巩县茶瓶三只嘴。”明朝竟有三只嘴的茶瓶，稀奇到了脱离生活实际的地步。无疑，这种怪异茶瓶只能作为收藏装饰物，仅此而已。

3. 唐宋以来饮茶茶具有新的改进和发展

古代饮茶茶具主要指盛茶、泡茶、喝茶所用器具，这一概念与今所说的茶具基本相同。唐宋以来的饮茶茶具在用料上主要是陶瓷，金属类饮茶茶具在唐宋以来很少见。因为金属茶具泡茶远不如陶瓷品，所以是不能登上所谓茶道雅桌的。唐以来主要变化较大的饮茶茶具有茶壶、茶盏（杯）和茶碗，而这几种茶具与饮茶文化的兴起有直接关系。

1）茶壶

茶壶在唐代以前就有，唐代人把茶壶称“注子”，其意是指从壶嘴里往外倾水。据《资暇录》载：“元和初，酌酒犹用樽杓……注子，其形若罂，而盖、嘴、柄皆具。”罂是一种小口大肚的瓶子，唐代的茶壶类似瓶状，腹部大，便于多装水，口小利于泡茶注水。约到唐末，世人不喜欢“注子”这个名称，甚至将茶壶柄去掉，形如“茗瓶”，因没有提柄，所以又把“茶壶”叫“偏提”。后人把泡茶叫“点注”，就是根据唐代茶壶有“注子”一名而来。

明代茶道艺术越来越精致，对泡茶、观茶色、酌盏、烫壶更有讲究；要达到这样高的要求，茶具也必然要改革创新。如明朝茶壶开始看重砂壶，就是一种新的茶艺追求。因为砂壶泡茶不吸茶香，茶色不损，所以砂壶被视为佳品。据《长物志》载：“茶壶以砂者为上，盖既不夺香，又无热汤气。”说到宜兴砂壶几乎无人不知，而宜兴砂壶正是明朝始有名声。据史料记载，明朝宜兴有一位名叫供春的陶工是使宜兴砂壶享誉的第一人。《阳羡名陶录》记载：“供春，吴颐山家僮也。”吴颐山是一位读书人，在金沙寺中读书，供春在家事之余，偷偷模仿寺中老僧用陶土抟坯，制作砂壶。结果做出的砂壶盛茶香气很浓，热度保持更久，传闻出去，世人纷纷效仿，社会出现争购“供春砂壶”的现象。供春真姓“龚”，所以也写成龚春砂壶。此后又有一个名叫时大彬的宜兴陶工，用陶土或用染色的硇砂土制作砂壶。开始，时大彬模仿“供春”砂壶，壶形比“供春”砂壶更大，一次时大彬到江苏太仓做生意，偶在茶馆中听到“诸公品茶施茶之论”，顿生感悟，回到宜兴后始作小壶。其壶“不务妍媚，而朴雅坚粟，妙不可思……前后诸名家，并不能及。”《画航录》说：“大彬之壶，以柄上拇痕为识。”是说世人以壶柄上识有时大彬拇指印者为贵。从此宜兴砂壶名声远播，流传至今，还是人见人爱的精制茶具。

2）茶盏、茶碗

古代饮茶茶具主要有“茶椀”、“茶盏”等陶瓷制品。茶盏在唐以前已有，《博雅》说：

“盏杯子”，宋时开始有“茶杯”之名。《陆游诗》云：“藤杖有时缘石蹬，风炉随处置茶杯。”现代人多称茶杯或茶盏。茶盏是古代一种饮茶用的小杯，是茶道文化中必不可缺少的器具之一。我国茶文化兴起于汉唐，盛于宋代，茶盏也随同茶文化的盛起而有较大变化。

宋代茶盏非常讲究陶瓷的成色，尤其追求“盏”的质地、纹路细腻和厚薄均匀。据宋蔡襄《茶录》载：“茶白色、宜黑盏，建安所造者绀黑，纹路兔毫，其杯微厚，熁火，久热难冷，最为要用，出他处者，或薄或色紫，皆不及也。其青白盏，斗试家自不用。”依这段史料可以看出，若盛白叶茶，就选用黑色茶盏，说明当时已经注意到茶具的搭配关系，搭配的目的就是为了有更好的茶色与茶香。宋代建安（今福建建瓯）制造的一种稍带红色的黑茶盏，被时人看做佳品。其次可以看到，当时评赏茶盏的质量，还注意茶盏表面的细纹，如建安的绀黑茶盏已经精制到“纹路兔毫”的地步，足见陶艺水平很高。再者看“熁火”。“熁火”之意见《广韵》，曰“火气上”，又《集韵》“火通也”，熁音协，含烫意，这里“熁火”实指茶杯中热气的散发程度。明清时期，江苏的宝应、高邮一带把“熁火”称为“烫手”。宋代建安生产的“绀黑盏”比其他地区产品要厚，所以捧在手中有“久热难冷”的好处，因此被看做宋代茶盏中的一流产品。

《长物志》中还记录有明朝皇帝的御用茶盏，可以说是我国古代茶盏工艺最完美的代表作。“明宣宗喜用尖足茶盏，料精式雅，质厚难冷，洁白如玉，可试茶色，盏中第一。”三足茶盏世属罕见，明宣宗的茶盏形状实在怪异，可见明代陶瓷艺人思维活跃，有所创新。另外，明朝的第十一代皇帝明世宗则喜用坛形茶盏，时称“坛盏”。明世宗的坛盏上特别刻有“金籙大醮坛用”的字样。“醮坛”是古代道士设坛祈祷的场所，因明世宗后期迷信道教，日事“斋醮饵丹药”。他在“醮坛”中摆满茶汤、果酒，经常独自坐醮坛，手捧坛盏，一面小饮一边向神祈求长生不老。

据史料记载，明代贵重的茶盏主要有“白定窑”的产品。白定即指白色定瓷窑，这种窑瓷为宋代建于定州。在定州，窑瓷茶盏上有素凸花、划花、印花、牡丹、萱草、飞凤等花式，又分红、白两种。时人辨别白定瓷的真伪，主要从是否白色滋润，或见釉色如竹丝白纹等判定是否真品。尽管白定窑茶盏色白光滑滋润，但是在明朝白定窑茶盏始终作为“藏为玩器，不宜日用。”为何这样一种外表美观的茶盏不能作为日用品，原因很简单。古人饮茶时，要“点茶”而饮，点茶前先要用热水烫盏，使盏变热，如果盏冷而不热的话，泡出来的茶色不浮，因此也影响到茶色和茶味。白定茶盏的缺点是“热则易损”，即见热易破裂，可谓好看不好用，所以被明人作为精品玩物收藏。

碗，古称“椀”或“盌”。先秦时期，又有“槽盂”一名。《荀子》说：“鲁人以榶，卫人用柯。”（盌谓之榶，盂谓之柯。）《方言》又说：“楚、魏、宋之间，谓之盂。”可见椀、盌、榶、柯都是一种形如凹盆状的生活用品，所以古人称“盂”。现代人习惯上已把碗和盂清楚地分开了。

唐宋时期，用于盛茶的碗叫“茶榶”，茶碗比吃饭用的更小，这种茶具的用途在唐宋诗词中有许多反映。如白居易《闲眠诗》云：“昼日一餐茶两碗，更无所要到明朝。”诗人一餐喝两碗茶，可知古时茶碗不会很大，也不会太小。韩愈《孟郊会合联句》说："雪弦寂寂听，茗碗纤纤捧"。纤纤多形容细，依此说，可以肯定唐代茶碗确实不大，而且也非圆形。从上述不难看出，茶碗也是唐代一种常用的茶具。茶碗当比茶盏稍大，但又不同于如今的饭碗，当是一种"纤纤状"如古代酒盏形。唐宋文人墨客大碗饮茶，从侧面反映出古代文人与饮茶结下了不解之缘。

古代茶具与现代茶具的概念有所不同。唐宋时期所言的茶具似有大、小概念之分。唐、宋、元、明许多诗人笔下的"茶具"主要指与饮茶有关的茶罏、茶壶、茶杯等器具，所以是小概念的。从大概念来看，依唐文学家皮日休《茶具十咏》所指出的有十大件，其中包括制茶、盛茶、烘焙茶具、饮茶有关的器具，甚至包括茶人、茶舍。又按《云溪友议》提到有二十四种茶具，显然，后两者是大概念的茶具，这一概念与今有许多不同。

唐宋以来，铜和陶瓷茶具逐渐代替古老的金、银、玉制茶具，原因主要是唐宋时期，整个社会兴起一股家用铜瓷、不重金玉的风气。铜茶具相对金玉来说，价格更便宜，煮水性能好。陶瓷茶具盛茶又能保持香气，所以容易推广，又受大众喜爱。这种从金属茶具到陶瓷茶具的变化，也从侧面反映出，唐宋以来人们的文化观、价值观，对生活用品实用性的取向有了转折性的改变。在很大程度上说，这是唐宋文化进步的象征。另外这还与唐宋陶瓷工艺生产的发展直接有关。一般来说，我国魏晋南北朝时期瓷器生产开始出现飞跃发展，隋唐以来我国瓷器生产进入一个繁荣阶段。如唐代的瓷器制品已达到圆滑轻薄的地步，唐皮日休说道："邢客与越人，皆能造磁器，圆似月魂堕，轻如云魄起。"当时的"越人"多指浙江东部地区，越人造的瓷器形如圆月，轻如浮云。因此还有"金陵碗，越瓷器"的美誉。王蜀写诗说："金陵含宝碗之光，秘色抱青瓷之响。"宋代的制瓷工艺技术更是独具风格，名窑辈出，如"定州白窑"。宋世宗时有"柴窑"，据说"柴窑"出的瓷器"颜色如天，其声如磬，精妙之极。"北宋政和年间，京都自置窑烧造瓷器，名为"官窑"。宋大观年间，景德镇陶器色变如丹砂，也是为了上贡的需要。宋朝廷命汝州造"青窑器"，其器用玛瑙细末，更是色泽洁莹。当时只有贡御宫廷剩下来一点青窑器方可出卖，"世尤难得"。汝窑被视为宋代瓷窑之魁，史料说当时的茶盏，茶罂（茶瓶）价格昂贵到了"鬻（卖）诸富室，价与金玉等(同)。"世人争为收藏。除上例外，宋代还有不少民窑，如乌泥窑、余杭窑、续窑等生产的瓷器也非常精美。一言以蔽之，唐宋陶瓷工艺的兴起是唐宋茶具改进与发展的根本原因。

7. 4. 2 茶具的发展与演变

中国茶具种类繁多，造型优美，兼具实用和鉴赏价值，为历代饮茶爱好者所青睐。茶具的使用、保养、鉴赏和收藏，已成为专门的学问，世代不衰。茶具又称茶器具，有广义和狭义之分。广义上是泛指完成泡饮全过程所需的设备，器具、用品及茶室用品统称为茶具。狭义上仅指泡和饮的用具，即主茶具。茶具的定义古今并非相同，古代茶具，泛指制茶、饮茶使用的各种工具，包括采茶、制茶、贮茶、饮茶等大类，陆羽《茶经》就是这样概述茶具的。现在所指专门与泡茶有关的专门器具，古时叫茶器，直到宋代以后，茶具与茶器才逐渐合一。《茶经》中详列了与泡茶有关的用具29种、8大类，对茶具总的要求是实用性与艺术性并重，力求有益于茶的汤质，又力求古雅美观。

在原始社会，人类生活简单朴素。韩非子《十遇》及《五蠹》等篇，说到尧的生活是茅草屋、糙米饭、野菜根，饮食器是土缶，以后才发明使用黑陶等。可见茶叶最初的利用阶段，不可能有专用的茶具，大都与其他食品共用，一器多用。以木制或陶制的碗，兼作饮茶器具。茶具的发展与陶瓷生产的发展密切相关，而陶瓷的产生和发展是先陶后瓷，瓷由陶发展而来。浙江余姚河姆渡第四文化层出土的陶器——夹炭黑陶，距今已有7000多年历史，是新石器时代很早的陶器之一。

茶的烹煮方法也随着茶叶生产技术的改进和茶类的发展而不断变化。最早发现野生茶树时，是采集鲜叶，在锅中烹煮成羹汤而食，这时的烹饮方法和器皿很简单。春秋时代，茶叶作为蔬菜，与煮饭菜相同，没有什么特别的烹饮方法和器皿。当人类进入阶级社会以后，奴隶主和贵族阶级的出现，形成有闲阶级，饮酒喝茶有了发展，对器具也有了新的要求，从而出现了专用于贮茶、煮茶和饮茶的器具。茶具的产生，始于奴隶社会，当时主要茶具为煮茶的锅、饮茶用的碗和贮茶用的罐等。随着时代的演变，茶叶消费日广，因消费的茶类不同，习俗不同，消费对象不同，茶具的形式、茶具的配套或茶具的用料等，都不断发生变化。

到了奴隶社会和封建社会交替时期，由于以压制饼茶为主，这时除上述所举煮、饮和贮藏用的茶具外，又添了炙、研末和浇汤用的器具。秦汉时期，泡饮方法是将饼茶捣成碎末放入瓷壶并注入沸水，加上葱姜和橘子调味，饮茶已有简单的专用器皿。从秦汉到唐代，随着饮茶区域和习俗传播的扩大，人们对茶叶功用认识的提高，促使陶器业迅速发展，瓷器也已出现，茶具越来越考究，越来越精巧。

茶具又称茶器，最初都称为茶具，如王褒《僮约》的“烹茶尽具”，指烹茶前要将各种茶具洗净备用，到晋代以后则称为茶器。至唐代，陆羽《茶经》中把采制所用的工具称为茶具，把烧茶泡茶的器具称为茶器，以区别它们的用途。宋代又合二而一，把茶具、茶器合称为茶具，现在也大都统称为茶具。

唐朝中叶，北方茶叶消费量增多，引起了各地瓷窑的兴起，尤以烧制茶具为中心。据陆羽《茶经》记载，当时产瓷茶器的主要地点有越州、岳州、鼎州、婺州、寿州、洪州等，其中以浙江越瓷最为著名。此外，四川、福建等处均有著名瓷窑，如四川大邑生产的茶碗，杜甫有诗称赞：“大邑烧瓷轻且坚，扣如哀玉锦城传。君家白碗胜霜雪，急送茅斋也可怜。”

陆羽说：煮茶与烹茶同，但用锅较大。又说：每炉烧水一升，酌五碗，至少三碗，至多五碗。若人数多，要十碗，就分两炉。说明茶具应与饮茶人数相适应。据陆羽《茶经》“四之器”中所列，煮茶、饮茶、炙茶和贮茶用具共有29件，可见唐朝时茶具的发展已很可观。唐朝煮茶、饮茶的用具非常繁杂，一般百姓不易做到。但生活讲究的家庭都备有24件精致茶具，为全套的碾茶、泡茶、饮茶器具。同时还有收藏器具的精巧小橱，可以携带，以便与人斗茶。当时皇宫贵族多用金属茶具，而民间却以陶瓷茶碗为主。那时瓷制茶碗主要有青釉、白釉两种。我国古代重视品茶，使用茶具也很考究，人们把茶具列为品茶必要的艺术条件，也是客来敬茶的重要工具。

南宋时期多饮团饼茶，饮用时需将团饼碾研、过筛，而后烹煮。南宋《茶具图赞》记载的十二先生，即备茶和饮茶时用的十二种茶具。紫砂茶具始见于北宋欧阳修《和梅公仪尝建茶》诗："喜见紫瓯吟且酌，羡君潇洒有余清"。紫砂茶具中以茶壶最为名贵，宋代诗人苏轼谪居宜兴时，提梁式的紫砂茶壶，被命名为"东坡壶"，沿用至今。

宋代饮用末茶，多采用盅或盏，盅托就更为普遍，而制作比唐朝更加精细多姿。宋代以后，我国饮茶方法随着茶叶加工方法的逐渐改变，开始不加调味而饮茶了。茶具主要有茶碾、茶罗、茶盏、茶杓和茶瓶等，饮茶多不用碗而用盏。茶具所用材料除普通陶瓷外，也有用金银的，人们当以"金银为优"。到了元代、明代，除边疆人民饮茶用煮饮外，散、末茶的饮用增多，不用煎煮而用"撮泡"，即开水冲泡，茶具种类简化，而质量却有提高。宋末开始发明蒸青散茶制法，饮用散茶时不碾成碎末，全叶冲泡，不用盐调味，重视茶叶固有香味。蔡襄在皇佑元年至五年间写的《茶录》是当时的代表作，在下篇器论中，详述了茶焙、茶笼、砧椎、茶罗、茶盏、茶匙、汤瓶的性质用法与茶汤品质的关系。宋代以后，饮茶偏重于品，茶具有了较多变化。许次纾《茶疏》道："其在今日，纯白为佳，兼贵于小。"

元代茶壶的变化主要在于壶的流子（嘴），宋代流子多在肩部，元代则移至腹部。这时江西景德镇青花瓶异军突起，闻名于世。青花瓶不仅为国内珍爱，而且远销国外，特别是日本，因"茶汤之祖"珠光氏特别喜爱这种茶具，后来青花茶具又定名为"珠光青瓷"。天目茶碗也传至日本，12世纪至14世纪，日本僧人到我国天目山佛寺学习，曾带回天目山茶碗，这种茶碗施有黑釉，因此在日本，人们把这种带黑釉的陶瓷通称为天目瓷。

明代时，茶具瓷色尚白，器形贵小，当时许多瓷窑多生产小而精巧、色白的茶具。同时还出现一种"茶洗"，形状如碗和盂，底部有孔，用于饮茶之前冲洗茶叶。明代中期以后，又出现了用瓷壶和紫砂壶的风尚。

到了清代，广州织金彩瓷、福州脱胎漆器等茶具相继而起。茶具以"瓷器为上"，"黄金为次"。清代以后，除边疆少数民族外，茶具慢慢形成了以瓷器和玻璃器具为主的局面。中国瓷器向来知名世界，饮中国茶，又用中国茶具方为完美。茶与茶具结合，推动了中国茶文化向外扩展。自明以来，我国出口贸易中茶与瓷器皆为大宗，近代更是如此。直至现代，中国茶具仍为世界各国所喜爱，小小茶具对推动中外文化交流起了重要作用。

7.4.3 茶具的种类

冲泡茶叶，除好茶、好水外，还要有好的器皿。在陆羽《茶经》里列举了煮茶和饮茶的29种器皿。这是由于当时的茶类、饮茶习惯和物质条件与现在迥然不同，所以器皿十分复杂。如今茶具，通常是指茶壶、茶杯、茶碗、茶盘、茶盅、茶托等饮茶用具。

我国茶具种类繁多，各种茶具的结构、特点及其艺术价值，包含着极为丰富的内容，早已有人将其列为“茶具文化”进行专题研究。日常生活中使用茶具，要根据茶叶的种类、人数的多少以及各地饮茶习惯而定。

东北、华北一带，大多喜饮花茶，一般常用较大的瓷壶泡茶，然后斟入瓷杯饮用，壶的大小视人数多少而定。江南一带普遍爱好炒青或烘青绿茶，多用有盖瓷杯泡茶。福建、台湾和广东等省和东南亚地区的华侨，对乌龙茶特别喜爱，宜用紫砂茶具。工夫红茶和红碎茶，一般也用瓷壶或紫砂壶冲泡，然后倒入杯中饮用。品饮各种名茶，如西湖龙井、君山银针、洞庭碧螺春等茶中珍品，则以选用无色透明的玻璃杯最为理想。品饮绿茶类名茶或其他细嫩绿茶，不论用何种茶杯，均宜小不宜大。用大杯则水量多，热量大，使茶叶容易“烫熟”，影响茶汤的色香味。冬季，有人常喜用一种保温杯，这种杯只适用于泡乌龙茶或红茶等，不适宜泡绿茶，尤其不适宜泡高级绿茶和名茶。四川、安徽等地还流行喝盖碗茶，盖碗由碗盖、茶碗和碗托三部分组成，个人泡饮或多人泡饮都适宜。以上各种茶壶、茶杯、茶碗，是最常用的泡茶器皿，此外，还有一些配套茶具，如茶船、茶盅、茶荷、茶巾、茶匙、茶盘、茶托和茶罐等。

从茶具材料质地来看，我国的茶具种类有陶器、瓷器、铜器、锡器、金器、银器、玉器、玛瑙、漆器、景泰蓝等。到了现代，则以陶器和瓷器茶具为主，还有玻璃茶具、搪瓷茶具等，更是百花齐放，千姿百态。由于各地饮茶习惯、茶类及自然气候条件不同，茶具可以灵活运用。

一般来说，现在通行的茶具以瓷器、玻璃居多，陶器次之，搪瓷又次之。各类茶具中以瓷器茶具、陶器茶具最好，玻璃茶具次之，搪瓷茶具再次之。因为，瓷器茶具传热不快，保温适中，茶不会发生化学反应，沏茶能获得较好的色香味，而且造型美观，装饰精巧，具有艺术欣赏价值。陶器茶具，造型雅致，色泽古朴，特别是宜兴紫砂为陶中珍品，用来沏茶，香味醇和，汤色澄清，保温性能好，即使夏天茶汤也不易变质。但由于陶器不透明，沏茶后难以欣赏杯中的芽叶美姿，是其缺陷。如果用玻璃茶具冲泡名茶，如龙井、碧螺春、君山银针、瓜片等，杯中轻罗缥缈，澄清一碧，茶芽朵朵，亭亭玉立，或旗枪交错，上下沉浮，饮之沁人心脾，观之赏心悦目，别有风趣，充分发挥了玻璃器具透明的优越性。至于搪瓷茶具也有它的优点，虽然欣赏价值比不上上述几种，且家庭、办公室不太适宜，敬客不够庄重，但经久耐用，携带方便。至于塑料茶具，因质地关系，对茶味有影响，除临时使用外，平时都不适宜。尤其忌用塑料保暖杯冲泡高级绿茶，因杯中长期保温，使茶汤泛红，香气低闷，并有熟味，大煞风景。我国目前的茶具，仍以“景瓷”和“宜陶”最为流行和名贵，普遍受到饮茶爱好者的欢迎。

1. 瓷器茶具

我国茶具最早以陶器为主，瓷器发明后，陶质茶具就逐渐为瓷质茶具所代替。瓷器茶具又可分为白瓷茶具、青瓷茶具和黑瓷茶具等。

1）白瓷茶具（图 7-1）

唐代饮茶之风大盛，促进了茶具生产的相应发展，全国有许多地方的瓷业都很兴旺，形成了一批以生产茶具为主的著名窑场。各窑场争美斗奇，相互竞争。白瓷早在唐代就有“假白玉”之称，其中以江西景德镇出产的最为著名。北宋时，景德镇生产的瓷器茶具，质薄光润，白里泛青，雅致悦目，并有影青刻花、印花和褐色点彩装饰。“商人重利轻别离，前月浮梁买茶去。”浮梁即今景德镇，在唐代就能生产质量很高的茶具。南宋时，景德镇湖田窑成功地制成了褐黄、天蓝、微青细条纹的所谓兔毫盏。景瓷茶具大都配有精巧的装饰，如外壁绘有山川河流、四季花草、飞禽走兽、人物故事等精美绘图，或几行颇蓄哲理的劲道书法，具有较高的审美价值。用这种茶具冲泡名茶，在品饮茶叶的同时，观赏茶具，更别有一番情趣。除景瓷外，也不乏其他名瓷，唐陆羽《茶经》提到：“碗，越州上，鼎州次，婺州次……”、“邢瓷类银，越瓷类玉”、“邢瓷白而茶色丹，越瓷青而茶色绿。”

白瓷龙首双身壶

白釉瓷注壶

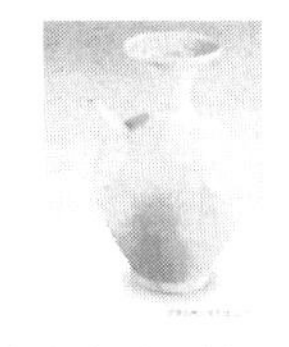
定窑白釉瓜棱形壶

定窑白釉龙首瓷汤瓶

饶州窑白釉高托瓷盏

定窑白釉瓷托盏

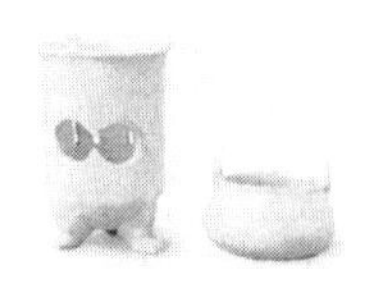
定窑白釉瓷风炉与瓷鍑

白瓷壶

邢州窑白釉瓷碗

德化窑白釉贴花瓷杯

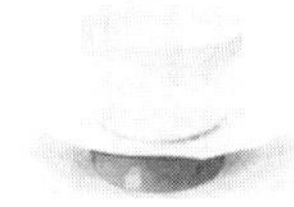

定窑白釉托盏

定窑白釉瓷碗

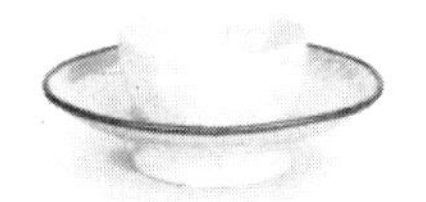
定窑白釉银边托盏

白瓷茶臼

白釉带把八棱瓷杯

图 7-1 白瓷茶具

2）青瓷茶具（图 7-2）

青瓷茶具晋代开始发展，那时青瓷的主要产地在浙江，最流行的是一种叫“鸡头流子”的有嘴茶壶。六朝以后，许多青瓷茶具绘有莲花纹饰。唐代的茶壶又称“茶注”，壶嘴称“流子”，形式短小，取代了晋时的鸡头流子。

宋代饮茶，盛行茶盏，使用盏托也更为普遍。茶盏又称茶盅，实际上是一种小型茶碗，它利于发挥和保持茶叶的香气滋味，非常符合科学道理。茶杯过大，不仅香味易散，且注入开水多，载热量大，容易烫熟茶叶，使茶汤失去鲜爽味。由于宋代瓷窑的竞争和技术的提高，使得茶具种类增加，出产的茶盏、茶壶、茶杯等品种繁多，式样各异，色彩雅丽，风格大不相同。宋时，五大名窑之一的浙江龙泉哥窑达到鼎盛时期，生产各类青瓷器，包括茶壶、茶碗、茶盏、茶杯、茶盘等，瓯江两岸盛况空前，群窑林立，烟火相望，运输船舶往返如梭，一派繁荣景象。

釉鸡首壶 越窑莲花纹碗 青釉盏托 越窑青黄釉盒 青釉瓷茶瓶 青釉刻花瓷汤瓶

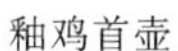

青釉海棠式碗 青釉碗 青釉杯 青釉贴花凤纹镂孔盏托 青釉雕花三足盖罐

越窑青釉瓷茶碗 越窑青釉带托瓷茶碗 汝窑盏托 钧窑天青釉瓷盏托 莲瓣青釉碗

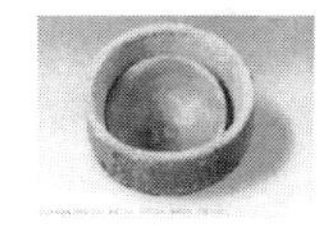 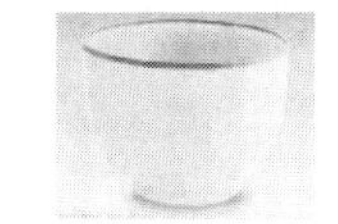   

沙边窑青釉碗与匣钵 龙泉窑粉青莲瓣碗 青釉六出花瓣瓷碗 耀州窑青瓷碗 耀州窑青釉仰莲纹瓷碗

图 7-2 青瓷茶具

3）黑瓷茶具（图 7-3）

宋代斗茶之风盛行，斗茶者根据经验认为建安窑所产的黑瓷茶盏用来斗茶最为适宜，因而驰名。宋蔡襄《茶录》说：“茶色白，宜黑盏，建安所造者绀黑，纹如兔毫，其坯微厚，……最为要用。出他处者，或薄或色紫，皆不及也。其青白盏，斗试家自不用。”这种黑瓷兔毫茶盏，风格独特，古朴雅致，而且磁质厚重，保温性能较好，故为斗茶行家所珍爱，而其他瓷窑也竞相仿制。

  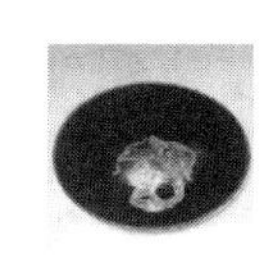  

黑釉执壶 鼎州窑黑釉瓷注壶 黑釉木叶纹盏 油滴盏 玳瑁盏

 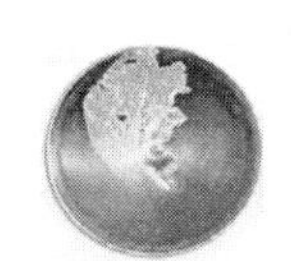 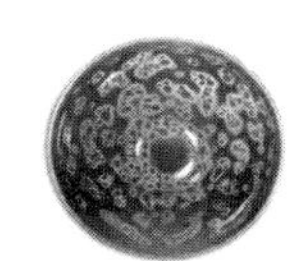  

建窑兔毫盏 黑釉贴花瓷碗 黑釉“曜变”茶碗 黑釉兔毫茶碗 黑釉瓷汤瓶

图 7-3 黑瓷茶具

2. 玻璃茶具（图 7-4）

在现代，玻璃器皿有较大发展。玻璃质地透明，光泽夺目，外形可塑性强，形态各异，用途广泛。玻璃杯泡茶，茶汤的鲜艳色泽，茶叶的细嫩柔软，茶叶在整个冲泡过程中的上下穿动，叶片的逐渐舒展等，可以一览无余，可视为一种动态的艺术欣赏。特别是冲泡各类名茶，茶具晶莹剔透，杯中轻雾缥缈，澄清碧绿，芽叶朵朵，亭亭玉立，观之赏心悦目，别有风趣。而且玻璃杯价廉物美，深受广大消费者欢迎。但其缺点是容易破碎，比陶瓷烫手。

3. 漆器茶具（图 7-5）

漆器茶具始于清代，主要产于福建福州一带。福州的漆器茶具多姿多彩，有"宝砂闪光"、"金丝玛瑙"、"釉变金丝"、"仿古瓷"、"雕填"、"高雕"和"嵌白银"等品种，特别是创造了红如宝石的"赤金砂"和"暗花"等新工艺以后，更加鲜丽夺目，惹人喜爱。

玻璃茶具　琉璃茶碗拓子　素色漆盏托　素漆托盏　素漆碗

图 7-4　玻璃茶具　　图 7-5　漆器茶具

4. 陶土茶具（图 7-6）

陶土器具是新石器时代的重要发明，最初是粗糙的土陶，然后逐步演变为比较坚实的硬陶，再发展为表面敷釉的釉陶。宜兴古代制陶颇为发达，在商周时期，已出现几何印纹硬陶。秦汉时期，已有釉陶的烧制。

陶器中的佼佼者首推宜兴紫砂茶具，早在北宋初期已经崛起，成为独树一帜的优质茶具，明代大为流行。紫砂壶和一般陶器不同，其里外都不敷釉，采用当地的紫泥、红泥、团山泥焙烧而成。由于成陶火温较高，烧结密致，胎质细腻，既不渗漏，又有肉眼看不见的气孔，经久使用，还能汲附茶汁，蕴蓄茶味；且传热不快，不致烫手。若热天盛茶，不易酸馊。即使冷热剧变，也不会破裂。若有必要，甚至还可直接放于炉灶上煨炖。紫砂茶具还具有造型简练大方，色调淳朴古雅的特点，外形有似竹节、莲藕、松段和仿商周古铜器形状。《桃溪客语》说"阳羡（今宜兴）瓷壶自明季始盛，上者与金玉等价。"可见其名贵。明文震亨《长物志》记载："壶以砂者为上，盖既不夺香，又无熟汤气。"

近年来，紫砂茶具有了更大发展，新品种不断涌现。瓷器茶具的发展，使陶制茶具相形见绌，但紫砂陶具，却能与瓷器茶具争名于世，以致有人将紫砂茶具称之为紫色瓷器。

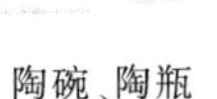
陶碗、陶瓶

紫砂子母暖壶

泥绘方壶

紫砂茶叶罐

三足带杓茶叶罐

时大彬乌钢砂壶

紫砂提梁壶

玉麟款紫砂方斗壶

陶碗、陶瓮

陶碗

彩陶圈足碗

藏族嵌瓷陶壶

图 7-6　陶土茶具

5. 竹木茶具（图 7-7）

在历史上，广大农村，包括产茶区，很多使用竹或木碗泡茶，它价廉物美，经济实惠，但现代已很少采用。至于用木罐、竹罐装茶，则仍然随处可见，特别是作为艺术品的黄阳木罐和二簧竹片茶罐，既是一种馈赠亲友的珍品，也有一定的实用价值。

大亨款束竹八卦紫砂壶

竹制茶具

梅花茶具

图 7-7　竹木茶具

6. 金属茶具（图 7-8）

我国除有上述茶具以外，历史上还有用金、银、铜、锡等金属制作的茶具。尤其是用锡作为贮茶器具材料有较大的优越性。锡罐多制成小口长颈，盖为筒状，比较密封，因此对防潮、防氧化、防光、防异味都有较好的效果。唐时皇宫饮用顾渚茶、金沙泉，便以银瓶盛水，直送长安，主要因其不易破碎，但造价较昂贵，一般老百姓无法使用。至于金属作为泡茶用具，一般行家评价并不高，如明朝张谦德所著《茶经》，就把瓷茶壶列为上等，金、银壶列为次等，铜、锡壶则属下等，为斗茶行家所不屑采用。到了现代，金属茶具已基本上销声匿迹。

金银丝结条茶笼子

掐丝团花纹金杯

鎏金银盐台

长流银注壶

梅花瓣形银茶托

铜荷花瓣托盏

鎏金天马流云纹银茶碾

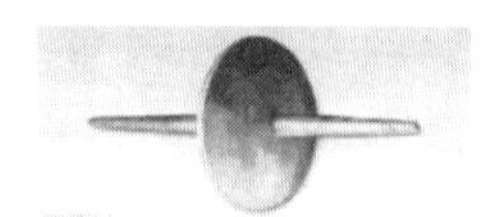
鎏金银茶碾

银火筋

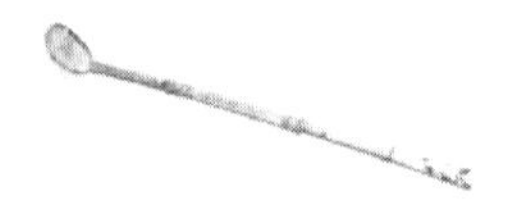
鎏金飞鸿纹银匙

鎏金摩羯纹蕾钮银盐台

鎏金银龟茶榼

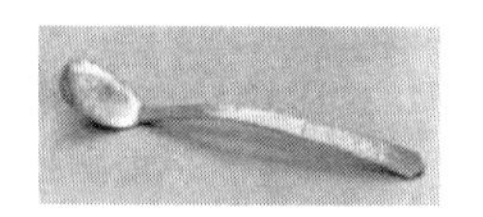
鎏金飞鸿纹银则

鎏金“鸿雁于飞”纹银笼子

鎏金仙人驭鹤纹银茶罗

银执壶

鎏金银汤瓶

鎏金刻梅花纹银碗

鎏金银荷叶托盏

图 7-8　金属茶具

7. 其他茶具（图 7-9）

中国历史上还有用玉石、水晶、玛瑙等材料制作茶具的，但总的来说，在茶具史上仅居很次要的地位，因为这些器具制作困难，价格高昂，并无多大实用价值，主要作为摆设，用来显示主人富有而已。

犀角雕花卉蟠螭杯

雕象牙小杯

石茶盘

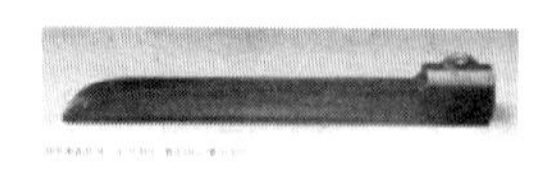
羚羊角茶荷

图 7-9　其他茶具

7.5 茶道

中国茶道早在唐宋时期传到日本，经日本人总结提高，形成了日本茶道。随着改革开放的进一步深化，人们迫切希望挖掘中国茶道这块瑰宝，弘扬中华茶文化。古人饮茶，注重一个“品”字。“品茶”不但鉴别茶的优劣，也带有神思遐想和领略饮茶情趣之意。生活在现今社会的人们，工作繁忙，很少有古人的闲情逸致，然而，品茶也并非全不可能，有人能在百忙之中泡上一壶浓茶，择雅静之处，自斟自饮，消除疲劳，涤烦益思，振奋精神。

“茶道”可简单地解释为茶之道，是指沏茶、品茶的一定程序。提起茶道，普遍认为它是日本的传统艺术形式，其实茶道源于中国。唐宋时期，由日本的留学生从中国传入日本，甚至茶道一词最早也见于唐代的《封氏闻见记》。南宋时期被日本人尊为“茶祖”的禅师荣西，曾两度来到中国学佛，回国时带回了茶籽和种茶技术，后由高僧千利休把茶道推广到民间，成为颇具特色的日本传统饮茶习俗。

日本茶道是一种综合文化艺术形式，是一种以饮茶为手段的礼仪规范，程序完善复杂。茶道涉及的学科很多，如哲学、宗教、历史、文化、艺术、礼仪等，日本茶道的核心是“和、敬、清、寂”。“和”指和平、祥和，“敬”指尊敬、互敬，“清”指清洁、清爽，“寂”指幽寂、苦寂。这种茶道精神一直是茶人追求的目标。随着时代的发展和茶道的日益普及，茶道已经走出日本狭窄的天地，在世界许多国家扎根，其精神含义则更深更广，茶道的追求目标上升为争取世界和平。茶除了其物质属性外，其精神属性应为“和”。朋友相聚要喝茶，喝茶时总有一种祥和、谦让的心境。如果大家都用这种心情待人接物，社会就会安定，战争就会远离生活，这便是茶道的精神所在。

茶饮具有清新、雅逸的天然特性，能静心、静神，有助于陶冶情操、去除杂念、修炼身心。这与提倡“清静、恬淡”的东方哲学思想很合拍，也符合佛、道、儒的“内省修行”思想。因此，我国历代社会名流、文人骚客、商贾官吏、佛道人士都以崇茶为荣，特别喜好在品茗中吟诗议事、调琴歌唱、弈棋作画，以追求高雅的享受。

“茶道”是一种以茶为媒的生活礼仪，也被认为是修身养性的一种方式，它通过沏茶、赏茶、饮茶，增进友谊，美心修德，学习礼法，是很有益的一种和美仪式。茶道最早起源于中国，中国人至少在唐或唐以前，就在世界上首先将茶饮作为一种修身养性之道。唐朝《封氏闻见记》中就有这样的记载：“茶道大行，王公朝士无不饮者。”这是现存文献中对茶道的最早记载。在唐朝，寺院僧众念经坐禅，皆以茶为饮，清心养神。当时社会上茶宴已很流行，宾主在以茶代酒、文明高雅的社交活动中，品茗赏景，各抒胸襟。唐代吕温在《三月三茶宴序》中对茶宴的优雅气氛和品茶的美妙韵味，作了非常生动的描绘。在唐宋年间人们对饮茶的环境、礼节、操作方式等饮茶仪程都已很讲究，有了一些约定俗成的规矩和仪式，茶宴已有宫廷茶宴、寺院茶宴、文人茶宴之分，而且对茶饮在修身养性中的作用也有相当深刻的认识。宋徽宗赵佶是一个茶饮爱好者，他认为茶的芬芳品味，能使人闲和宁静、趣味无穷。“至若茶之为物，擅瓯闽之秀气，钟山川之灵禀，祛襟涤滞，致清导和，则非庸人孺子可得知矣。中澹间洁，韵高致静……”。

南宋绍熙二年日本僧人荣西首次将茶种从中国带回日本，从此日本才开始遍种茶叶。在南宋末期日本南浦昭明禅师来到我国浙江余杭的径山寺求学取经，学习了该寺院的茶宴仪程，首次将中国的茶道引进日本，成为中国茶道在日本的最早传播者。日本《类聚名物考》对此有明确记载：“茶道之起，在正元中筑前崇福寺开山南浦昭明由宋传入。”日本《本朝高僧传》也有：“南浦昭明由宋归国，把茶台子、茶道具一式带到崇福寺”的记述。直到日本丰臣秀吉时代（相当于我国明朝中后期）千利休成为日本茶道高僧后，才高高举起了“茶道”这面旗帜，并总结出茶道四规：“和、敬、清、寂”，显然这个基本理论是受到中国茶道精髓的影响而形成的，其主要的仪程框架规范仍源于中国。

中国的茶道早于日本数百年甚至上千年，但遗憾的是中国虽然最早提出了“茶道”的概念，也在该领域中不断实践探索，并取得了很大成就，却未能旗帜鲜明地以“茶道”的名义来发展这项事业，也没有规范出具有传统意义的茶道礼仪，以至使不少人误以为茶道来源于他邦。中国的茶道可以说是重精神而轻形式。

泡茶本是一件很简单的事情，简单得只要两个动作就可以了：放茶叶、倒水。但在茶道中，仪式又过于复杂或者过于讲究，一般百姓肯定不会把日常的这件小事搞得如此复杂。事实上，中国茶道并没有仅仅满足于以茶修身养性的发明和仪式的规范，而是更加大胆地去探索茶饮对人类健康的真谛，创造性地将茶与中药等多种天然原料有机地结合，使茶饮在医疗保健中的作用得以大大增强，使之获得一个更大的发展空间。这就是中国茶道最具实际价值的方面，也是千百年来一直受到人们重视和喜爱的魅力所在。

7.5.1 中国茶道的基本精神

茶道不同于茶艺，它不但讲究表现形式，而且注重精神内涵。何为茶道的精神内涵，日本学者把茶道的基本精神归纳为“和、敬、清、寂”。“和”不仅强调主人对客人要和气，客人与茶事活动也要和谐。“敬”表示相互承认，相互尊重，做到上下有别，有礼有节。“清”是要求人、茶具、环境都必须清洁、清爽、清楚，不能有丝毫马虎。“寂”是指整个茶事活动要安静，神情要庄重，主人与客人都怀着严肃的态度，不苟言笑地完成整个茶事活动。

中国人的民族特性是崇尚自然，朴实谦和，不重形式。饮茶也是这样，不像日本茶道那样具有严格的仪式和浓厚的宗教色彩。但茶道毕竟不同于一般的饮茶，在中国，饮茶分为两类：一类是“混饮”，即根据个人的口味嗜好，在茶中加盐、糖、奶或葱、橘皮、薄荷、桂圆、红枣等；另一类是“清饮”，即在茶中不加入任何有损茶本味与真香的配料，只用开水泡茶来喝。“清饮”又可分为四个层次：将茶当饮料解渴，大碗海喝，称之为“喝茶”；如果注重茶的色香味，讲究水质茶具，喝时又能细细品味，称之为“品茶”；如果讲究环境、气氛、音乐、冲泡技巧及人际关系等，则可称之为“茶艺”；而在茶事活动中融入哲理、伦理、道德，通过品茗来修身养性、陶冶情操、品味人生、参禅悟道，达到精神上的享受，这才是中国饮茶的最高境界——茶道。中国茶道基本精神是和、静、怡、真。

(1) “和”是中国茶道哲学思想的核心。“和”是儒、佛、道三教共通的哲学思想理念。茶道所追求的“和”源于《周易》中的“保合太和”，意指世间万物皆有阴阳两要素构成，阴阳协调，保全大和之元气，以普利万物才是人间正道。陆羽在《茶经》中对此论述得很明白，惜墨如金的陆羽不惜用250个字来描述它设计的风炉，指出，风炉用铁铸从“金”；放置在地上从“土”；炉中烧的木炭从“木”；木炭燃烧从“火”；风炉上煮的茶汤从“水”。煮茶的过程就是金木水火土相生相克，并达到和谐平衡的过程。可见五行调和理念是茶道的哲学基础。

儒家从“太和”的哲学理念中推出“中庸之道”的中和思想。在儒家眼里“和”是中、是度、是宜、是当，“和”是一切恰到好处，无过亦无不及。儒家对和的诠释，在茶事活动中表现得淋漓尽致。在泡茶时，表现为“酸甜苦涩调太和，掌握迟速量适中”的中庸之美。在待客时表现为“奉茶为礼尊长者，备茶浓意表浓情”的明礼之伦。在饮茶过程中表现为“饮罢佳茗方知深，赞叹此乃草中英”的谦和之仪。在品茗的环境与心境方面表现为“朴实古雅去虚华，宁静致远隐沉毅”的俭德之行。

(2) “静”是中国茶道修习的必由之径。中国茶道是修身养性，追寻自我之道，静是中国茶道修习的必由途径。如何从小小的茶壶中去体悟宇宙的奥秘？如何从淡淡的茶汤中去品味人生？如何在茶事活动中明心见性？如何通过茶道的修习来涤荡精神，锻炼人格，超越自我？答案只有一个——静。

老子说：“至虚极，守静笃，万物并作，吾以观其复。夫物芸芸，各复归于其根。归根曰静，静曰复命。”孔子说：“水静则明烛须眉，平中准，大匠取法焉。水静伏明，而况精神。圣人之心，静乎，天地之鉴也，万物之镜也。”老子和孔子所启示的“虚静观复法”是人们明心见性，洞察自然，反观自我，体悟道德的无上妙法。道家的“虚静观复法”在中国的茶道中演化为“茶须静品”的理论与实践。苏东坡在《汲江煎茶》诗中写道：“活水还须活火烹，自临钓石取深清。大瓢贮月归春瓮，小杓分江入夜瓶。雪乳已翻煎处脚，松风忽作泻时声。枯肠未易禁散碗，坐听荒城长短更。”生动描写了苏东坡在幽静的月夜临江汲水煎茶品茶的妙趣，堪称描写茶境虚静清幽的千古绝唱。

中国茶道正是通过茶事创造一种宁静的氛围和一个空灵虚静的心境，当茶的清香静静地浸润你的心田和肺腑的每一个角落时，你的心灵便在虚静中显得空明，你的精神便在虚静中升华净化，你将在虚静中与大自然融涵玄会，达到“天人合一”的“天乐”境界。得一静字，便可洞察万物、心中常乐。“禅茶一味”，道家主静，儒家主静，佛教更主静。在茶道中以静为本，以静为美的诗句有很多。唐代皇甫曾的《陆鸿渐山人采茶回》云：“千峰待逋客，香茗复丛生。采摘知深处，烟霞羡独行。幽期山寺远，野饭石泉清。寂寂燃灯夜，相思一磬声。”这首诗写的是境之静。宋代杜小山有诗云：“寒夜客来茶当酒，竹炉汤沸火初红。

寻常一样窗前月，才有梅花便不同。”写的是夜之静。清代郑板桥诗云：“不风不雨正清和，翠竹亭亭好节柯。最爱晚凉佳客至，一壶新茗泡松萝。”写的是心之静。

在茶道中，静与美常相得益彰。古往今来，无论羽士、高僧还是名宦、大儒，都殊途同归地把“静”作为茶道修习的必经大道。因为静则明，静则虚，静可虚怀若谷，静可内敛涵藏，静可洞察明澈，体道入微。可以说：“欲达茶道通玄境，除却静字无妙法。”

(3) “怡”是中国茶道修习中茶人的身心感受。“怡”指和悦、愉快之意。中国茶道是雅俗共赏之道，体现于日常生活之中，不讲形式，不拘一格，突出体现了道家“自恣以适己”的随意性。同时，不同地位、不同信仰、不同文化层次的人对茶道有不同的追求。历史上王公贵族讲茶道，重在“茶之珍”，意在炫耀权势，夸示富贵，附庸风雅。文人学士讲茶道重在“茶之韵”，托物寄怀，激扬文思，交朋结友。佛家讲茶道重在“茶之德”，意在驱困提神，参禅悟道，间性成佛。道家讲茶道重在“茶之功”，意在品茗养生，保生尽年，羽化成仙。普通百姓讲茶道重在“茶之味”，意在去腥除腻，涤烦解渴，享受人生。无论何人都可以在茶事活动中取得生理上的快感和精神上的畅适与心灵上的怡悦。

参与中国茶道，可抚琴歌舞，可吟诗作画，可观月赏花，可论经对弈，可独对山水，可潜心读《易》，亦可置酒助兴。儒生可“怡情悦性”，羽士可“怡情养生”，僧人可“怡然自得”。中国茶道的这种怡悦性，正是区别于强调“清寂”的日本茶道的根本标志之一，使其有着极广泛的群众基础。

(4) “真”是中国茶道的终极追求。中国人不轻易言“道”，而一旦论道，则执著于“道”，追求于“真”。“真”是中国茶道的起点，也是中国茶道的终极追求。中国茶道在从事茶事时所讲究的“真”，不仅包括茶应是真茶、真香、真味；环境最好是真山真水；挂的字画最好是名家名人的真迹；用的器具最好是真竹、真木、真陶、真瓷，还包含了对人要真心，敬客要真情，说话要真诚，心境要真闲。茶事活动的每个环节都要认真，每个环节都要求真。

中国茶道追求的“真”有三重含义：第一，追求道之真，即通过茶事活动追求对“道”的真切体悟，达到修身养性，品味人生之目的；第二，追求情之真，即通过品茗述怀，使茶友之间的真情得以发展，达到茶人之间互见真心的境界；第三，追求性之真，即在品茗过程中，真正放松自己，在无我的境界中放飞自己的心灵，放牧自己的天性，达到“全性葆真”。

中国茶道思想融合了儒、道、佛诸家的精华而成，其中儒家思想是主体，在不同朝代的应变、发展中表现出强大的生命力。其特点是时时刻刻，无处不在。儒家主张在饮茶中沟通思想，创造和谐气氛，增进友情，且各家茶文化精神都是以儒家的中庸为前提。清醒、达观、热情、亲和与包容，构成儒家茶道精神的欢快格调，这既是中国茶文化的主基调，也是与佛教禅宗的重要区别。儒家茶道寓教于饮，寓教于乐，在民间茶礼、茶俗中，儒家的欢快精神表现得特别明显。

7.5.2 中日茶道的比较

中国茶文化历史悠久、层次复杂、内容丰富，而日本茶道自成体系，有其严格的程式。但是总的来说都是取茶的清心、静气、养神、助智等精义，应该说都是健康向上的。有学者认为，日本的茶道与中国的茶道有渊源关系，中国茶文化与日本茶道主要有以下几点明显区别。

(1) 中国茶文化以儒家思想为核心，融儒、道、佛为一体，三者之间互相补充的多、相互抵触的少，从而使中国茶文化的内容非常丰富，从哪个层次、哪个方面讲都可以做出鸿篇大论来。日本茶道则主要反映中国禅宗思想，当然也融进日本国民的精神和思想意识。中国人“以茶利礼仁”、“以茶表意”、“以茶可行道”、“以茶可雅志”，这四条都是通过饮茶贯彻儒家的礼、义、仁、德等道德观念以及中庸和谐的精神。日本茶道的“和、敬、清、寂”，公开申明的“茶禅一位”，吸收了中国茶文化思想的部分内容，它规劝人们要和平共处，互敬互爱，廉洁朴实，修身养性。

(2) 日本茶道程式严谨，强调古朴、清寂之美，而中国茶文化更崇尚自然美、随和美。日本茶道主要源于佛教禅宗，提倡空寂之中求得心物如一的清静之美是顺理成章的。但它的“四规”、“七则”似乎过于拘重形式，打躬静坐，世人很少能感受到畅快自然。中国茶文化最初由饮茶上升为精神活动，与道教的追求清静无为的神仙世界很有渊源关系，作为艺术层面的中国茶文化强调自然美学精神便成了一种传统。但是中国的茶道没有仪式可循，往往也就道而无道，影响了茶文化精髓作用的发挥和规范传播。所以一说茶道，往往首推日本。

(3) 中国茶文化包含社会各个层次的文化，而日本茶文化尚未具备全民文化的内容。中国茶文化自宋代深入市民阶层，其最突出的代表便是大小城镇广泛兴起的茶楼、茶馆、茶亭、茶室。在这种场合，士农工商都把饮茶作为友人欢会、人际交往的手段，成为生活本身的内容，民间不同地区更有极为丰富的“茶民俗”。日本人崇尚茶道，有许多著名的世家，茶道在民众中亦很有影响，但其社会性、民众性尚未达到广泛深入的层面。也就是说，中国的茶道更具有民众性，日本的茶道更具有典型性。

7.6 饮茶习俗

茶俗是民间风俗的一种，它是民族传统文化的积淀，也是人们心态的折射，它以茶事活动为中心，贯穿于人们的生活之中，并且在传统的基础上不断演变，成为人们文化生活的一部分。我国地域辽阔，人口众多，民族众多，饮茶习俗千姿百态，内容丰富，各呈风采。自古以来就有以茶待客、以茶会友、以茶联谊等形式。由古代沿袭下来的饮茶习俗，至今在有的农村或茶艺馆还依然可见，形成了独特的茶文化。

7.6.1 以茶敬客

我国是礼仪之邦，客来敬茶是我国人民传统的、最常见的礼节。早在古代，不论饮茶的方法如何简陋，但它已成为日常待客的必备饮料。客人进门，敬上一杯热茶，表达了主人的一片盛情。在我国历史上，不论富贵之家或贫困之户，不论上层社会或平民百姓，莫不以茶为应酬品。

敬茶不但要讲究茶叶的质量，还要讲究泡茶的艺术。有些时候，有人还有看人“下茶”的习惯，这当然是不足取的。实际上，敬茶要分对象，但不是以身份地位，而是应视对方的不同习俗。

饭前饮茶寒暄，饭后又继续饮茶叙谈，借茶表意，其乐无穷，我国人民重情好客的传统美德在饮茶上表现得淋漓尽致。而且，这种好的习俗一直流传到现在。南宋时，临安（今杭州）每年“立夏”之日，家家各烹新茶，并配以诸色细果，馈送亲友比邻，俗称“七家茶”，这种习俗，今日杭州郊区农村还保留着。

我国南方及北方的农村，新春佳节客人来访时，主人总要先泡一壶茶，然后端上糖果、甜食之类，配饮香茗，以示祝愿新年甜美。我国边疆的少数民族待客十分诚挚，礼仪十分讲究。到蒙古包去做客，主人会躬身迎接，让出最好的铺位，献上香美的奶茶、糖果、点心。到布朗族村寨去做客，主人会用清茶、花生、烤红薯等款待。另外，在饮茶习俗上，除用于招待来访之客外，也用于正式宴会。

进入现代，敬茶习俗比古代简便了，特别是在茶具上比过去更加简化。茶具多用有盖的瓷杯或无盖的玻璃杯，来客人数较多时，茶泡在瓷壶里，然后一一倾入茶杯，一人一杯，各自品尝。在个别地方，也有采用特制小壶的，一人一壶，独自品饮。

在国外，客来敬茶也早已成为普遍的习俗。中国饮茶习俗对国外产生了一定影响。日本人一如中国人，对茶都很喜爱，日本民间以茶待客十分讲究礼仪，并形成“茶道”。一般是用粉状的碾茶放于“急须”（即茶壶）中，经热水冲泡后倾入一种特制的空茶碗饮用，并佐以糕饼等食品，以对客人表示敬意。在荷兰、英国、法国等，以茶敬客也是非常普遍的礼节。

7.6.2 饮茶礼仪

我国是茶的故乡，有着悠久的种茶历史，又有着严格的敬茶礼节，还有着奇特的饮茶风俗。

我国饮茶从神农时代开始，至少已有四千七百多年。“客来敬茶”是我国最早重情好客的传统美德与礼节。直到现在，宾客至家，总要沏上一杯香茗。喜庆活动，也喜用茶点招待。开茶话会，既简便经济，又典雅庄重。所谓“君子之交淡如水”，也是指清香宜人的茶水。我国还有种种以茶代礼的风俗。南宋都城杭州，每逢立夏，家家各烹新茶，并配以各色细果，馈送亲友毗邻，叫做“七家茶”。这种风俗，就是在茶杯内放两颗“青果”即橄榄或金橘，表示新春吉祥如意之意。

茶礼还是我国古代婚礼中一种隆重的礼节。明代许次纾在《茶疏考本》中说：“茶不移本，植必子生”。古人结婚以茶为识，认为茶树只能从种子萌芽成株，不能移植，否则就会枯死，因此把茶看做一种至性不移的象征。所以，民间男女订婚以茶为礼，女方接受男方聘礼，叫“下茶”或“茶定”，有的叫“受茶”，并有“一家不吃两家茶”的谚语。同时，还把整个婚姻的礼仪总称为“三茶六礼”。“三茶”，就是订婚时的“下茶”，结婚的“定茶”，同房时的“合茶”。“下茶”又有“男茶女酒”之称，即订婚时，男家除送如意压帖外，还要回送几缸绍兴酒。婚礼时，要行三道茶仪式。三道茶者，第一杯百果，第二杯莲子、枣；第三杯方是茶。饮用方式是接杯之后，双手捧之，深深作揖，然后向嘴唇一触，即由家人收去。第二道亦如此。第三道，作揖后才可饮，这是最尊敬的礼仪。这些繁俗，现在当然没有了，但婚礼的敬茶之礼，仍沿用成习。

7.6.3 饮茶习俗

中国是世界茶叶的故乡，种茶、制茶、饮茶有着悠久的历史。中国又是一个幅员辽阔、民族众多的国家，生活在这个大家庭中的各族人民，有着各种不同的饮茶习俗，真可谓“历史久远茶故乡，绚丽多姿茶文化。”我国少数民族的饮茶习俗有白族三道茶，布依族的姑娘茶，德昂族、景颇族的腌茶，基诺族的凉拌茶，布朗族的酸茶，哈尼族的煎茶，维吾尔族的香茶，纳西族的龙虎斗，拉祜族的烧茶和烤茶，佤族的烧茶和擂茶，怒族的盐巴茶，傈僳族的油盐茶，爱伲人的土锅茶，撒尼人的铜壶茶，景颇族的鲜竹筒茶，傣族的竹筒茶，布朗族和阿昌族的青竹茶，德昂族的砂罐茶，藏族的酥油茶，蒙古族的咸奶茶，土家族的擂茶等，不胜枚举，各具特色。

“千里不同风，百里不同俗”，我国是一个多民族国家，各民族的历史、文化、地理环境都不尽相同，其饮茶习俗也十分丰富多彩，各有千秋。

7.6.4 茶宴与斗茶

茶宴与斗茶，两词含义不同，内容有别，可谓风牛马不相及。茶宴，乃是以茶代酒作宴，是一种款待宾客之举；斗茶，又称茗战，实为赛茶，互比茶叶品第。但在饮茶发展史上，两者又是紧密相连、因果相关的。

据考证，茶宴的出现最早可追溯到三国时代。西晋陈寿所著《三国志》中的《吴志·韦曜传》中记载：吴国孙皓任乌程侯时，每次宴请，宾客至少饮酒七升，而对不会饮酒的韦曜，则“密赐茶荈以当酒”。《晋中兴书》记载：以俭德著称的东晋吏部尚书陆纳，在任吴兴太守时，当卫将军谢安去拜访他时，只以茶果招待客人。《晋书》也记载：征西大将军桓温任扬州牧时，每次宴请，“唯下七奠拌茶果而已”。可见，以茶代酒，辅以糖果、糕点，请客作宴，在晋代已有原型，且被认为这是一种清操绝俗的德行。不过，茶宴一词的最早文字记载，首见于南北朝时山谦之的《吴兴记》，提到“每岁吴兴、毗陵二郡太守采茶宴会于此。”到了唐代，饮茶之风开始盛行，在西安、洛阳及湖北、四川一带，几乎家家户户都饮茶，不少地方，茶已达到了“比屋之饮”的程度。加之茶能提神、明目、消食、祛邪，使茶的地位日益提高，茶宴成为当时社会的一种风尚。

在茶宴上，人们不仅可以领略品茗滋味，而且还能欣赏环境和茶具美之趣，是一种物质和精神的享受。钱起《与赵莒茶宴》、鲍君徽《东亭茶宴》、李嘉祐《秋晚招隐寺东峰茶宴送内弟阎伯均归江州》等诗中都有相关记述。尤其吕温的《三月三日茶宴序》：“三月三日，上巳禊饮之日也，诸子议茶酌而代焉，乃拨花砌，爰庭荫、清风逐人，日色留兴，卧借青霭，坐攀花枝，闻莺近席羽未飞，红蕊拂衣而不散，乃命酌香沫，浮素杯，殷凝琥珀之色，不令人醉，微觉清思，虽玉露仙浆，无复加也。”对茶宴的幽雅环境，品茗的美妙回味，以及令人陶醉的神态，都作了细腻描绘。

径山（在今浙江省余杭县境内）是天目山的东北高峰，这里古木参天，溪水淙淙，山峦重叠，有“三千楼阁五峰岩”之称，还有大铜钟、鼓楼、龙井泉等著名胜迹，可谓山明、水秀、茶佳。山中的径山寺，始建于唐代，宋孝宗曾御书赐额“径山兴圣万寿禅寺”。自宋至元代，有“江南禅林之冠”的誉称。古代认为茶能清心、陶情、去杂，这与佛教提倡的仁义道德相吻合，所以，饮茶之风很盛。每年春季，僧侣们经常在寺内举行茶宴，座谈佛经。径山茶宴有一套较为讲究的仪式，茶宴进行时，先由住持法师亲自调茶，以表敬意。尔后命人一一奉献给赴宴僧客品饮，这便是献茶。僧客接茶后，先打开碗盖闻香，再举碗观色，接着才是启口尝味。一旦茶过三巡，便开始评论茶品，称赞主人品德。随后便是颂佛论经，谈事叙谊。

日本茶道是一种严格的饮茶礼仪，它最初在寺院中进行。“道”这个字，从佛学的含义上来说，就是遵循礼义、德行，要人们恪守正确的人生道路。所以，简单说来，茶道就是通过饮茶的方式，对人们施以礼法教育，进行道德修养的一种仪式。以后，到了丰臣秀吉时代，任命千利休为日本茶道高僧。千利休茶道的基本精神是提倡和平和好，尊老护幼，洁净平心，沉思凝神，这就是“四规”，可以归纳为“和、敬、清、寂”四个字。并集茶道之成，对茶礼进行了改革和简化，把它推广到民间，使之成为一种颇具特色的日本传统文化。如今，茶道已经成为日本人民修身养性、提高文化素质和进行社交联谊的手段。

近代，为了继承和发扬我国优秀的茶文化，又赋予了茶宴新的内容与形式。如常见的有结婚茶宴，就是新郎、新娘用茶宴料理和茶食点心招待嘉宾，在茶香鼓乐声中缔结伉俪。喜庆之余，新娘还得以表演茶艺助兴。此外，还有喜庆茶宴、文化茶宴、生辰茶宴等。近年来，各产茶省区还多次举行别开生面的探新茶宴。这种茶宴，一般在新茶伊始时进行，由专家、名流、领导参加，依照古代茶宴仪式，进行点茶、观茶、闻茶、品茶、论茶，共同探讨发展茶叶经济的方略。其实，当今流行于湘西、鄂西的擂茶，桂北的油茶，广东的早茶，西藏的酥油茶等，直至社交场合的茶点待客，都是古代茶宴的延伸和发展。而茶宴的盛行，贡茶的出现，又促进了品茗艺术的发展，于是斗茶也就应运而生。

斗茶在当代无非就是一种品茗比赛。近年来，全国及各产茶省区召开的名茶评比会、斗茶会，其实就是古代斗茶的继续。一般角逐时，各地将做工精细，品质最佳的茶叶带到会场，由各方公认的评茶大师组成评委会，将各地选送的茶叶编号，评委会成员依次先观外形、色泽；再逐一开汤审评，闻香品味；然后用手揉摸叶底，估评老嫩。总之，要对色、香、味、形四个茶叶品质构成因素当场逐一打分，最后按高分到低分揭晓，排列名次。也有的采用专家评定和群众评议相结合的方式进行，评分双方各按一半计算，然后按总分多少对号入座。所以，斗茶也可以说是一种茶叶品质的评比方式，它与以精神享受为目的的茶宴内涵是有区别的。不过，对今人来说，斗茶对创新和发掘名茶，提高茶叶品质，无疑是一种有益的活动。

1. 茶宴

茶宴就是以茶来宴请宾客，在历代诗文中，“茶宴”又叫“茶会”、“汤社”或“茗社”。茶宴的正式出现约在唐朝肃宗年间，每年的茶讯季节，湖州和常州的太守都要到两州比邻的花山“境会亭”聚会。唐皇也派出茶吏、专使、太监到此设立“贡茶院”、“茶舍”，专司监制贡茶。这时就会举行盛大的宴会，由两州太守和一些社会名士共同品尝和审定贡茶的质量。白居易曾写有一篇描述当时茶宴盛况的诗，“遥闻境会茶山液，珠翠歌钟俱绕身。盘下中分两州界，灯前合作一家春。青娥递舞应争妙，紫笋齐尝各斗新。”

茶宴历代绵传不衰，到五代时，和凝与朝廷同僚“递日以茶相饮”，即我们现在讲的轮流作东，同僚会饮，“味劣者有罚”，这种茶会叫“汤社”。及至宋代，宋徽宗不仅嗜饮，还写有《大观茶论》，常常以茶宴请大臣，并亲自动手烹煮，众大臣饮了皇帝亲手煮的茶，当然感激涕零。可见用茶来作政事早已有之，及至当今所谓之茶话，可见源远流长。到元明时代，一向注重饮茶意境的文人士大夫的茶宴，更加忘情于大自然，把名山大川、自然风光通过书画表现，并同诗词歌舞一起融入到茶宴活动中。到清代，公私茶宴时时可见。史载“上自朝廷宴亨、下至接见宾客，皆先之以茶，品在酒醴之上。”清代皇宫内及一般旗人，喜欢“熬茶”，即以茶末煎煮而成的茶，宫内宴饮和款待外国使节，“仍尚苦茗茶，团饼茶，犹存古人煮茗之意。”

中国茶文化确实是我国传统文化的精华，它开始出现时就不同凡响。茶一开始就为有眼光的政治家或统治者所赏识，他们提出“以茶养廉”，对抗“奢侈腐败”之风。公元前 1066 年，周武王在“伐纣会盟”时，南方八个小国将部落子民作为药用的茶作为礼品，献给武王，“以茶代酒”，于是武王用茶设宴，以茶代酒招待各路诸侯和部落酋长。这种以茶代酒宴请宾客的宴会，叫做茶宴，即“以茶养廉”的一个佐证。东晋吴兴太守陆纳目睹世风奢侈，设茶宴招待将军谢安并非吝啬，亦非清高简慢，而是表示清操节俭，力倡以茶代酒。同时代的大将军桓温在提倡节俭上，常以简朴示人，“每宴唯下七奠拌茶果而已”，以茶代酒以示节俭，这些可说是最早的茶宴原型。茶圣陆羽在《茶经》中指出：“茶者，南方之嘉木也。茶之为用，味至寒，为饮最宜精行俭德之人。”

唐代饮茶之风日炽，上自权贵，下至百姓，皆崇茶当酒。茶宴的正式记载见于中唐，大历十才子之一的钱起是天宝十年 (751 年) 进士，曾与赵莒一起办茶宴，地点选在竹林，但不像“竹林七贤”那样狂饮，而是以茶代酒，所以能聚首畅谈，洗净尘心，在蝉鸣声中谈到夕阳西下。钱起为记此盛事，写下一首《与赵莒茶宴》诗云：“竹下忘言对紫茶，全胜羽客醉流霞。尘心洗尽兴难尽，一树蝉声片影斜。”

宋代饮茶之风较唐代尤盛，茶宴遍行朝野，君王有曲宴点茶畅饮之例，百姓有茶宴品茗斗试之举。宋朝建立后，便在宫廷兴起饮茶风尚，历代皇帝皆有嗜茶之好。宋太宗造龙凤茶，以别庶饮。官家设御焙、官焙；民间有茶坊、茶铺。茶宴之风盛行，与最高统治者嗜茶分不开，尤其是徽宗赵佶对茶颇有讲究，以建州北苑贡茶为背景撰写《大观茶论》，亲手烹茶赐宴群臣；蔡京在《延福宫曲宴记》写道：“宣和二年十二月癸巳，召宰执亲王等曲宴于延福宫。上命近侍取茶具，亲手注汤击指拂，少顷白乳浮盏面，如疏星淡月，顾诸臣曰：此自布茶。饮毕皆顿首谢。”当时，武夷山一些寺院流行“茶宴”，一些名流学者往往慕名前往。朱熹常与友人赴开善寺茶宴，与住持圆悟交往甚笃，经常品茶吟哦，谈经论佛。圆悟圆寂，朱熹唁诗有：“一别人间万事空，焚香瀹茗怅相逢。”朱熹在武夷创建武夷精舍，蛰居武夷，著书立说，以茶会友，以茶论道，以茶穷理，常与友人学者以茶代酒，或宴泉边，或宴竹林，或宴岩亭，或宴溪畔。“仙翁留灶石，宛在水中央。饮罢方舟去，茶烟袅细香。”

茶宴以禅林茶宴最有代表性的，当属径山寺茶宴最有影响。径山寺在今浙江省余杭县境内，那里山明水秀，是品茗佳处，旅游胜地。山中径山寺建于唐代，每年春季都要举行茶宴。自唐以后，径山境会亭茶宴，形成一套颇为讲究的茶宴礼仪。南宋开庆元年日本高僧南浦昭明禅师来径山寺求佛法，前后五年学成回国，将径山寺茶宴仪式传到日本，在此基础上形成和发展了“以茶论道”的日本茶道。

古代茶宴因客而异，分品茗会、茶果宴、分茶宴三种。品茗会纯粹品茶，以招待社会贤达名流为主；茶果宴，品茶并佐以茶果，以亲朋故旧相聚为宜；分茶宴才是真正的茶宴，除品茶之外，还辅以茶食。茶宴之道，追求清俭朴实，淡雅逸越，以清俭淡雅为主旨，展示人们希冀和平与安定的心愿。

茶宴符合中华民族俭朴的美德，具有待客交谊之功，又能明志清神，修德养性，有益于人们身心健康，避免酒宴之劳神伤财，赴茶宴确是一种高层次的美的享受。久而久之，由茶宴、茶会、茶话演化而成今日的茶话会。它的释义可以说是“用茶与茶点招待宾客的社交性聚会”，茶话会以其简朴无华而风行全国。

2. 斗茶

中国历史上还有“斗茶”之事。在茶文化的发展过程中，斗茶以其丰富的文化内涵，为茶文化增添了灿烂的光彩。斗茶又称“茗战”，就是品茗比赛，意为把茶叶质量的评比当做一场战斗来对待，“胜若登仙不可攀，输同降将无穷耻。”（范仲淹《和章岷从事斗茶歌》）。

斗茶源于唐，而盛于宋，它是在茶宴基础上发展而来的一种风俗。茶宴的盛行,使民间制茶和饮茶的方式日益创新，促进了品茗艺术的发展，于是斗茶应运而生。五代词人和凝官至左仆射、太子太傅，封鲁国公。他嗜好饮茶，在朝时“牵同列递日以茶相饮，味劣者有罚，号为汤社。”（《清异录》）“汤社”的创立，开辟了宋代斗茶之风的先河。不过，斗茶的产生，主要出自贡茶。一些地方官吏和权贵为了博得帝王的欢心,千方百计献上优质贡茶，为此先要比试茶的质量。这样，斗茶之风便日益盛行起来。正如范仲淹《和章岷从事斗茶歌》所说：“北苑将期献天子，林下雄豪先斗美。”苏轼《荔枝叹》也说：“君不见武夷溪边粟粒芽，前丁（渭）后蔡（襄）相笼加，争新买宠各出意，今年斗品充官茶。”

斗茶之风从贡茶产地兴起以后，不仅在上层社会盛行，后来还普及到民间。唐庚《斗茶记》记其事道：“政和二年三月壬戌，二三君子相与斗茶于寄傲斋。予为取龙塘水烹之，而第其品。以某为上，某次之。”斗茶，常常是相约三五知己，各取所藏好茶，轮流品尝，决出名次，以分高下。斗茶时茶品以“新”为贵，用水以“活”为上。胜负的标准，一斗汤色，二斗水痕。斗茶是每年春季新茶制成后，茶农、茶客们比新茶优良次劣排名顺序的一种比赛活动。有比技巧、斗输赢的特点，富有趣味性和挑战性。一场斗茶比赛的胜败，犹如今天一场球赛的胜败，为众多人所关注。唐叫“茗战”，宋称“斗茶”，具有很强的胜负色彩，其实是一种茶叶的评比形式和社会化活动。

斗茶多为两人捉对“厮杀”，经常“三斗二胜”，计算胜负的单位术语叫“水”，称两种茶叶的好坏为“相差几水”。决定斗茶胜负的标准主要有两方面。一是汤色，即茶水的颜色，因为汤色是茶的采制技艺的反映。一般标准是以纯白为上，青白、灰白、黄白，则等而下之。色纯白，表明茶质鲜嫩，蒸时火候恰到好处；色发青，表明蒸时火候不足；色泛灰，是蒸时火候太老；色泛黄，则采摘不及时；色泛红，是炒焙火候过了头。二是汤花，即指汤面泛起的泡沫。决定汤花的优劣有两条标准：一是汤花的色泽。因汤花的色泽与汤色密切相关，因此，汤花的色泽标准与汤色的标准是一样的；二是汤花泛起后，水痕出现的早晚，汤花持续时间长短。早者为负，晚者为胜。宋代主要饮用团饼茶，饮用前先要将茶团茶饼碾碎成粉末。如果茶末研碾细腻，点汤、击拂恰到好处，汤花匀细，有若“冷粥面”，就可以紧咬盏沿，久聚不散。这种最佳效果，名曰“咬盏”。反之，汤花泛起，不能咬盏，会很快散开。汤花一散，汤与盏相接的地方就露出“水痕”（茶色水线）。因此，水痕出现的早晚，就成为决定汤花优劣的依据。

斗茶不仅要茶新、水活，而且用火也很讲究。陆羽《茶经·五之煮》说，煮茶“其火用炭，次用劲薪。”沾染油污的炭、木柴或腐朽的木材不宜做燃料。温庭筠《采茶录》说：“茶须缓火炙，活火煎。活火谓炭火之有焰者。当使汤无妄沸，庶可养茶。始则鱼目散布，微微有声。中则四边泉涌，累累连珠。终由腾波鼓浪，水气全消，谓之老汤。三沸之法，非活火不能成也。”苏轼也说：“活水还须活火烹”（《汲江煎茶》），“贵从活火发新泉”

(《试院煎茶》)。根据古人的经验，烹茶一是燃料性能要好，火力适度而持久；二是燃料不能有烟和异味。人们常说水火不相容，但在茶文化中，水与火配合得却那样的默契、和谐和统一。

斗茶是一门综合艺术，除了茶本身、水质和火候外，还必须掌握冲泡技巧，宋人谓之"点茶"。蔡襄《茶录》将点茶技艺分为炙茶、碾茶、罗茶、候汤、熁盏、点茶等程序。即首先必须用微火将茶饼炙干，碾成粉末，再用绢罗筛过，茶粉越细越好，"罗细则茶浮，粗则沫浮。"候汤即掌握点茶用水的沸滚程度，是点茶成败优劣的关键。唐代人煮茶已讲究"三沸水"：一沸，"沸如鱼目，微微有声"；二沸，"边缘如涌泉连珠"；三沸"腾波鼓浪"。水在刚刚三沸时就要烹茶；若再煮，则"水老，不可食也"（《茶经·五之煮》）。宋代点茶法同样强调水沸的程度，谓之"候汤"。"候汤最难，未熟则沫浮，过熟则茶沉。"（蔡襄《茶录》），只有掌握好水沸的程度，才能冲泡出色味俱佳的茶汤。南宋罗大经认为，点茶应该用"嫩"的沸水，"汤嫩则茶味甘，老则过苦矣"（《鹤林玉露·茶瓶汤侯》）。因此，他主张在水沸后，将汤瓶拿离炉火，待停止沸腾后，再冲泡茶粉，这样才能使"汤适中而茶味甘"。

在点茶前，必须用沸水冲洗杯盏，"令热，冷则茶不浮"，叫做"熁盏"。正式点茶时，先将适量茶粉用沸水调和成膏，再添加沸水，边添边用茶匙击拂，使茶汤表面泛起一层浓厚的泡沫（即沫饽），能较长时间凝在杯盏内壁不动，则为成功。宋代斗茶，除比试茶汤的色泽之外，还要比试沫饽的多少和停留在杯盏内壁时间的长短。而"以水痕先者为负，耐久者为胜。"应当指出的是，点茶既以茶粉为原料，那么，人们在饮用时必然连茶粉带水一起喝下，这与今天的饮茶习惯是不同的。

古代斗茶的情景，从流传下来的元代著名书画家赵孟頫的《斗茶图》可见一斑。《斗茶图》是一幅充满生活气息的风俗画，共画有四个人物，身边放着几副盛有茶具的茶担。左前一人脚穿草鞋，一手持杯，一手提茶桶，袒胸露臂，似在夸耀自己的茶质优美，显出满脸得意之态。身后一人双袖卷起，一手持杯，一手提壶，正将壶中茶汤注入怀中。右旁站立两人，双目凝视前者，似在倾听双方介绍茶汤的特色，准备还击。从图中人物模样和衣着来看，不似文人墨客，而像走街串巷的"货郎"，说明斗茶之风已深入民间，相沿成一种社会风俗。

宋代还流行一种技巧性很高的烹茶游艺，叫做"分茶"。宋代陶谷《荈茗录》说："茶至唐始盛，近世有下汤运匕，别施妙诀，使汤纹水脉成物象者。禽兽虫鱼花草之属，纤巧如画，但须臾即就散灭，此茶之变也。时人谓之'茶百戏'。"陆游《临安春雨初霁》诗："矮纸斜行闲作草，晴窗细乳戏分茶。"指的就是这种烹茶游艺。玩这种游艺时，碾茶为末，注之以汤，以筅击拂，这时盏面上的汤纹就会幻变出各种图样来，犹如一幅幅水墨画，故有"水丹青"之称。斗茶和分茶在点茶技艺方面因有若干相同之处，故此有人认为分茶也是一种斗茶。此说虽不无道理，但就其性质而言，斗茶是一种茶俗，分茶则主要是茶艺。两者既有联系，又相区别，共同表现了中国茶文化丰富的内容和文化意蕴。

7.7 茶与文化

我国是茶的故乡,翻开我国五千年的文明发展史，人们不难发现，茶叶生产、饮用几乎与我国文化发展息息相关。无论文学、美术或是音乐、舞蹈，都有大量以茶为题材的作品。在国外，只要是有饮茶习俗的国家，它的文化领域中就会有表现茶的作品问世。这是因为，一方面，茶含有对人的神经系统起良好作用的咖啡碱、芳香物质等成分，能够赋予人们兴奋、清醒、机智；另一方面，由于茶与人们的生活息息相关，久而久之，便形成了茶文化。

7.7.1 茶文化的内涵与功能

1. 茶文化的内涵

茶叶是劳动生产物，是一种饮料。茶文化以茶为载体，并且通过这个载体传播各种文化，是茶与文化的有机融合，包含和体现了一定时期的物质文明和精神文明。茶文化是中华传统优秀文化的组成部分，其内容十分丰富，涉及科技教育、文化艺术、医学保健、历史考古、经济贸易、餐饮旅游和新闻出版等学科与行业，包含茶叶专著、茶叶期刊、茶与诗词、茶与歌舞、茶与小说、茶与美术、茶与婚礼、茶与祭祀、茶与佛教、茶与楹联、茶与谚语、茶事掌故、饮茶习俗、茶艺表演、陶瓷茶具、茶馆茶楼、冲泡技艺、茶食茶疗、茶事博览和茶事旅游等方面。

2. 茶文化的特性

1）历史性

茶文化形成和发展的历史非常悠久。原始社会后期，茶叶成为货物交换的物品；武王伐纣，茶叶已经作为贡品；战国时茶业已有一定规模，先秦《诗经》中有茶的记载；汉朝时茶叶成为佛教“坐禅”的专用滋补品；魏晋南北朝已有饮茶之风；隋朝时全民普遍饮茶；至唐代，茶业昌盛，茶叶“人家不可一日无”，出现茶馆、茶宴、茶会，提倡客来敬茶。宋朝时盛行斗茶、贡茶和赐茶。清朝时曲艺进入茶馆，茶叶对外贸易发展很快。茶文化是伴随商品经济的出现和城市文化的形成而孕育诞生的。历史上的茶文化注重文化意识形态，以雅为主，着重于表现诗词书画、品茗歌舞。茶文化在形成和发展中，融入了儒、道、佛诸家的深刻哲理和高深的思想，且演变为各民族的礼俗，成为优秀传统文化的组成部分和独具特色的一种文化形式。

2）时代性

物质文明和精神文明建设的发展，给茶文化注入了新的内涵与活力。在这一新时期，茶文化的内涵及表现形式正在不断扩大、延伸、创新和发展。新时期茶文化溶进现代科学技术和市场经济精髓，使茶文化的价值和功能更加显著，对现代社会的作用进一步增强。新时期茶文化的传播方式呈大型化、现代化、社会化和国际化趋势。其内涵迅速膨胀，影响扩大，为世人瞩目。

3）民族性

许多民族酷爱饮茶，茶与民族文化生活相结合，形成各具民族特色的茶礼、茶艺和饮茶习俗。以民族茶饮方式为基础，经艺术加工和锤炼而形成的各民族茶艺，更富有生活性和文化性，表现出饮茶的多样性和丰富多彩的生活情趣。

4）地区性

名茶、名山、名水、名人、名胜，孕育出各具特色的地区茶文化。我国幅员辽阔，茶类花色繁多，饮茶习俗各异，加之各地历史、文化、生活及经济差异，形成各具地方特色的茶文化。在经济、文化中心的大城市，以其独特的自身优势和丰富的内涵，也形成独具特色的都市茶文化，显示出都市茶文化的特点与魅力。

5）国际性

古老的中国传统茶文化同各国的历史、文化、经济及人文相结合，演变成英国茶文化、日本茶文化、韩国茶文化、俄罗斯茶文化及摩洛哥茶文化等。在英国，饮茶成为生活的一部分，是英国人表现绅士风度的一种礼仪，也是英国女王日常生活和重大社会活动中必需的仪程。日本茶道源于中国，具有浓郁的日本民族风情，并且形成独特的茶道体系、流派和礼仪。韩国人认为茶文化是韩国民族文化之根，每年 5 月 24 日为全国茶日。中国茶文化是各国茶文化的摇篮。茶人不分国界、种族和信仰，茶文化可以把全世界茶人联合起来，切磋茶艺，进行学术交流和经贸洽谈。

3. 茶文化的社会功能

茶在古代就是中华民族的重要饮料，茶是中华民族最悠久的生活知己。茶与悠久的中国文化的有机结合，使其在中国社会生活的各个方面发挥巨大作用。

作为饮料，茶有消食生津、提神醒脑、恢复体力的作用。随着科学技术的发展，茶叶中所含的各种有效成分，对人体的营养保健作用，也越来越被人们所认识。因此，茶饮广泛地进入人们的日常生活，并受到普遍欢迎。更为重要的是茶在人们的社会生活中，以其独有的物质特性和文化内涵，几乎无时不有、无处不在。茶性清淡无奇、内存外敛，茶饮过程随意、随境、随缘，茶饮追求质朴而雅致，这与中华民族平和、内秀的性格相一致。饮茶，使中国人有了一种显露、表现性格层面的生活方式。人们可以伴随着一杯香茗去寻求心境的宁静，去追忆已逝的时空，去认识民族传统文化的精深，去寻找自己的寄托，增添生活的情趣。

在社会意识方面，茶具有精神上的象征，对人们的思想、理念、道德、行为循循善诱。清茶一杯，君子之交淡如水，体现人们社会交往中对真诚、互敬的崇尚；“以茶代酒”，倡导远离强烈、刺激的氛围，推崇清廉俭朴。

茶在社会生活中，最突出的角色是作为情感的载体。茶，承载家人的亲情，传递朋友的友情，沟通乃至成全恋人的爱情，浓化礼尚往来的交情。这从古往今来人们以茶祭祖，以茶孝敬长辈，论婚嫁、送茶礼，以及呼朋唤友喝茶去，烛光茶香悄悄语中均可得到体现。旧时名利之争，摆桌“讲茶”，以求化干戈为玉帛；今日公婆有气，媳妇端奉一杯热茶，可使前嫌尽释；恋人羞于启齿，尽可以“郎若有空来吃茶，门前一株紫荆花”的方式暗示一番。即便外交大事，绿茗珍壶，也曾传递许多国际话意……中国人最善于把情感溶入热腾腾、香醇醇的茶水之中，以茶来承载、传递，从而又使人们的情感如好茶般变得更深厚、更浓醇。

千百年来，茶的社会功能被中华民族普遍运用于社会生活的各个方面，并发挥得淋漓尽致。中国人最早发现茶、利用茶、研究茶，并以数千年的努力，将茶融入了深厚的文化精神，茶也以自己独有的特性，无可替代地胜任了应尽的社会功能。还表现在发扬传统美德、展示文化艺术、修身养性、陶冶情操、促进民族团结、表现社会进步和发展经济贸易等方面。

茶是中国的骄傲，民族的自尊、自信和自豪。古代就有“寒夜客来茶当酒”之说，以茶代酒体现传统美德，符合当代倡导的厉行节约，制止奢侈浪费行为的要求。传统美德是经过几千年积淀下来的被历代人们所推崇的美好道德，是民族精神和社会风尚的体现。茶文化具有的传统主要有热爱祖国、无私奉献、坚忍不拔、谦虚礼貌、勤奋节俭和相敬互让等。陆羽《茶经》是古代茶人勤奋读书、刻苦学习、潜心求索、百折不挠精神的结晶。以茶待客、以茶代酒，“清茶一杯也醉人”就是中华民族珍惜劳动成果、勤奋节俭的真实反映。

以茶字当头排列茶文化的社会功能有以茶思源、以茶待客、以茶会友、以茶联谊、以茶廉政、以茶育人、以茶代酒、以茶健身、以茶入诗、以茶入艺、以茶入画、以茶起舞、以茶歌吟、以茶兴文、以茶作礼、以茶兴农、以茶促贸和以茶致富等。

7.7.2 茶与诗词

诗歌在茶文化中占有重要地位。由于茶富有自然美，具有提神益思功能，饮茶使人心旷神怡，产生美的联想，因而自古就成为诗歌吟咏的对象。

晋代杜育的《荈赋》是现今能见到的最早专门歌吟茶事的诗词类作品，典型而具体地描绘了晋代我国茶业发展的史实。诗中云，茶树受着丰壤甘霖的滋润，满山遍谷，生长茂盛，农民成群结队辛勤采制。晋代左思还有一首著名的《娇女诗》，非常生动地描写了两个幼女的娇憨姿态和烹煮香茗的娇姿。晋代张载《登成都楼诗》中赞茶为“芳茶冠六清，溢味播九区。”被后人作为绝妙的茶联，流传至今。

唐代是我国诗歌史上的盛世，也是茶文化发展的鼎盛时期，饮茶成为一种高雅的风尚，也成为陶冶情操和友谊交流的一种主要方式。此时适逢陆羽《茶经》问世，饮茶之风更炽，茶与诗词，两相推波助澜，咏茶诗大批涌现，出现大批好诗名句。李白、杜甫、白居易、刘禹锡和卢仝等著名诗人都写下了富有哲理的茶诗。

诗仙李白豪放不羁，一生不得志，只能在诗中借浪漫而丰富的想像表达自己的理想，而现实中的他又异常苦闷，终日沉湎于醉乡。正如他在诗中所云：“三百六十日，日日醉如泥。”当他听说荆州玉泉真公因常采饮“仙人掌茶”，虽年愈八十，仍然颜面如桃花时，也不禁对茶唱出了赞歌：“尝闻玉泉山，山洞多乳窟。仙鼠如白鸦，倒悬清溪月。茗生此中石，玉泉流不歇。根柯洒芳津，采服润肌骨。丛老卷绿叶，枝枝相连接。曝成仙人掌，似拍洪崖肩。举世未见之，其名定谁传。”这是名茶入诗最早的诗篇。

杜甫写道：“落日平台上，春风啜茗时，石栏斜点笔，桐叶坐题诗。”诗人把他同友人品茶心情之愉悦，环境之幽美，写得如同一幅高雅清逸的“品茗图”。此诗虽写得潇洒闲适，但仍表达了他因蹉跎不遇而在心中隐伏的不平。

中唐时期最有影响的诗人白居易，对茶怀有浓厚的兴味，一生留下了不少咏茶的诗篇。他的《食后》云：“食罢一觉睡，起来两瓯茶；举头望日影，已复西南斜。乐人惜日促，忧人厌年赊；无忧无乐者，长短任生涯。”诗中写出了他食后睡起，手持茶碗，无忧无虑，自得其乐的情趣。他曾在庐山结草堂而居，过着“架岩结茅宇，劚壑开茶园”的隐居生活，使他成为对茶叶生产、采制、煎煮与鉴别样样精通的行家，并以此自豪。他在《谢李六郎中寄新蜀茶》诗中说：“不寄他人先寄我，应缘我是别茶人。”诗人自称是鉴别茶叶的行家是当之无愧的。诗人还在另一首诗中“无由持一盏，寄与爱茶人。”创造了一个“爱茶人”的名词。

唐诗人韦应物认为茶是高雅圣洁的仙草，他在《喜园中茶生》诗中写道：“洁性不可污，为饮涤尘烦，此物信灵味，本自出山原…… 喜随众草长，得与幽人言。”

借茶抒怀把饮茶升华到富有哲理境界的代表作，是唐代卢仝的《走笔谢孟谏议寄新茶》，即后人称的《七碗茶歌》。诗人在抒发了品尝到友人赠送的“天子未饮阳羡茶，百草不敢先开花”的“阳羡茶”喜悦心情之后，咏唱道：“一碗喉吻润，二碗破孤闷。三碗搜枯肠，唯有文字五千卷。四碗发轻汗，平生不平事，尽向毛孔散。五碗肌骨清，六碗通仙灵。七碗吃不得也，唯觉两腋习习清风生。蓬莱山，在何处？玉川子乘此清风欲归去……”。描写了他饮七碗茶的不同感觉，步步深入，诗中还从个人的穷苦想到亿万苍生的辛苦。卢仝诗作不多，在唐代名声不大，但他的这首《七碗茶歌》却因其富有哲理性，为历代爱茶的诗人广为传颂，如：“莫夸李白仙人掌，且作卢仝走笔章。”(宋·梅尧臣)；“何须魏帝一丸药，且尽卢仝七碗茶。”(苏轼)；“卢仝七碗诗难得，念老三瓯梦亦赊。”(元·耶律楚材)；“山中日日试新泉，君合前身老玉川。”(明·陈继儒)。这些茶诗，实际上是中国茶道思想在文学上的表现。

到了宋代，文人学士烹泉煮茗，竞相吟咏，出现了更多的茶诗茶歌，有的还采用了词这种当时新兴的文学形式。苏轼有一首《西江月》词云：“龙焙今年绝品，谷帘自古珍泉，雪芽双井散神仙，苗裔来从北苑。汤发云腴酽白，盏浮花乳轻圆，人间谁敢更争妍，斗取红窗粉面。”词中对双井茶叶和谷帘泉水作了尽情的赞美。

元代诗人的咏茶诗也有不少，如谢宗可写煎茶的《雪煎茶》诗“夜扫寒英煮绿尘”、吴激写饮茶的《偶成》诗“蟹汤负盏斗旗枪”、郭麟孙写名泉的《游虎丘》诗“试茗汲憨井”等。

明代有高启写采茶的《采茶词》，写造茶的《过山家》，写茶功的《茶轩》；文徵明的煎茶诗《煎茶》；屠隆写名茶的《龙井茶》；王世贞写饮茶的《试虎丘茶》等。

清代有杜浚写饮茶和名泉的《北山啜茗》；陈章写采茶的《采茶歌》；屈大均写茶园的《西樵作》；高鹗写茶功的《茶》；王步蟾写名茶的《功夫茶》等。乾隆曾数度下江南游山玩水，也曾到杭州西湖，写下了《观采茶作歌》等四首咏龙井茶诗。

我国既是“茶的祖国”，又是“诗的国家”，因此，茶很早就渗透进诗词之中。在我国古代和现代文学中，涉及茶的诗词、歌赋和散文比比皆是，可谓数量巨大、质量上乘，这些作品已成为我国文学宝库中的珍贵财富。

7.7.3 茶馆

茶馆即是专门饮茶的去处，是社会上饮茶相当普遍的情况下才产生的一种文化现象。叫法也是五花八门：茶馆、茶楼、茶社、茶坊、茶室、茶肆、茶棚、茶寮、茗坊等，很多茶馆还带有其他功能，如打牌、听戏、零食等。只饮茶的是清茶馆，备有棋类的可叫做“手谈”馆，还有猜谜语的“笔谈”馆。在北京，兼卖茶与酒饭的又叫“二荤铺”。很多茶馆有很好听的名字：陆羽茶馆、云来茶楼、香茗居、仙来茶楼等。现代的称呼有茶楼、茶室、茶馆，其中以茶馆为多。尽管称呼不同，但意思一样，都是供茶客饮茶、吃早点的地方。

茶馆早在两晋时就已出现。张载《登成都楼诗》中有“芳茶冠六清，溢味播九区”之句，据此可以判断成都大约在汉代至迟在西晋时，就已经有茶馆了。

唐朝时茶馆开始流行，到宋朝时已十分繁荣。《东京梦华录》描述北宋汴京城（今河南开封）的“北山子茶坊内有仙洞、仙桥，仕女往往夜游吃茶于彼。”宋代以卖茶水为业的茶坊已较普遍，在茶坊内，常以鲜花装饰，以招徕顾客。曾为南宋京都的杭州，茶室素负盛名。成书于南宋的《梦粱录》也记载了当时杭州“处处有茶坊、酒肆……”。“茶坊”在宋以前早已成为人们饮茶品茶的娱乐社交场所。宋代社会饮茶的情况，正如有些古籍所说：“上而王公贵人之所尚，下而小夫贱隶之所不可阙”。除一般的茶馆之外，还出现了上述晨开晓歇和专供夜游的特殊茶馆。到明代，杭州的茶馆有了进一步发展，随着制茶技术的提高和茶叶质量的改进，对茶叶品种、泡茶用水、煮茶火候及泡茶器皿等越来越讲究。

清朝是茶馆最兴盛的时代。清朝统治者对民众的统治很严，茶馆是市民们的主要而重要的市井活动场合。关于这一点，老舍先生的名作《茶馆》就是集中的体现。在清代，饮茶之风更甚，茶馆遍布大江南北、长城内外。这时的茶馆注意环境的选择、建筑物的讲究，并供应点心，以招徕更多的茶客。乾隆、嘉庆年间，北京开设了多处书曲茶馆，茶客可以一边品茶，一边欣赏曲艺表演，别有一番风趣。广州人嗜茶，饮茶风气极盛，清同治、光绪年间，广州的“二厘馆”茶馆就已普遍存在，还供应价廉物美的食品。

现在，一般大中城市都设有茶馆，特别是在旅游风景区，茶馆林立，几乎到处都可休息喝茶。在杭州西子湖畔，茶室有几十处，几乎遍及环湖的各个景点。游客面对湖山胜景，一边喝着芳香的龙井茶，一边品尝精致的点心，必有心旷神怡之感。茶馆已成为人们饮茶消渴、休息娱乐、问讯叙谊、品茗约会、交流思想的场所。

7.7.4 茶政

唐朝以前，茶叶经营为自由贸易，不收赋税。随着茶叶生产、消费的不断普及，茶叶经营过程中所产生的巨大利润，引起了统治阶级的重视，迫切需要对茶叶的经营方式进行规范。中唐以后，茶政、茶法应运而生。

1. 贡茶

贡茶是中国茶叶发展史上的一种特定现象，也是中国封建社会的特有产物。贡茶使千百万茶农蒙遭辛苦，但贡茶在客观上也推动了茶叶生产技术的发展，是茶文化中的一个重要内容。

贡茶起源于西周，迄今已有三千多年历史。晋《华阳国志·巴志》载："周武王伐纣，实得巴蜀之师"。巴蜀作战有功，册封为诸侯，作为封侯国向周王朝纳贡的物品有"上植五谷……茶……"，但这仅仅是贡茶的萌芽而已，既未形成制度，更未历代相沿袭。随着贡品需求量的增大，贡赋制度逐渐严格起来。从"随山浚川，任土作贡"，最后发展到设官分职进行管理。有所谓"九赋"、"九贡"。九贡即"祀贡、嫔贡、器贡、币贡、材贡、货贡、服贡、物贡"。茶叶就是"物贡"中的一类。

到了西汉时期，贡茶逐步明朗化。如王褒《僮约》有"武阳买荼"、"烹荼尽具"之句，间接地反映了上层阶层的饮茶情况；长沙马王堆西汉墓中出土的"槚笥"，反映了茶在贵族生活中的地位；后来，还有反映西汉皇室用茶的文学作品，如《飞燕外传》所述："咸帝崩后，后夕寝中惊啼其久。侍者呼问，方觉，乃言曰：吾梦中见帝，帝赐吾坐，命进茶。左右奏帝云，向者侍帝不谨，不合啜此茶"。三国时期，吴国末帝孙皓，每为食宴"无不竟日，坐席无能否，率以七升为限，虽不悉入口，皆浇灌取尽。曜素饮酒不过二升，初见礼异时，常为裁减，或密赐茶荈以当酒。"（陈寿《三国志·吴志》）这些用茶无疑属于贡品。后来，又有"晋温峤上表贡茶千印，茗三百斤"、"温山出御荈"等记载。

贡茶除贡物制度的强制性敛取外，还有一种地方上主动推荐贡献现象，这种现象也是使贡茶进一步扩大的重要原因。唐宋时期贡物制度的确立与这种由下荐上的进贡形式直接相关，也表明了一时一地的物产，可以通过上贡的形式，达到名扬四海的目的。

唐代是我国茶叶发展的重要历史时期。中唐时期，社会安定，民富国强，儒佛道三教鼎立，从外在修养（指修身处世的行为规范、律仪要求）转向内在修养（指对道德意识和思想目的的实质追求）已成为共识。茶性高洁清雅，是他们内在修养最理想的饮料，因而三教都爱茶、颂茶，“田间之问，嗜好犹切。”安禄山反唐，百姓背井离乡，田园荒芜，生产下降，全国经济重心由北方转移到南方。继六朝之后，继续从广度和深度开发江南土地，“山且植茗，高下无遗土。”“给衣食，供赋役，悉恃此祁之茗。”茶叶种植业迅速发展，家庭手工制茶作坊相继出现，茶叶商品化成为农产品中惟一的典型，初步形成了区域化、专业化，为贡茶制度的形成奠定了物质基础。

上贡制度的理论依据是“溥天之下，莫非王土。”“食土之毛（指农产品），谁非君臣。”同时在上古时代，农业是国家兴衰的根本，但科学技术不发达，生产力低下，只有依靠投入更多的劳动力去从事生产，而工业和商业的发展也需要劳力，彼此互相争夺。封建统治阶级为了使劳力向农业倾斜，制定了重农抑商政策；在这种思想指导下，派生出贡茶、榷茶制度，成为抑商政策的重要支柱。

贡茶从唐朝开始形成制度，历代相传，延续几百年之久。唐代贡茶制度有两种形式：一是朝廷选择茶叶品质优异的州定额纳贡。有常州阳羡茶、湖州顾渚紫笋茶、睦州鸠坑茶、舒州天柱茶、宣州雅山茶、饶州浮梁茶、溪州灵溪茶、峡州碧涧茶、荆州团黄茶、雅州蒙顶茶、福州方山露芽等二十多州的名优茶。雅州蒙顶茶号称第一，名曰“仙茶”。常州阳羡茶、湖州紫笋茶同列第二，荆州团黄茶名列第三。二是选择茶树生态环境得天独厚，自然品质优异，产量集中，交通便捷的重点产品，由朝廷直接设立贡茶院（即贡焙制），专业制作贡茶。贡茶院由“刺史主之，观察使总之。”除中央指派官吏负责管理外，当地州长官也有义不容辞的督造之责。这种体制，对巩固封建经济结构，维护封建制度极为有利。贡茶院的劳力来源是由政府控制的一部分茶叶专业户，临时以“和雇匠”方式入院造茶，并有禁令防止官吏克扣他们的工资，有积极的一面；但他们对政府有依附关系，甚至没有人身自由，社会地位低下，是受压迫和受剥削者。

贡茶制度的目的是既要满足朝廷穷奢极侈的需要，又能通过商品流通渠道，缩小商业经营范围，阻碍商品经济的发展，维护封建制度的根基；但贡茶是专供皇室朝廷饮用的，不惜耗用巨资，制作精益求精，品目日新月异，客观上推动了茶叶科学技术的进步。同时贡茶的产制和运输对驿道交通建设、地区联谊和民族团结也有促进作用。

入宋，贡茶沿袭唐制，但顾渚贡茶院渐趋衰落，福建建安（今建瓯）境内凤凰山“北苑龙焙”代之而大兴，其规模也很壮观，名声显赫。成品茶按质量好坏分成十个等级，朝廷官员按职位高低分别享用。宋代茶学专著，如《大观茶论》、《宣和北苑贡茶录》、《北苑别录》、《茶录》等，多以建安贡茶为主要内容，对推动茶叶科学知识的普及和提高，弘扬祖国光辉灿烂的茶文化都有积极意义。

至元明，贡焙制有所削弱，仅在福建武夷山置小型御茶园，定额纳贡制仍照实施。清代，我国茶业进入鼎盛时期，全国形成了以产茶著称的区域和区域化市场。如福建建瓯茶厂不下千家，小者数十人，大者百余人，以茶为业者日众。又如江西《铅山县志》载：“河口镇乾隆时期茶业工人二三万之众，有茶行48家。”清代前期，虽然采取历代产茶州定额纳贡制，但到中叶由于社会商品经济的发展及经济结构中资本主义因素进一步增长，贡茶制度则随之逐渐消亡。

贡茶制度是中国封建礼教的象征，是封建社会商品经济不发达的产物。贡茶在中国已有悠久的历史，直至清代封建制度的寿终正寝，贡茶才随之消亡。悠悠数千年，贡茶对整个茶叶生产和茶叶文化的影响是巨大的。

2. 榷茶制度

“榷茶”的意思，就是茶叶专卖，这是一项政府对茶叶买卖的专控制度。“榷茶”，最早源于唐代。在唐文宗时，王涯为司空，兼任榷茶使，在大和九年十月，颁布榷茶令，但在十一月，王涯即被杀，榷茶刚刚诞生便夭折了。到了宋初，由于国库欠丰，极需增加茶税收入；其次，也为革除唐朝以来茶叶自由经营收取税制的积弊，便开始逐步推出了榷茶制度和边茶的茶马互市两项重要的国策。

我国几千年的产茶历史，名扬海外。但在古代，茶叶生产和贸易的发展却极为缓慢，到唐代，才得到迅速发展。唐代是我国封建社会的鼎盛时期，唐太宗“水能载舟，亦能覆舟”的治国理论和策略，保持了唐代一个多世纪的民富国强，政治上的稳定，促进了经济上的繁荣，也为茶叶生产和贸易的大发展提供了良好的社会基础。

茶叶生产的发展，促进了茶叶商业的繁荣。江南出现了很多大茶商，北方出现了茶栈茶肆。有的商人缺少资本而又求财心切，竟见利忘义，铤而走险，抢劫他人财物，入山贩茶，把南方的茶叶运到北方。贩运茶叶可获得厚利，茶叶贸易兴旺发达。

盛唐之后，由于政治动荡，直接管辖区缩小，税源锐减，而且藩镇割据，截留中央财税，因此，国库财源日益枯竭。唐王朝看到茶叶生产发展了，物资丰富了，商人贩茶可以致富，而国家又出现了财政危机，因而效法禁榷制度。度支侍郎赵赞建议税天下茶，十取其一。贞元九年，盐铁使张滂创立税茶法，形成定制。“王涯献榷茶之利，乃以涯为榷茶使，茶之有榷，自涯始也。”到武宗时期“禁民私卖”，榷茶形成制度。

唐代榷茶最主要的目的是增加国库收入，晚唐“西川富强，只因北路商旅，托其茶利，赡彼军储。”四川茶利足以弥补唐王朝巨大的军费开支。第二，榷茶是为茶马互市。回纥入朝，“大驱名马，市茶而归。”第三，榷茶是为抑商。禁榷制度是抑商政策的重要支柱，其理论在西汉建立起来之后，即为后代封建统治者所赞赏并竭力推行。

宋代榷茶始于宋太祖乾德二年。朝廷在各主要茶叶集散地设立管理机构，称榷货务，主管茶叶流通与贸易；在各主要茶区设立官立茶场，称榷山场，主管茶叶生产、收购与茶税征收。榷茶制度在唐代形成之后，即为历代相沿袭，直到中国最后一个封建王朝清代中叶才告消失。

3. 茶马互市

在茶叶历史上，茶叶文化由内地向边疆各族的传播，主要是由于两个特定的茶政内容而发生的，这就是“榷茶”和“茶马互市”（也称茶马交易）。我国封建社会茶马互市贸易涉及政治、军事、经济、文化等方面，在茶叶经济史上占有重要地位。

茶马互市贸易始于中唐。据《封氏闻见记》和《新唐书》记载，“回纥入朝，始驱马市茶。”初期的茶马互市是作为对少数民族进贡的回赠，以后逐渐转变为商业性的茶马交易。唐朝是我国历史上多民族国家大发展时期之一，也是茶叶生产高速发展的新时期。贡茶、榷茶、税茶制度相继建立。唐朝对待边疆少数民族，实行比较开明的政策，采取和亲、互市、朝聘、册封、招抚等举措，内容涉及政治、经济、军事、文化、风俗习惯诸方面，从而赢得了边疆少数民族对唐朝的向心力和凝聚力。

宋朝时期，茶马互市贸易得到较大发展。宋太祖为了用兵契丹，深感战马在军事上的重要性，且唐朝已有以茶易马之事实，于是洽令置“提举茶马司”实行以茶易马。太宗继位后，为了宋王朝的发展，励精图强，巩固国防，抵御强敌，大力充实战马，加强以茶易马。此时正值茶叶生产大发展时期，具有雄厚的基础，可以以茶易马，并且认为以茶易马较之以铜钱、帛及其他物资易马更为合算；而少数民族又“不可一日无茶”。在此情况下，宋代的茶马贸易在规模上大有发展，政策和措施上亦进一步完善。明朝曾提出“茶马国之要政”，宋代对此虽未明确提出，但对茶马贸易所推行的政策和措施，实质上已视为“国之要政”了。

元朝时期的茶马互市贸易出现停顿。元朝是以蒙古族贵族为主建立起来的多民族国家，蒙古族本身产马，加上西藏、青海、甘肃等地均属元朝版图，马源十分充沛，而且对边疆少数民族的管理，较以往任何时候都要严格，所以没有沿袭宋朝茶马互市贸易。从朝贡与赏赐的物品看，元朝仍有茶马互市贸易的痕迹，只是它是一种变相的商品交换，其地位和功能及其意义已大大地淡化。

“茶、马，国之要政”，明朝始终处于战争环境中。古代作战，战马多少是决定战争胜负的重要因素，也是运输的重要力量。马匹短缺，对军事上危害极大。而明朝兵多将广，缺少的就是战马，面对严峻的军事形势，明朝对茶马互市贸易进行了变革。明朝继元朝将西藏正式纳入版图，对内地与边疆地区的贸易往来无论政策、制度和方式都发生了很大变化。茶马互市贸易既体现明朝中央政策对西藏的经济交往，是一种经济关系，又体现对西藏的统治关系，而且是属于第一位的。

清朝的茶马互市贸易开始走向衰落消亡。清朝是我国封建社会多民族统一，国家空前发展和巩固的时期。清朝初期，中央政权很不稳定，大规模战争不断，导致战马严重短缺，故沿袭明朝，积极推行茶马互市贸易。到顺治末年，全国统一局面基本形成。尤其在收复台湾之后，全国大规模战争已经结束，封建统治秩序进一步稳定，朝廷对茶马贸易开始淡化。清朝的茶马互市贸易，自康熙时期开始走向下坡，其地位和作用逐渐消失。

始自唐代终于清朝中期的茶马互市贸易，历经唐宋元明清五朝，延续千年之久，具有旺盛的生命力，在我国茶业经济史中占有极其重要的地位。茶马互市贸易在历朝发挥了极其重要的作用，具有深远的意义和影响，有利于我国多民族国家的形成、统一和团结，有利于促进边疆地区的经济繁荣和发展。

茶与酒一样，与中国的历史渊源极深。翻开一部厚重的中国史依稀能看见多少风云人物，曾经以茶会友、煮茶论道，并因此成就大业。与酒不同的是，茶还作为文明的使者，经由古老的丝绸之路，传播到全球、香飘四海。“开门七件事，柴米油盐酱醋茶。”古人把茶与柴米并列，茶是人们日常生活的必备品。追溯起来，大约四五千年前，中华民族的先人就开始认识并利用茶了。从此，茶与我们世代相处，和人们的生活息息相关。茶树四季常青，开白色小花，香气馥郁。古人认为茶树是坚贞的象征，有“不移其本”的特性。古俗男女缔结婚约时，男家要给女家送茶叶作聘礼，称为“茶礼”，茶叶成为古代婚姻的媒介物。

茶有解渴、提神、启迪思维等功用。我国在两晋时已有“比屋皆饮”的饮茶风习。唐代陆羽的《茶经》问世后，饮茶更是朝野风靡，并且与寺院僧人结下不解之缘。僧人坐禅，要饮茶养神。他们在群山起伏、泉水叮咚的寺院栽培良种茶。著名的四川蒙顶茶、黄山毛峰茶、庐山云雾茶、天台华顶茶、西湖龙井茶、武夷岩茶等，开始都是寺院栽种的。寺院僧人的种茶努力和对饮茶的倡导，推动了我国茶文化的发展。唐宋时，各地城镇茶馆渐多，到清代江南地方较大的乡村也有茶馆。茶馆是人们用饮茶方式进行休息、谈心、议事、会友的好去处。清代时民间艺人到茶馆说唱，有些茶馆同时又是娱乐场所。

古代有“客来敬茶茶留客”的风习。敬茶讲究茶具清洁，茶碗带有托盖，要泡酽酽的新茶。如果夜间来远客，更要热茶敬客。“寒夜客来茶当酒，竹炉汤沸火正红。”饮茶已远远不只是为了解渴，茶也不仅仅是一种饮料了。饮茶重视水的选择。平日煮茶的水是隔年的雨水，讲究用贮藏已五年的雪水。这种雪水又须是从梅花瓣上收取雪后，放在青花瓮内，埋在地下融化而成。古代善饮茶的人，讲究选用好水煮好茶，茶具配套而又小巧精致，冲泡要有技巧，饮量宜少，饮时要先闻其香，慢慢啜饮，叫做“功夫茶”。清代袁枚在《随园食单》中对此有经验之谈，他说：饮茶，“杯如小桃，壶小如香橼，每斟无一两，上口不忍遽咽，先嗅其香，再试其味，徐徐咀嚼而体贴之，果然清芬扑鼻，舌有余甘。一杯之后，再试一二杯，令人释躁平矜，怡情悦性。”这就是“功夫茶”。

茶乃天地间之灵物，生于明山秀水之间，与青山为伴，以明月、清风、云雾为侣，得天地之精华，而造福于人类。所以古代真正的茶人，不仅要懂烹茶待客之礼，而且常亲自植茶、制作，课僮艺圃。即使没有亲种亲制条件，也要入深山，访佳茗，知茶的自然之理。从汉王课童艺茶；唐代名僧广植茶树；陆羽走遍大江南北，朝攀层峦，暮宿野寺、荒村；一直到明代茶人自筑茗园等，形成了实践的传统。所以，中国茶艺中第一要素便是“艺茶”，无论评名茶、择产地、采集、制作，均需得地、得时、得法。《茶经》云：“茶者，南方之嘉木也。”“其地，上者生烂石，中者生栎壤，次者生黄土。”这是讲茶的土壤条件。又云：“野者上，园者次，阳崖阴林，紫者上，绿者次；笋者上，芽者次，叶卷者上，叶舒次。阳山坡谷者，不堪采缀，性凝滞，结瘕疾。”这是讲茶的其他自然环境和采摘时机。而这些条件多在我国南部气候湿润、环境幽静的名山之中，于是生长条件决定了茶要与风光名胜之处相伴，中国茶人深深懂得这个道理，从选茶开始便重视契合自然。

中国茶道中的茶是作为天与地、事物与人的统一过程来看待的。所以，无论辨茶之优劣、产地、加工、制作、烹制，不仅要符合大自然的规律，还包含着美学观点和人的精神寄托。在现代，用先进的科学技术可以分析出各种茶的化学成分、营养价值和药物作用。而古代的中国茶学家，是用辩证统一的自然观和人的自身体验，从灵与肉的交互感受中来辨别有关问题的。所以，在技艺当中，既包含着我国古代朴素的辩证唯物思想，又包含了人们主观的审美情趣和精神寄托。从物质与精神的结合上说，其成就甚至有超过现代之处。

现代的生活节奏日益加快，人们的负担越来越重，精神也越来越紧张。每个人既要在事业上有所成就，又要在生活中扮演好各自的角色，所以总显得有些疲惫不堪。如果说喝酒可以使人创造激情，那么饮茶可以使人在纷繁复杂充满各种欲望的人世间，洗涤浮躁的心灵深处，继而复归平静、理性，纷杂的内心被涤荡殆尽，名利被隔绝在心灵之外，满心被茶香包裹、为茶味浸润，呷上一口，唇齿间、心神间，无不为之香、为之爽，茶总是可以给人一份宁静、一份淡泊、一个心灵的栖息地。中国人尤其是中国文化人爱茶的原因大约在于一个“淡”字。茶叶那淡雅、清幽、绵长的品性与中国文化人淡泊自珍的处世哲学和审美情趣，实在有着天生的不解之缘。伴之而起的是“茶道”的盛行，使得品茶成为修身养性的最佳良方。一个“品”字，就道尽了饮茶的诸多情趣，正所谓只可意会、不可言传。“从来佳茗似佳人”，对酒自然能够当歌，而对茶则可以恣情写意。从古到今，中国的文人墨客品茶品出了不少脍炙人口的佳句名篇。如“茶烟一缕轻轻扬，搅动兰膏四座香”、“素瓷传静夜，芳气满闲轩”等，都是古人咏茶中最让人产生共鸣的诗作。而这些名篇佳话所诉说的无非都是一种茶一般淡泊的心性。如茶般的淡泊既是一种人生方式，也是一种人生境界，“绚烂之极，归于平淡。”“淡泊以明志”、“志当存高远”，而唯有淡泊才能久远。爱茶，不只在于茶的清幽与淡泊，还在于我国悠久广博的茶文化。我国茶文化具有悠久的历史和丰富的内涵，特别是我国举世闻名、丰富多彩的茶类及品饮技艺更令我们为之骄傲与自豪。茶始自远古，还将走向未来，愿中国的茶文化不断发扬光大。

本章小结

本章主要介绍了茶的发展过程、中国的饮茶习俗及茶具、茶政等内容。我国是世界上种茶、制茶、饮茶最早的国家。最初茶被称为“苦茶”，作为一种中药材用于治病。后来经长期实践经验积累，人们逐渐认识到茶不仅可以入药，而且是一种气味芳香、提神解渴的上好饮料。于是，种茶、饮茶渐成习惯。到三国时期，江南一带饮茶已蔚成风气。魏晋南北朝时，饮茶被用来待客。唐朝时开始出现茶馆，但饮茶方法烦琐。出现的第一部论茶专著为陆羽的《茶经》，陆羽因此被誉为“茶圣”。到宋元时期制茶技艺明显提高，名茶品种已有数十种之多。饮茶方法也开始革新，渐与今人饮茶方法接近。发展到今天，中国的制茶、饮茶技艺形成了一种独具风格的茶文化，中国茶道也因此而风靡全球。

思 考 题

1. 中国的茶文化是怎样形成和发展的？
2. 我国的茶文化具有哪些特性？
3. 我国古代的茶具有哪些种类？茶具是如何演变的？
4. 中国的茶叶有哪些种类，其代表品种各是什么？
5. 简述我国古代茶政的内容。
6. 试对中日茶道进行比较。
7. 试比较茶文化与酒文化的异同。
8. 怎样理解中国茶文化的内涵？
9. 何谓斗茶？何谓茶马互市？

参考文献

1　李宗桂．中国文化概论．广州：中山大学出版社，1998.

2　陶文台．中国烹饪史略．南京：江苏科学技术出版社，1983.

3　任百尊．中国食经．上海：上海文化出版社，1997.

4　国家旅游局人事劳动教育司．中式烹饪．北京：高等教育出版社，1991.

5　赵荣光，谢定源．饮食文化概论．北京：中国轻工业出版社，1999.

6　林正秋．中国旅游与民俗文化．杭州：浙江人民出版社，2000.

7　蔡宗德，李文芬．中国历史文化．北京：旅游教育出版社，1994.

8　黎虎．汉唐饮食文化史．北京：北京师范大学出版社，1997.

9　朱宝镛，章克昌．中国酒经．上海：上海文化出版社，1999.

10　李华瑞．中华酒文化．太原：山西人民出版社，1999.

11　陈宗懋．中国茶经．上海：上海文化出版社，1991.

12　陈辉，吕国利．中华茶文化寻踪．北京：中国城市出版社，2000.

13　王玲．中国茶文化．北京：中国书店出版社，1998.